D1499055

BLACK FRIDAY

JAMES PATTERSON

BLACK FRIDAY

*traduit de l'américain
par Patricia Delcourt*

ARCHIPOCHE

Ce livre a été publié sous le titre
Black Friday
par Little, Brown & Company, New York, 1986.

Notre catalogue est consultable à l'adresse suivante :
www.archipoche.com

Éditions Archipoche
34, rue des Bourdonnais
75001 Paris.

ISBN 978-2-35287-964-0

PREMIÈRE PARTIE

GREEN BAND

Les purs produits de l'Amérique deviennent fous.
William Carlos Williams

1

Grand et athlétique, le colonel David Hudson s'appuyait contre le coffre cabossé d'un taxi.

Hudson leva la main, faisant un cercle de ses doigts devant son œil droit, en un simulacre de longue-vue.

Wall Street lui apparut, baignée par la lumière de l'aube.

Il examina ainsi, successivement, le numéro 40 de la rue, qui abritait l'immeuble de Manufacturers Hanover Trust. Le numéro 23, qui regroupait les bureaux de Morgan Guaranty. Puis la Bourse de New York. Trinity Church. La Chase Manhattan Plaza.

Quand il eut une vision nette de l'ensemble, le colonel Hudson referma vigoureusement les doigts.

— Boum, murmura-t-il d'une voix paisible.

La capitale financière du monde disparut derrière son poing contracté.

Boum.

Ce même matin, peu avant cinq heures trente, le sergent Harry Stemkowsky, également connu sous le nom de Vétéran 24, dévalait comme une flèche la chaussée abrupte et verglacée de Metropolitan Avenue Hill, dans le quartier de Greenpoint à Brooklyn.

Il était assis dans un fauteuil roulant de la marque Everest and Jennings, un modèle vieux de neuf ans qu'il tenait du Bureau des anciens combattants de Queens. Pour l'heure, il se plaisait à imaginer qu'il conduisait une Datsun 280 Z décapotable gris métallisé.

— Aah-iii-aaaah ! hurla-t-il d'une voix stridente qui déchira le silence solennel régnant dans les rues désertes au petit jour.

Son menton était enfoui dans le col gras d'une parka de l'armée ornée de galons de sergent à moitié décousus et ses cheveux blonds frisés coiffés en queue-de-cheval flottaient derrière lui telle une banderole. Il fermait de temps en temps les yeux, que le vent glacial faisait abondamment pleurer. Son visage long et fin, aux traits figés par le froid, était aussi écarlate que le feu rouge de Berry Street, qu'il ignora et grilla dans un abandon total.

Il avait le front brûlant mais il adorait cette sensation de liberté inopinée.

Il avait même l'impression que le sang circulait de nouveau dans ses jambes atrophiées.

La course du fauteuil roulant de Harry Stemkowsky s'acheva finalement devant le Walgreen's Drugstore, qui restait ouvert toute la nuit.

Sous la parka et les deux gros pulls, son cœur battait à tout rompre. Il était terriblement excité : sa vie repartait à zéro.

Harry Stemkowsky se sentait, ce jour-là, capable de faire pour ainsi dire *n'importe quoi*.

Il poussa la porte vitrée du drugstore, couverte d'un montage d'annonces publicitaires pour des cigarettes, et fut presque immédiatement enveloppé par un délicieux courant d'air chaud embaumant le bacon et le café fraîchement passé.

Il sourit et se frotta les mains. Pour la première fois depuis des années, il n'était plus un invalide.

Pour la première fois depuis plus d'une dizaine d'années difficiles, Harry Stemkowsky avait un objectif.

Il ne pouvait contenir son sourire. Lorsqu'il songeait à toute l'opération et à l'incroyable portée de Green Band, il ne pouvait tout simplement pas se retenir de sourire.

Le sergent Harry Stemkowsky, messager officiel de Green Band, venait de rejoindre, sain et sauf, sa base d'artillerie au cœur de la ville de New York.

À présent, tout pouvait commencer.

2

Au quartier général new-yorkais du FBI, sur Federal Plaza, Walter Trentkamp, un homme grand à la chevelure argentée, tambourinait sans relâche sur un sous-main décoloré avec la gomme de son crayon à papier.

Sur le buvard taché du sous-main, un numéro de téléphone était griffonné : *202 456 14 14*. Un accès direct et sécurisé au président des États-Unis à la Maison Blanche.

Le téléphone de Trentkamp sonna à exactement six heures.

— O.K., tout le monde, lancez l'écoute maintenant, s'il vous plaît, ordonna-t-il de sa voix rauque du matin. Je vais tâcher de faire durer la communication aussi longtemps que possible. Prêts pour l'enregistrement ?... C'est parti.

Le chef de la police fédérale de la côte Est s'éclaircit doucement la gorge. Puis il décrocha le combiné. Les mots « Green Band » résonnaient dans sa tête. Il n'avait jamais été confronté à une telle chose au cours de toute sa carrière au sein du FBI, pourtant longue, variée et riche de rencontres insolites.

Certaines des personnalités les plus influentes de New York se tenaient agglutinées autour de Trentkamp, en un cercle compact et grave. Aucune d'elles n'avait jamais connu non plus quoi que ce soit s'approchant d'une situation de crise telle que celle-ci.

Elles écoutèrent en silence Trentkamp répondre à l'appel téléphonique programmé :

— FBI, j'écoute… Allô ?

Pas de réponse.

La tension dans la pièce était à son comble. Même Trentkamp, dont le calme dans les situations critiques était légendaire, semblait nerveux et inquiet.

— Allô ? Il y a quelqu'un ?… Y a-t-il quelqu'un ?… Qui est à l'appareil ?

La voix hésitante et inquiète de Walter Trentkamp résonnait à l'intérieur d'une vieille cabine en acajou sise au fond du Walgreen's Drugstore de Greenpoint, sur Brooklyn.

À l'intérieur de la cabine, le sergent Harry Stemkowsky se peignait avec les doigts.

Menaçant d'exploser, son cœur battait frénétiquement dans sa poitrine. Il sentait des pulsations oubliées palpiter dans tout son corps avec la force d'éperons mécaniques.

L'heure de vérité tant attendue avait sonné. Le temps des répétitions était révolu pour les vingt-huit membres de Green Band.

— Allô ? Trentkamp à l'appareil… FBI de New York… Répondez…

Le combiné noir niché entre l'épaule et la mâchoire de Stemkowsky lui paraissait trépider à chaque phrase.

Au bout d'une autre interminable minute, le sergent appuya fermement sur la touche « lecture » d'un Dictaphone Sony, qu'il colla délicatement tout contre le combiné. Il avait positionné la cassette sur le premier mot du message enregistré : « Bonjour… » La bande vibra, étirant la première syllabe – « *Booonjour* » –, et poursuivit avec un léger ronronnement :

« Bonjour. Ici Green Band. Nous sommes le 4 décembre. Un vendredi. Un vendredi historique, pour ce qui nous concerne. »

Haut perchée et lugubre, la voix entreprit de délivrer le message sans précédent qu'attendaient les hommes et les femmes confinés dans les bureaux du FBI à Manhattan.

L'opération Green Band était lancée.

Ryan Klauk, du service des écoutes, comprit très vite que la voix préenregistrée avait été délibérément accélérée et qu'on y avait ajouté un effet de réverbération, probablement afin d'accentuer le côté irréel des circonstances, mais surtout pour la rendre méconnaissable et donc vraisemblablement non identifiable.

« Ainsi que nous vous l'avons laissé entendre, des principes fondamentaux motivent nos autres appels de cette semaine, nos préparatifs minutieux et ce que nous vous avons fait faire jusqu'à présent… Est-ce que tout le monde écoute ? Je ne peux que supposer que vous êtes bien entouré, monsieur Trentkamp. Il semblerait que, de nos jours, aucun membre de l'Amérique institutionnelle ne prenne de décisions seul… Écoutez tous attentivement, je vous prie… Des bombes vont exploser dans le quartier financier de Wall Street. Un grand nombre de cibles sélectionnées au hasard entre l'East River et Broadway seront totalement détruites en fin d'après-midi. Je répète : des cibles choisies dans le quartier de Wall Street seront anéanties par des bombes aujourd'hui. Notre décision est irrévocable. Elle n'est pas négociable. Cet attentat aura lieu à dix-sept heures cinq ce soir. Quoi qu'il en soit… »

— Attendez ! protesta Walter Trentkamp d'un ton virulent. Vous ne…

Il s'arrêta aussi brusquement qu'il avait commencé, se rappelant qu'il s'adressait à une bande enregistrée.

« … l'ensemble de Manhattan, tout ce qui se trouve en dessous de la 14e Rue, doit être évacué, continua méthodiquement la voix. Vous devriez déclencher le plan d'évacuation de New York prévu en cas d'attaque nucléaire. Vous entendez, monsieur le maire ? Et vous, Susan Hamilton, du Bureau de la préparation civile ? Cela permettra de sauver des milliers de vies. Je vous demande expressément de le déclencher dès à présent… Nous avons également anticipé d'éventuelles requêtes de preuves concrètes concernant le sérieux de cette opération. Vous ne devez pas sous-estimer notre engagement total pour cette mission, que ce soit pour cet attentat ou pour toute tractation que nous pourrions ultérieurement décider d'entreprendre. Commencez l'évacuation du quartier de Wall Street immédiatement. L'opération Green Band ne saurait être arrêtée ni retardée. Aucun des éléments que j'ai évoqués n'est négociable. Notre décision est irrévocable… »

Harry Stemkowsky enfonça précipitamment la touche « stop » et raccrocha prestement le téléphone. Puis il rembobina la cassette et fourra le petit magnétophone dans une poche affaissée de sa parka.

Mission accomplie.

Il prit une profonde inspiration, eut l'impression d'aller chercher l'air jusqu'au creux de son estomac. Il tremblait sans pouvoir s'arrêter. Il l'avait fait, Bon Dieu ! Il l'avait réellement fait.

Il avait transmis le message de Green Band et il se sentait formidablement bien. Il avait envie de hurler, là, dans le drugstore. Mieux encore, il aurait aimé sauter en l'air et embrasser le ciel.

Le cœur battant encore la chamade, Harry Stemkowsky remonta une allée bordée d'accessoires pour salles de bains et dirigea son fauteuil roulant vers la buvette illuminée du drugstore.

Achevant de nettoyer son gril, le cuisinier, Wally Lipsky, un colosse jovial de près de cent cinquante kilos, se retourna au moment où Stemkowsky approchait. Son visage joufflu et rose s'éclaira immédiatement. L'ombre d'un triple menton apparut dans les plis de graisse de son cou.

— Non mais, regardez-moi qui s'amène ! Mon copain Pennsylvanie. Où est-ce que tu t'cachais, champion ? Ça fait un bail que j't'ai pas vu.

Harry Stemkowsky sourit à l'irrésistible cuisinier obèse, qui avait, à juste titre, la réputation d'être le clown de Greenpoint. De toute manière, il était dans de telles dispositions d'esprit, ce matin-là, qu'il aurait pu sourire à n'importe qui ou presque.

— Oh, i-i-ici et là, Wally, bégaya nerveusement Stemkowsky. Su-surtout à Ma-Manhattan. J'ai beau-beaucoup tr-travaillé là-haut, à Manhattan, der-dernièrement.

Il tapota avec l'index l'étiquette déchiquetée cousue sur l'épaule de sa veste et sur laquelle on pouvait lire TAXIS ET COURSIERS VÉTÉRANS. New York comptait sept chauffeurs de taxi handicapés habilités ; trois d'entre eux, dont Harry Stemkowsky, travaillaient pour Vétérans, une société sise à Manhattan et employant des anciens combattants.

— Je-je-j'ai un bon boulot. Un *vrai* b-boulot main-maintenant, Wa-Wally… Si tu nous préparais un p'tit dèj' ?

— Ça roule, Pennsylvanie. Un menu Taxi spécial qui marche. Demande-moi tout c'que tu veux, mon pote. J'te le fais.

3

Dès six heures et quart ce matin-là, un flot inin-terrompu d'hommes et de femmes à l'air morose et tenant des porte-documents noirs et bombés avait commencé à émerger de la bouche de métro à l'angle de Broadway et de Wall Street.

Ces hommes et ces femmes étaient les salariés interchangeables du quartier financier de New York, versés en notions comptables abstraites et principes juridiques subtils mais parfaitement ignorants des arcanes de Wall Street et de sa magie noire.

À sept heures et demie, des secrétaires mastiquant du chewing-gum descendaient nonchalamment de bus en provenance de Staten Island et de Brooklyn. Hormis les inévitables jeux de mâchoires, ce vendredi matin-là, certaines d'entre elles semblaient particulièrement fringantes, voire élégantes.

Lorsque les aiguilles ouvragées et dorées de l'horloge de Trinity Church marquèrent solennellement huit heures, les grandes artères comme les petites rues du quartier financier étaient déjà toutes engorgées d'une foule dense de piétons ainsi que de bus et de taxis klaxonnant bruyamment.

Plus de neuf cent cinquante mille personnes se pressaient dans moins de mille trois cent mètres carrés de biens immobiliers outrageusement hors de prix : sept pâtés de maisons compacts. La capitale mondiale et toujours inégalée de la finance.

Dans un premier temps, les édiles concernés et la police new-yorkaise n'avaient pas su décider s'il fallait s'employer à empêcher l'habituelle invasion matinale de Wall Street. Ensuite, il était tout simplement trop tard, cette possibilité ayant achevé de se diluer au cours d'échanges téléphoniques effrénés entre le bureau du divisionnaire et divers commissaires influents de certains quartiers. Elle s'était dissoute, cédant la place à un impossible cauchemar logistique et à une panique grandissante.

À cet instant précis, Abdul Calvin Mohammud, un homme de couleur du genre fantomatique, prenait très calmement sa place dans le défilé de têtes et de chapeaux d'hiver évoluant prestement sur Broad Street, juste en dessous de Wall Street.

En s'enfonçant dans la vertigineuse cohue, Calvin Mohammud se surprit à regarder les drapeaux aux couleurs vives flottant sur les façades des imposants immeubles de pierre.

Ces bannières arboraient les armes de BBH & Company, de la National Bank of America, de Manufacturers Hanover, de la Seaman's Bank. Elles ressemblaient à des voiles, tendues et agitées par les vents forts soufflant de l'East River.

Calvin Mohammud remonta la rue en pente raide en direction de Wall Street. C'est à peine si on le remarquait. Il est vrai que les coursiers passaient généralement inaperçus. Les vrais hommes invisibles.

Ce jour-là, à l'instar de tous les autres jours, Calvin Mohammud portait une blouse gris pâle lui descendant jusqu'à mi-cuisses et pourvue d'un brassard élimé sur lequel on lisait COURSIERS VÉTÉRANS. Les mots, en lettres majuscules, étaient encadrés de deux insignes : les aigles implacables de la 82e division aéroportée.

Mais personne n'y prêta attention non plus.

Cela ne se lisait pas sur son visage mais, au Viêtnam et au Cambodge, Calvin Mohammud avait fait preuve d'héroïsme. Cela lui avait valu une DSC[1] puis la Médaille d'Honneur[2]. Après son retour aux États-Unis, en 1971, la société américaine lui avait témoigné sa reconnaissance en le récompensant successivement par des emplois de porteur à Penn Station, de livreur pour Chick-Teri puis de bagagiste à l'aéroport de La Guardia.

Parvenu au kiosque à journaux couvert de graffitis à l'angle de Broadway et de Wall Street, Calvin Mohammud, alias Vétéran 11, fit glisser de son épaule la bandoulière de son lourd sac de coursier.

Il sortit une Kool de son paquet et l'alluma derrière une longue flamme jaune.

Puis, avachi dans l'embrasure d'une porte voisine, Vétéran 11 plongea nonchalamment la main dans son sac et en sortit un téléphone de campagne de l'armée américaine. Sa profonde sacoche de toile

---

1. Abréviation de « Distinguished Service Cross », médaille militaire attribuée à un soldat ou à un officier de l'armée américaine s'étant distingué par son héroïsme au cours d'une action militaire contre des forces armées ennemies. *(Toutes les notes sont de la traductrice.)*
2. La plus haute décoration militaire américaine, décernée au nom du Congrès aux soldats s'étant distingués au combat par leur bravoure et leur sens du devoir.

recelait également un pistolet-mitrailleur et une demi-douzaine de grenades antipersonnel.

— Contact. (Il recula dans les ombres froides de la porte cochère puis se mit à chuchoter dans le combiné du téléphone :) Ici Vétéran 11. Je me trouve à l'entrée nord-ouest, à deux pas de Wall Street... Rien à signaler au poste trois... Pas de police en vue. Aucune force armée nulle part. Ça paraît presque trop facile. Terminé.

Vétéran 11 tira une autre courte bouffée sur son mégot de cigarette. Il observa sereinement le bruyant tourbillon de la rue, si typique de Wall Street en semaine.

En plein jour.

Il tenta d'imaginer les explosions apocalyptiques qui allaient éventrer ce quartier avant la nuit.

À huit heures trente tapantes, Calvin Mohammud noua soigneusement une bandelette de tissu autour de la poignée en laiton d'une porte à l'arrière de la toute-puissante Bourse de New York.

Une belle et majestueuse bande verte.

4

L'opération Green Band débuta soudainement et
sauvagement, comme une pluie de météores traver-
sant le ciel pour venir s'écraser sur la ville de New
York.

Elle réduisit en miettes des baies vitrées de la hauteur de plusieurs étages, éventra des toits asphaltés
et secoua des rues entières dans le voisinage du
Pier 33-34 sur la Douzième Avenue, entre la 12e et
la 15e Rue. Dans un monstrueux éclair de lumière
blanche, dure et aveuglante.

À neuf heures vingt, ce matin-là, le Pier 33-34 – qui
avait jadis accueilli des bateaux somptueux tels que le
Queen Elizabeth et le *Queen Elizabeth II* – s'embrasa
subitement et se transforma en un véritable chaudron
ardent, un creuset de flammes qui ratissèrent l'air et se
propagèrent avec une telle impétuosité que même les
eaux de l'Hudson parurent cracher de colossales
colonnes de feu dont certaines s'élançaient à plus
de cent mètres de haut.

D'épais nuages de fumée tapissèrent le ciel de la
Douzième Avenue, semblables à de gigantesques
parapluies noirs ouverts brusquement au-dessus des
immeubles. Des éclats de verre de près de deux

mètres de long et des projectiles d'acier chauffés à blanc fusaient dans les airs, retombant avec un effet de ralenti irréel. Lorsque les vents du fleuve tournèrent, on entr'aperçut un autre spectacle surnaturel : celui du squelette métallique incandescent de la jetée elle-même.

L'explosion de la bombe et sa dispersion s'étaient accomplies en moins de soixante secondes.

Cela correspondait à la lettre à l'avertissement de Green Band : un inimaginable spectacle son et lumière, une démonstration spectrale d'horreurs et de terreurs annoncées...

Le quai où étaient amarrés le *Mauretania*, l'*Aquitania* et l'*Ile-de-France* avait été pulvérisé par les puissantes déflagrations et les jets de flammes.

Cette fois-ci, l'une parmi les milliers de menaces épouvantables dont New York faisait couramment l'objet était devenue réalité, porteuse d'un message sans précédent, qui serait bientôt transmis par la radio et la télévision aux auditeurs et aux téléspectateurs à travers le monde.

À dix heures trente-cinq, le matin du 4 décembre, plus de sept mille disciples fervents du capitalisme – opérateurs DOT[1], jeunes commissionnaires arborant de fringantes vestes à épaulettes et des coupes de cheveux tombantes, agents de change résolus aux expressions sévères, analystes du marché obligataire, surveillants en veste vert vif – circulaient, affairés et blasés à la fois, dans les trois salles principales combles de la Bourse de New York.

---

1. Abréviation de « Designated Order Turnaround », un système d'automatisation du routage d'ordres.

Douze écrans de téléscripteurs surélevés crachaient des informations financières parfaitement intelligibles pour ces professionnels aguerris – et pour eux seuls.

Le volume des transactions de la journée, un vendredi ordinaire, excéderait aisément les cent cinquante millions d'actions.

Les pères de cette institution, les tout premiers spéculateurs à la hausse et à la baisse, avaient été de féroces négociateurs et des gestionnaires de génie. Leurs successeurs, qui n'étaient le plus souvent que des héritiers abâtardis, ne montraient pas une maestria particulière pour les opérations de change.

À dix heures cinquante-sept, « la Cloche » – autrefois une véritable cloche d'incendie en laiton, que l'on faisait tinter à l'aide d'un maillet en caoutchouc et qui signale encore aujourd'hui l'ouverture officielle du marché à dix heures précises et sa fermeture à seize heures – sonna à l'intérieur de la Bourse de New York. À la manière d'un feu d'artifice pétaradant dans une cathédrale.

Un silence absolu s'ensuivit.

Un silence accablé.

Auquel succédèrent un incontrôlable bourdonnement de rumeurs effrénées et trois minutes de confusion et d'anarchie : du jamais vu à Wall Street.

Finalement, la voix basse et tonitruante du directeur de l'institution financière mugit dans les haut-parleurs de la sono vétuste :

— Messieurs… Mesdames… La Bourse de New York est officiellement fermée… Je vous prie de bien vouloir quitter l'enceinte de la Bourse. Veuillez sortir immédiatement ! Ceci n'est pas une alerte à la bombe mais une réelle situation d'urgence !

5

À l'extérieur du hall d'entrée de pierre et d'acier du bâtiment Mobil, sur la 42e Rue Est, défilaient des limousines – Mercedes, Lincoln, Rolls Royce, arrivant et repartant avec une célérité toute théâtrale.

Des hommes à l'air important et quelques femmes descendaient précipitamment des véhicules à la carrosserie allongée pour s'engouffrer dans le vestibule art déco qui leur était si familier à tous.

Au quarante-deuxième étage de l'immeuble, au Pinnacle Club, d'autres personnages tout aussi importants, PDG et dirigeants des banques et maisons de courtage les plus puissantes de Wall Street, étaient déjà réunis.

La grande salle à manger – luxueuse, avec son linge de table immaculé, son argenterie éclatante et son cristal étincelant, invariablement disposés et jamais utilisés – de ce club très fermé avait été réquisitionnée pour ce comité extraordinaire.

Interdits, désorientés même, plusieurs hommes de pouvoir en costume sombre se tenaient devant les baies panoramiques aux vitres réfléchissantes qui donnaient sur le centre-ville. Aucun d'entre eux n'avait jamais été confronté à une crise telle que celle-ci – et n'avait, du reste, jamais songé l'être un jour.

Face à eux s'étirait un panorama de canyons accidentés dévalant Manhattan jusqu'à la poignée de gratte-ciel qui constituait le centre financier de la ville. Spectaculaire et effrayant à la fois.

À mi-chemin, sur la 14e Rue, les forces de l'ordre avaient dressé de gigantesques barrages. On distinguait des fourgons de police, des ambulances et une foule de curieux se pressant pour voir Wall Street, qu'ils contemplaient comme ils auraient observé une œuvre d'art dérangeante dans un musée.

Invraisemblable ; de la pure folie.

Chacun de son côté, tous les esprits rationnels présents dans la salle à manger du club en étaient déjà arrivés à cette conclusion.

— Ils ne se sont même pas donné la peine de reprendre contact avec nous. Leur dernier appel remonte à six heures ce matin, gémit le secrétaire d'État aux Finances, Walter O'Brien. À quoi jouent-ils, nom de Dieu ?

Debout au milieu de quatre ou cinq administrateurs en vue de Wall Street, George Firth, le secrétaire d'État à la Justice, rallumait paisiblement sa pipe. Il semblait étonnamment détendu et maître de lui-même, si l'on voulait bien oublier le fait qu'il avait arrêté de fumer plus de trois ans auparavant.

— Ils se sont montrés on ne peut plus explicites quand il s'est agi de nous communiquer leur foutue heure butoir. Cinq heures cinq. Mais qu'est-ce que ces salauds attendent de nous ? demanda-t-il tout en rallumant sa pipe, qui s'était de nouveau éteinte dans sa main.

De la folie.

Cela faisait dix ans que les terroristes s'acharnaient en Europe. Mais ils ne s'étaient jamais attaqués aux États-Unis.

Jerrold Gottlieb, un homme d'affaires à l'air taciturne qui travaillait pour Lehman Brothers, lança :

— Eh bien, messieurs, il est dix-sept heures une…

Sa phrase demeura en suspens.

Un territoire inexploré s'ouvrait sous leurs pieds, où les choses ne pouvaient être convenablement exprimées ; les terres inviolées de l'indicible.

— Ils ont fait preuve d'une ponctualité extrême, jusqu'à présent. Je dirais même que l'importance qu'ils accordent aux détails et à l'exactitude est presque obsessionnelle. Ils appelleront. Je ne me fais pas de souci là-dessus, ils appelleront.

L'homme qui venait de prendre la parole était le vice-président des États-Unis. Désertant les Nations unies toutes proches, il avait accouru au bâtiment Mobil. Thomas More Elliot était un multidiplômé à l'allure austère, que ses détracteurs décrivaient comme un intello totalement déconnecté des réalités complexes de l'Amérique contemporaine.

Pendant les cent quatre-vingts secondes qui s'ensuivirent, un silence quasi ininterrompu régna dans la salle à manger du Pinnacle Club.

La présence d'un si grand nombre d'individus d'un tel calibre dans la pièce rendait ce mutisme frémissant d'autant plus terrifiant ; tous ces hommes d'affaires et de pouvoir, habitués à toujours arriver à leurs fins, à être écoutés et obéis sans réserve, se trouvaient comme muselés, leurs voix pour ainsi dire lettre morte.

Le pouvoir considérable de ces hommes était pour l'heure réduit à une suite de petits bruits distincts :

Le grognement rauque d'une gorge qu'on éclaircit…

De la glace craquant dans un verre…

Des doigts tapotant le fourneau d'une pipe éteint…

Une pure folie. Cette pensée semblait se réverbérer sur les murs de la salle.

Les coups d'œil anxieux sur des montres Rolex, Cartier et Piaget se multiplièrent.

Que voulait donc Green Band ?

Quelles étaient les revendications de cette organisation ? À combien s'élèverait la rançon exorbitante que ses membres allaient exiger en échange de la survie de Wall Street ?

Plus que vingt secondes avant l'heure limite fixée par Green Band.

— Appelez, s'il vous plaît. Appelez, bande de salopards, grommela le vice-président.

Des centaines de sirènes mugissaient dans tout New York. C'était la première fois que le dispositif d'alarme d'urgence était remis en service depuis la menace de guerre nucléaire remontant à 1963.

Et il fut dix-sept heures cinq.

Toutes les personnes réunies dans la salle à manger du Pinnacle Club prirent soudain conscience de l'évidence terrifiante qui s'imposait à eux : *ils* ne rappelleraient pas !

Ils n'allaient pas négocier.

Green Band allait frapper, sans autre préavis.

— Bref récapitulatif des faits, commença Lisa Pelham, secrétaire générale de la Maison Blanche. (C'était une femme méthodique et efficace, qui s'exprimait avec le débit heurté des gens dont l'esprit est rompu à résumer des montagnes d'informations en grandes lignes concises.) À midi, toutes les transactions ont été suspendues à Wall Street et dans toutes les Bourses régionales des États-Unis. Aucune transaction non plus à Londres, Paris, Genève et Bonn. Une réunion se tient en ce moment même à New York, au Pinnacle Club. Les tractations ont été interrompues sur tous les marchés importants de titres et de marchandises du monde entier. La question est la même partout. De quelle nature sont les revendications que nous serions en train de négocier dans le plus grand secret ? (Lisa Pelham marqua un temps d'arrêt et écarta délicatement une mèche de cheveux de son visage ovale.) Et donc, tout le monde croit que nous négocions avec quelqu'un, monsieur le président.

— Et ce n'est pas le cas ?

Le visage du président Justin Kearney trahissait une incrédulité extrême et de la méfiance. Au cours de son mandat, il avait découvert une fâcheuse réalité : bien trop souvent, une branche du gouvernement ignorait les activités d'une autre branche.

— En effet, monsieur. Tant la CIA que le FBI nous l'ont certifié. Green Band n'a toujours pas émis la moindre revendication.

Les services secrets avaient précipitamment escorté le chef du gouvernement au Centre des communications, une pièce sans fenêtres protégée contre les écoutes et enfouie au cœur de la Maison Blanche. Là se trouvaient aussi, entourant le président américain, certains des leaders politiques les plus influents du pays.

Une vidéoconférence avait été organisée avec le Pinnacle Club, à New York. Justin Kearney vit Walter Trentkamp, le patron du FBI, apparaître sur l'écran. Trentkamp avait des cheveux gris coupés court ; le temps et ses fonctions lui avaient par ailleurs conféré une expression dure, marquée, et une attitude stressée.

— À l'exception de l'explosion de la bombe sur le Pier 33-34 – qui correspond à la preuve qu'ils nous avaient promise –, Green Band ne s'est pas manifesté de nouveau, monsieur le président. On a déjà vu ce type d'action à Belfast, à Beyrouth, à Tel-Aviv. Mais *jamais* aux États-Unis… Nous attendons tous, monsieur le président, reprit Trentkamp. Il est dix-sept heures six minutes et quarante secondes. L'heure qu'ils ont officiellement annoncée est clairement dépassée.

— Avez-vous été contactés par des groupes terroristes revendiquant ces actes ?

— Oui. Nous procédons à des vérifications. Jusqu'ici, aucun d'eux n'a été en mesure de rapporter la teneur de l'appel téléphonique que nous avons reçu ce matin.

Dix-sept heures six.

Dix-sept heures sept.

Le temps s'écoulait. En prenant son temps.

Dix-sept heures huit.

Jamais des minutes n'avaient paru si longues.

Dix-sept heures neuf.

Dix-sept heures dix.

Les secondes s'étiraient avec une lenteur insoutenable.

Philip Berger, le directeur de la CIA, s'approcha des projecteurs et des caméras disposés dans la salle de crise de la Maison Blanche. C'était un petit homme irascible, hautement impopulaire à Washington et principalement doué pour entretenir les haines existant entre les grands services de renseignements américains.

— Note-t-on la plus petite activité sur Wall Street ? demanda-t-il. Y a-t-il des gens là-bas ? Des véhicules en mouvement ? Dans les airs ?

— Rien, Phil. Si la police et les pompiers ne cernaient pas le secteur, cela ressemblerait à un dimanche matin bien paisible…

— Tout ça, c'est un foutu bluff, commenta quelqu'un à Washington.

— Ou alors, compléta Justin Kearney, ils jouent à une saloperie de guerre des nerfs avec nous.

Personne ne releva l'avis du Président.

À présent, tout le monde gardait le silence.

L'angoisse et la sinistre incertitude de l'attente avaient pris le pas sur la parole.

Ils devraient se contenter d'attendre.

Dix-sept heures quinze.

Dix-sept heures dix-huit.

Dix-sept heures vingt.

Dix-sept heures vingt-quatre.

Dix-sept heures trente.

Mais attendre quoi ?

6

À dix-huit heures vingt, le colonel David Hudson accomplissait l'unique chose qui comptait encore – qui comptait plus que tout dans sa vie.

David Hudson effectuait une patrouille. Il avait repris le combat ; il se retrouvait de nouveau à la tête d'une section qu'il menait sur le champ de bataille – à la différence qu'à présent le champ de bataille était une grande ville américaine.

Hudson faisait partie de ces hommes qui disaient vaguement quelque chose aux gens, sauf que ceux-ci n'auraient su dire précisément quoi. Il portait ses cheveux blonds en brosse courte – une coupe récemment revenue à la mode. C'était un homme séduisant, d'une beauté très américaine.

Il avait ce type de visage extraordinairement photogénique, aux traits intenses, presque nobles, et il dégageait une assurance apparemment inconsciente, affichant un air invariablement rassurant qui disait clairement : « Oui, je peux le faire. De fait, je peux *tout* faire. »

Un détail, toutefois, que l'on ne remarquait pas immédiatement : David Hudson avait perdu son bras gauche au Viêtnam.

En reconnaissance dans son taxi Checker aux couleurs des taxis et coursiers Vétérans, il passa tranquillement devant les pompes à essence vert vif de la station-service Hess, à l'angle de la Onzième Avenue et de la 45e Rue. David Hudson vivait l'un de ces moments où, comme dans un rêve étrange, on est capable de *se* voir de l'extérieur et de porter un regard objectif sur soi-même. Une sensation, pas vraiment agréable, de distorsion de la réalité qu'il avait extrêmement bien connue en service commandé et qu'il retrouvait maintenant, dans les rues grises et enneigées de New York balayées par les vents cinglants de l'hiver.

Le colonel Hudson prenait délibérément son temps avant de laisser l'étau de la mission Green Band se resserrer d'un cran supplémentaire et capital.

Chaque seconde avait été rigoureusement prise en compte. David Hudson appréciait le sens du détail plus que tout ; il aimait la précision et le réglage minutieux indispensables pour atteindre la perfection.

Il avait repris le combat.

Il décrocha finalement le micro de l'émetteur-récepteur intégré dans le tableau de bord du taxi.

— C'est parti… Ici Vétéran 1. À vous, Vétéran 5.

Le colonel David Hudson s'exprimait sur ce ton ferme et charismatique qui était la signature des ordres qu'il donnait au cours des dernières années de guerre en Asie du Sud-Est. De cette voix qui avait infailliblement généré loyauté et obéissance chez les hommes dont les vies dépendaient de lui.

— Ici Vétéran 1… À vous, Vétéran 5, répéta-t-il.

Une réponse lui parvint, dans un fort grésillement :

— Ici Vétéran 5. À vous.

— Vétéran 5. Déclenchez Green Band. Je répète : Déclenchez Green Band. Faites tout péter…

7

— Z'auriez pas vingt-cinq cents, m'sieur ? S'il vous plaît ! Il fait très froid ici, m'sieur. Vous avez pas deux p'tites pièces ?... Ah ! merci. Merci beaucoup, m'sieur. Vous venez d'me sauver la vie !

Ce soir-là, aux environs de dix-neuf heures trente, un clochard connu sous le nom de « Tchatcheur » quémandait habilement de la petite monnaie et des cigarettes sur Atlantic Avenue, à Brooklyn.

L'homme mendiait assis, recroquevillé contre la façade de briques rouges délabrée du restaurant La Maison du Yémen et du Moyen-Orient. L'argent affluait, comme si ses haillons souillés dissimulaient un aimant.

Après un beau coup – quarante-huit cents accordés par un homme à l'allure de prof branché de Brooklyn Heights accompagné de sa petite amie –, le sans-abri s'offrit une petite lampée d'une flasque de Four Roses dont le contenu diminuait comme une peau de chagrin.

Il savait qu'il était contre-productif de boire tout en demandant l'aumône, mais il s'agissait là d'une nécessité absolue, ne serait-ce que pour lutter contre le froid âpre de l'hiver. De plus, boire faisait, qu'on le veuille ou non, partie intégrante de son image...

La toux profonde et grasse qui suivit la gorgée de bourbon sonnait suffisamment tuberculeuse pour convaincre un généraliste en goguette. L'homme avait les lèvres tuméfiées. Livides et gercées, comme si elles avaient récemment saigné.

Pour cet hiver, il s'était choisi une parka de la marine sans manches, portée par-dessus plusieurs couches de chemises de bûcheron colorées. Il s'était procuré des baskets montantes noires trouées au bout, des chaussettes de basket autrefois blanches et un pantalon de peintre à présent recouvert d'une épaisse couche de boue, de vomi et de crachats.

Les touristes semblaient adorer.

Il leur arrivait de le prendre en photo afin de pouvoir illustrer, une fois de retour chez eux, le caractère impitoyable de New York City et sa misère noire.

Il aimait poser ; ensuite, il réclamait un dollar, ou quoi que ce soit que sa clientèle avait à lui offrir. « Faut passer à la caisse, mon pote ! »

Dans l'immédiat, à travers ses paupières mi-closes et poisseuses, Tchatcheur observait à la dérobée l'habituel défilé du début de soirée devant l'enfilade de restaurants moyen-orientaux qui se succédaient sur Atlantic Avenue.

Ce quartier était sept jours sur sept un bazar bruyant, un défilé incessant d'immigrés arabes, de petits cons de la fac, de gens travaillant à Brooklyn qui venaient manger exotique.

On entendait toujours, dans le lointain, le cliquètement du métro aérien.

Un groupe de jeunes employés de chez McDonald's qui rentraient chez eux après le boulot passèrent devant Tchatcheur : deux filles noires rondelettes et un garçon métis maigre de dix-huit, dix-neuf ans.

— Hé, McDonald's ! leur lança le clochard d'une voix rauque. Le Whopper du Burger King est meilleur que votre Big Mac. Pas de bol pour vous. Z'avez vingt-cinq cents pour moi ? Ou quelque chose pour me payer un McCoffe ?

Les jeunes affichèrent un air outragé, puis l'un d'eux riposta :

— On t'a rien demandé, le crevard. Espèce de vieux maboul. Va mourir, enfoiré.

Les trois jeunes gens poursuivirent gaiement leur chemin. Abusés, comme les autres passants.

Et pourtant… Quiconque se serait donné la peine d'examiner Tchatcheur d'un peu plus près aurait remarqué certaines incongruités chez le sans-abri.

Tout d'abord, sa carrure et son tonus musculaire, réellement impressionnants chez un clochard sédentaire.

Son regard, aussi, presque continuellement en alerte. Ses yeux scrutaient assidûment l'avenue, enregistrant tout ce qui s'y déroulait.

Tchatcheur, de son vrai nom Archer Carroll, était un flic. Déguisé en cloche, il effectuait une mission de surveillance qui durait depuis cinq semaines et dont il ne voyait pas le bout.

Au même moment, sur le trottoir opposé de cette rue très fréquentée de Brooklyn, à l'intérieur du Sinbad Star Restaurant, deux Irakiens d'une petite trentaine d'années dégustaient ce qu'ils tenaient pour la meilleure cuisine moyen-orientale de New York. Ils étaient l'objet de la longue et pénible surveillance de Carroll.

Les deux hommes avaient choisi une alcôve au fond du petit restaurant, où ils avalaient à grand bruit une épaisse soupe de caroube.

Suivirent un taboulé moucheté de menthe et de l'houmous couleur crème, accompagnés de riches mélanges, raisins, pignons, viande d'agneau, olives marocaines – les denrées qu'ils préféraient au monde. La vie les gâtait.

8

Dehors, sur Atlantic Avenue, Arch Carroll grelottait misérablement dans le vent du soir glacé.

Carroll s'interrogeait parfois – principalement dans des moments comme celui-ci – sur la raison pour laquelle un homme de trente-cinq ans raisonnablement intelligent, diplômé en droit et ayant des perspectives d'avenir plutôt correctes avait choisi de travailler entre soixante et soixante-dix heures par semaine, dînant invariablement de pizzas froides arrosées de Pepsi-Cola, assis en haillons puants sur un sol gelé devant des restaurants bondés.

Une histoire de gènes, peut-être, son père et ses deux oncles ayant été avant lui des flics battant le pavé de la ville ?

Ou alors était-ce lié à des choses qu'il avait vues, quinze ans auparavant, au Viêtnam ?

Était-il vraiment l'homme sensé et intelligent qu'il s'était toujours figuré être ? Qui sait si, en fin de compte, il n'y avait pas eu une espèce de court-circuit dans les branchements de son vieux cerveau ?

Arch Carroll s'aperçut que, méditant les erreurs tangibles de sa vie, il avait commencé à se déconcentrer.

Il s'ébroua… et se figea aussitôt.

— Qu'est-ce que… ? grommela-t-il tout haut en regardant fixement plus bas dans la rue encombrée. Serait-ce ?… Pas possible… Pourtant…

Arch Carroll venait de remarquer, au niveau du Frente Unido Bar et du Data Indonesia, un individu maigre aux cheveux hirsutes qui venait dans sa direction. L'homme remontait précipitamment Atlantic Avenue, jetant constamment des coups d'œil par-dessus son épaule droite.

De loin, on aurait dit un manteau ample avançant sur un bâton.

Sortant de l'engourdissement de sa position allongée, Carroll se redressa lentement.

Il plissa les paupières, pour mieux voir la silhouette qui s'approchait.

Bon Dieu ! Oui !

L'homme au pas pressant était doté d'une grosse tignasse crépue de cheveux noirs broussailleux et très rêches, peignée en arrière et retombant comme un sac flasque au-dessus du col de sa veste noire.

Carroll connaissait cet homme sous deux noms : l'un était Hussein Moussa ; l'autre, le Boucher libanais. Une dizaine d'années plus tôt, Moussa avait été recruté par les Russes, qui l'avaient formé dans leur célèbre école du tiers monde, du côté de Tripoli.

Depuis lors, spécialiste du commerce de la terreur et des techniques de meurtre sophistiquées, Moussa avait travaillé activement, principalement en free-lance : à Paris, à Rome, au Zaïre, à New York, au Liban pour le colonel Kadhafi. Il avait récemment offert ses services à François Monserrat, qui non seulement avait fait main basse sur la cellule européenne du terroriste Carlos, mais s'était également implanté en Amérique latine et désormais aussi aux États-Unis.

Hussein Moussa s'immobilisa devant le Sinbad Star Restaurant. Tel un conducteur très prudent arrêté à une intersection dangereuse, il inspecta chaque côté de la rue.

Dans les deux sens, trois fois en tout, notant même la présence du clochard installé sur le trottoir d'en face.

Il finit par disparaître derrière la porte rouge du Sinbad Star.

Arch Carroll s'assit droit comme un piquet contre le mur de briques derrière lui.

Farfouillant dans sa veste, il en sortit un mégot de Camel dont il restait un bon tiers à fumer. Il l'alluma, inhala une bouffée âpre du tabac de Caroline du Nord.

Un cadeau de Noël pour le moins inattendu ! Une récompense légitime, pour ces interminables nuits d'hiver passées à filer les Rashid : le Boucher libanais sur un plateau d'argent !

Ses supérieurs au Département d'État avaient fait passer la consigne : on ne touche pas aux frangins sans preuves matérielles extrêmement solides. Mais rien n'avait été prévu, s'agissant de gusses du genre de Hussein Moussa.

Que faisait-il à New York, celui-là, d'ailleurs ? Cette question ébranlait Arch Carroll. Pourquoi Moussa était-il ici, avec les Rashid ?

Il songea furtivement aux événements du Pier 33-34. Il avait recueilli des bribes d'informations sur l'attentat en écoutant les discussions dans la rue tout au long de la journée – quelqu'un avait manifestement décidé de faire sauter un quai et son voisinage du West Side. L'espace d'un instant, Carroll réfléchit à un possible lien entre la présence de Hussein Moussa et les événements survenus sur l'Hudson.

Arch Carroll dirigeait la division antiterroriste de la DIA[1] depuis près de quatre ans. À ce titre, il avait pris connaissance de quelques-uns des pedigrees les moins reluisants de la planète.

Celui d'Hussein Moussa valait le détour.

Le Boucher libanais aimait torturer. Le Boucher semblait également prendre beaucoup de plaisir à tuer. Surtout des civils innocents…

De sous les journaux et les chiffons que contenait l'un de ses cabas, Carroll sortit doucement un lourd objet en métal noir. Un Browning automatique, dont il s'assura rapidement du bon fonctionnement.

Un hassid âgé et voûté passant sur le trottoir dévisagea avec incrédulité ce sans-abri qui chargeait un pistolet. Ses yeux larmoyants faillirent sortir de son visage fripé. Le vieil homme s'éloigna lentement, sans regarder derrière lui. Puis il se mit à trotter un peu plus rapidement. *Les clochards new-yorkais sont armés, maintenant !* Tout espoir était désormais vain pour cette ville. Les prières n'y pouvaient plus rien.

Arch Carroll laissa passer un bon quart d'heure puis entreprit de se frayer un chemin dans la circulation dense du soir. Il n'entendit qu'à moitié les coups de klaxon et les grossièretés à lui adressés.

Il flottait entre rêve et réalité, à présent ; il se sentait également la proie d'une légère nausée. La pizza froide, probablement.

---

1. Abréviation de « Defense Intelligence Agency ». La DIA se consacre essentiellement au contre-espionnage et au contre-terrorisme.

Un couple d'une cinquantaine d'années sortait du Sinbad. La femme, très forte, tirait son manteau rouge sur ses énormes hanches.

Elle toisa Tchatcheur. Son regard disait : « Ce n'est pas un endroit pour vous, monsieur. Vous savez pertinemment que vous n'avez rien à faire ici. »

Carroll tira à lui la porte rouge que le couple avait laissée se refermer sous son nez.

Un courant d'air chaud, chargé d'effluves d'ail, l'assaillit quand il s'introduisit dans le restaurant. Déclic étouffé du Browning sous sa parka. Profonde inspiration silencieuse. *O. K., champion.*

La minuscule salle était plus remplie qu'il n'y paraissait de l'extérieur. Arch Carroll pesta et sentit son estomac se nouer. Chacune des tables était occupée.

À l'entrée, six ou sept personnes, une bande de copains riant aux éclats, attendaient d'être placées. Carroll les bouscula pour passer.

Il promena alors lentement son regard sur le fond de la salle. Seuls ses yeux bougeaient. Sa tête était parfaitement immobile.

Hussein Moussa, assis à une table dans le fond, l'avait déjà repéré.

Même dans ce restaurant plein à craquer et animé, le terroriste avait remarqué son entrée. Le Boucher détaillait instinctivement toute personne qui pénétrait dans l'établissement.

Tout comme le propriétaire des lieux, un homme obèse de près de cent vingt kilos. Ce dernier fonça sur le sans-abri, tel un taureau enragé protégeant son troupeau à l'heure du repas :

— Sortez ! Pas de clochards ici ! Dehors, maintenant ! brailla-t-il.

Carroll s'efforça d'afficher une expression désespérément paumée et déconcertée, censée exprimer sa surprise de se trouver là.

Il trébucha sur la semelle décollée de ses baskets noires.

Il fit quelques pas de côté sur sa gauche avant de se diriger soudain vers l'angle à droite au fond de la salle.

Il espérait de tout cœur avoir l'air soûl et totalement désorienté. Voire passablement comique. Tout le monde aurait dû se mettre à rire.

Carroll fit descendre ses deux mains sur son corps en tâtonnant, puis se mit à se gratter consciencieusement l'entrejambe. Une femme d'âge mûr détourna les yeux sans cacher son dégoût.

— Les cabinets ? lança-t-il en bavant de manière convaincante et en roulant des yeux. Faut qu'j'aille aux gogues !

Un jeune homme barbu et sa petite amie, attablés sur le devant de la salle de restaurant, pouffèrent. L'humour pipi-caca fonctionnait à tous les coups avec les jeunes.

Hussein Moussa s'était arrêté de manger. Il finit par montrer ses dents – une arête crantée d'un jaune étincelant. C'était le sourire d'un animal, d'un implacable charognard. Lui aussi jugeait apparemment la scène amusante.

— *Faut qu'j'aille aux gogues !* répéta Carroll d'une façon un peu plus tonitruante, qui n'était pas sans rappeler Jerry Lewis interprétant un ivrogne.

Il fallait de sacrés dons de comédien, dans cette branche d'activité !

— Mohammed ! Tarik ! Virez-moi ce clodo ! Tout de suite ! ordonna le propriétaire à ses serveurs d'une voix stridente.

Brusquement, Arch Carroll pivota avec souplesse sur sa gauche.

Le Browning jaillit de sa grosse parka miteuse.

Parfaitement déplacé, dans ce petit restaurant familial. Des femmes et des enfants poussèrent des hurlements.

— *Pas un geste !* Que personne ne bouge ! *Pas un geste, bordel !*

À ce moment-là, l'un des serveurs libanais, surgissant derrière Carroll, lui assena un coup brutal qui lui fit faire un demi-tour sur lui-même vers la droite.

Repoussant prestement leurs chaises en vinyle rouge, Moussa et les Rashid se dispersaient déjà. Anton Rashid avait sorti un automatique argenté de sa veste trois-quarts en cuir brun.

On voit souvent, au cinéma, des scènes particulièrement violentes montées en un mouvement ralenti et fluide. Dans la réalité, on ne perçoit pas les choses de cette façon. Cela tient davantage du collage saccadé de clichés photographiques assourdissants et choquants.

— *Couchez-vous tous !* hurla Carroll en faisant feu.

Anton Rashid s'effondra, la gorge trouée, son sang giclant autour de lui.

Le pistolet de Hussein Moussa apparut en un éclair et retentit, faisant plonger Carroll à terre.

Quelques secondes plus tard, le policier leva furtivement la tête au-dessus d'une table. L'espace d'un instant, son front et ses yeux se retrouvèrent exposés. Il tira, trois fois.

Deux balles clouèrent le robuste Wadih Rashid contre une cloison ornée de poêlons noirs.

Des trous jumeaux surgirent sur sa poitrine. Les lourds poêlons dégringolèrent avec fracas sur le sol carrelé.

— Moussa ! Hussein Moussa ! Rends-toi ! Tu n'as aucune chance de t'en sortir !

Pas de réponse.

Quelque part vers l'entrée du restaurant, une femme âgée poussait des gémissements qui n'étaient pas sans rappeler un imam au travail. Plusieurs personnes sanglotaient bruyamment.

Un… deux… trois ! Carroll releva la tête.

Aucune trace du Boucher. Moussa se dirigeait vraisemblablement en rampant vers la porte d'entrée ou vers la cuisine. Comment savoir ?

Carroll décida qu'il devait s'agir de la cuisine et s'élança à quatre pattes dans cette direction.

— J'ai des grenades antipersonnel ! glapit soudain le Boucher d'une voix aiguë et perçante. Tout le monde meurt ici ! *Tout le monde meurt* dans ce restaurant ! Tout le monde meurt avec moi ! Les femmes, les enfants, je m'en fous !

Arch Carroll s'immobilisa ; il respirait à peine.

Il contempla fixement droit devant lui une femme terrifiée qui, recroquevillée sur le sol tel un escargot, tremblait de tous ses membres. Dans les trente ans.

Carroll regarda de nouveau discrètement par-dessus les tables. Un coup de feu retentit. Une salière se désintégra, tout près de lui.

Moussa se trouvait au fond de la salle, sur la droite.

Le problème était de savoir s'il disposait réellement de grenades. Cela pouvait être du bluff, mais le pire était toujours envisageable avec les types de son engeance.

La panique commençait à gagner les clients affalés pêle-mêle par terre. Ils étaient à deux doigts de se relever en masse pour se ruer vers la sortie, ce que

Moussa espérait car, dans la confusion, Carroll ne s'aventurerait pas à tirer.

Le sol du restaurant était jonché de nourriture. Carroll s'empara d'une assiette contenant les restes d'un plat de riz et d'agneau à l'odeur âcre. D'un geste sec du poignet, il expédia l'assiette dégoulinante contre la porte de la cuisine.

Dans le même temps il se redressa, fermement campé en position de tir, les bras tendus, son arme maintenue à deux mains.

Hussein Moussa surgit de derrière une table et tira deux fois en direction de la porte de la cuisine.

Le Boucher serrait une grenade dans sa main gauche.

L'enfoiré !

Arch Carroll fit feu.

Moussa ouvrit la bouche, apparemment très surpris.

Un flot de sang apparut sur le côté droit de son front. Il s'affala sur une table encore couverte de nombreux plats, entraînant dans sa chute nappe et vaisselle. Il proféra une injure d'une voix rauque, tenta de se redresser.

Carroll doubla la dose. Le Boucher libanais s'effondra pesamment en avant, atterrissant sur le dos d'un homme corpulent allongé sur le sol.

Un silence formidable et lugubre régna à l'intérieur du Sinbad Star pendant quelques secondes. Puis la vie reprit. Le restaurant s'emplit de cris de colère, et de soulagement.

Son arme tendue devant lui, Arch Carroll traversa tant bien que mal le chaos de la salle, sans se départir de sa position apprise à l'école de police. On l'aurait cru bloqué dans cette posture.

Il examina attentivement les frères Rashid. Wadih et Anton vivaient encore. Pas le Boucher, ce qui faisait indéniablement du monde un endroit soudainement bien plus agréable à vivre.

— Appelez une ambulance, s'il vous plaît, demanda doucement Carroll au propriétaire du restaurant, encore tétanisé. Je suis désolé. Je suis vraiment navré que cela ait dû se passer dans votre établissement. Ces hommes sont des terroristes. Des tueurs professionnels.

Incrédule, le propriétaire du Sinbad Star ne pouvait détacher son regard de Carroll.

— Mais vous, monsieur, qu'est-ce que vous êtes ? réussit-il enfin à articuler. Dites-moi ce que vous êtes, je vous en prie, monsieur.

9

Green Band avait frappé à nouveau, telle une armée invisible.

Alry Simmons et Robert Havens, de la police de New York, se frayaient prudemment un chemin à travers les ruines fumantes de la Federal Reserve Bank, sise sur Maiden Lane. Fixées à la ceinture des deux hommes, des cordes de sécurité longues de quatre cent cinquante mètres remontaient jusqu'à la rue.

Les policiers évoluaient dans ce qui avait été jusque-là le gigantesque hall d'entrée richement décoré de la Banque centrale des États-Unis. Les visiteurs du bâtiment étaient immanquablement frappés par l'impression de puissance indestructible qui se dégageait de ses dalles de marbre grises et bleues et de ses briques de grès. Ses allures de forteresse, les solides barreaux de fer à chacune de ses fenêtres n'avaient fait qu'ajouter à son caractère imprenable et suffisant. Cette image avait de toute évidence été un leurre.

Les ravages que les agents Simmons et Havens découvrirent à l'étage inférieur, dans le département de la monnaie, leur furent difficiles à saisir et encore plus difficiles à évaluer.

De colossales machines à peser les pièces gisaient, dépecées comme les jouets d'un enfant. Éparpillés ici et là, des sacs de pièces de vingt kilos semblaient dégorger leurs entrailles sur les dalles.

Le sol en marbre était enfoui sous un bon mètre de pièces de cinq, dix et vingt-cinq cents. Des colonnes de soutien de l'édifice s'étaient effondrées un peu partout. La structure entière semblait sur le point d'en faire autant.

Le dernier sous-sol de la Federal Reserve Bank renfermait le plus important stock d'or du monde. La totalité de cet or appartenait à des gouvernements étrangers. Non seulement la Réserve fédérale veillait dessus, mais elle contrôlait aussi qui possédait quoi. Dans un cas banal de transfert de propriété, la Réserve déplaçait simplement l'or du coffre d'un pays à celui d'un autre. Le métal précieux était transporté sur des chariots ordinaires, comme des livres dans une bibliothèque. Le système de sécurité du dernier sous-sol était si sophistiqué que même le président de la Federal Reserve Bank devait être accompagné lorsqu'il se rendait au dépôt d'or.

Dans l'immédiat, les agents Havens et Simmons se trouvaient seuls dans le caveau souterrain.

Ils étaient entourés d'une débauche d'or, disséminé dans les décombres et la poussière. D'une quantité incalculable de lingots. Au taux du jour, soit trois cent quatre-vingt-six dollars l'once, ils avaient à portée de main plus de cent milliards de dollars.

L'agent Robert Havens faisait de l'hyperventilation et était célèbre pour sa façon toute personnelle de pomper l'air, qui n'était pas sans rappeler une hotte aspirante en pleine action. Pourtant, depuis que

Simmons et lui avaient pénétré dans le bâtiment, il n'avait pas émis le moindre son.

Les deux policiers se figèrent. Robert Havens laissa inconsciemment échapper un halètement caverneux.

— Nom de Dieu ! Qu'est-ce que c'est que ça ?

Un garde armé chargé de la sécurité était assis sur une chaise en rotin au beau milieu du passage entre le département de l'or et l'entrepôt principal. La chaise fumait encore.

Le vigile regardait Robert Havens droit dans les yeux.

Personne ne dit mot.

Le garde de la Réserve fédérale en aurait été incapable ; il ne prendrait du reste plus jamais la parole. L'homme était atrocement brûlé, réduit à l'état de charbon incandescent. Les deux officiers de police étaient tellement bouleversés par cette vision qu'ils ne remarquèrent pas immédiatement un détail essentiel…

Le bras droit du vigile était enveloppé d'une bande vert vif éclatante.

10

Tandis qu'Archer Carroll manœuvrait son break cabossé sur la voie express Major Deegan, les paroles du propriétaire du restaurant d'Atlantic Avenue lui revenaient à l'esprit avec la persistance d'une question philosophique insoluble… « Mais vous, qu'est-ce que vous êtes ?… Dites-moi ce que vous êtes, je vous en prie, monsieur. »

Il jeta un coup d'œil à son visage aux traits tirés dans le rétroviseur.

Ouais, qu'est-ce que tu es, Arch ? Les Rashid et Hussein Moussa étaient des méchants mais, toi, tu es quoi, une espèce de héros de la nation, c'est ça ?

Il était exténué, complètement ramolli après le carnage du début de soirée. Un mal de tête lancinant commençait à le gagner.

« Mais vous, qu'est-ce que vous êtes, monsieur ? »

Il alluma la radio de sa voiture afin de se changer les idées.

Il entendit aussitôt les informations concernant Wall Street, énoncées par une voix empreinte de l'hystérie contenue que les reporters affectionnaient lorsqu'ils relataient des événements d'importance nationale. Carroll monta le volume.

Il se concentra sur le reportage débité d'une voix tendue par le journaliste. S'ensuivirent alors des interviews de gens dans la rue, enregistrées sur un fond assourdissant de mugissements de sirènes. Il était impossible de se méprendre sur les intonations choquées des personnes interrogées.

Carroll agrippa fermement son volant à deux mains. Sa tête était emplie d'images de destruction de guérilla urbaine. Il saisissait parfaitement en quoi Wall Street représentait une cible idéale pour un groupe terroriste armé, mais il ne parvenait pas à accomplir la culbute nécessaire pour passer de l'idée à sa terrifiante matérialisation.

Il ne voulait pas y penser. Il était presque arrivé chez lui et n'éprouvait aucune envie de laisser le monde extérieur investir le dernier sanctuaire qui lui restait. Pas ce soir, en tout cas.

11

Quelques instants plus tard, fourbu et courbaturé, Carroll pénétrait dans le hall d'entrée vieillot et familier de sa maison du quartier de Riverdale dans le Bronx. Il accrocha machinalement sa veste à une patère fixée sous un totem antique – un Sacré-Cœur de Jésus à l'œil inquisiteur.

Enfin revenu de la guerre. Rideau, songea-t-il.

Il entra dans le salon d'un pas traînant et laissa échapper un vibrant soupir.

— Oh! mon *pauvre* Arch. Il est presque onze heures et demie.

— Excuse-moi. Je ne t'avais pas vue, Mary K.

Mary Katherine Carroll était précieusement lovée à un bout du canapé. La pièce était baignée d'une lumière tamisée provenant d'une lampe allumée dans la salle à manger.

— T'as l'air d'un clodo cradingue du Bowery[1]... C'est du *sang*, là, sur ta manche?

Elle se leva d'un bond.

Carroll baissa les yeux sur sa pitoyable manche déchirée. Il la tourna pour la regarder à la lumière

---

1. Nom d'une rue et d'un quartier pauvres de New York.

émanant de la salle à manger. Il s'agissait bien de sang.

— Ne t'inquiète pas. Ce n'est pas le mien.

Mary Katherine fronça vivement les sourcils en s'approchant de son frère pour lui examiner le bras.

— Les méchants ont été amochés, si je comprends bien ?

Carroll sourit à sa « petite » sœur. Mary Katherine, vingt-quatre ans, la maîtresse de maison, la mère de substitution de ses quatre enfants, faisait la cuisine et la plonge, sans jamais se plaindre, le tout pour un salaire – « une bourse d'études » – de deux cents dollars par mois. Il n'avait malheureusement pas les moyens de la rémunérer davantage pour le moment.

— Plutôt, oui… Les enfants dorment ?

Soit, dans le désordre, Mary III, Clancy, Mickey Kevin et Elizabeth.

Adorables petits Américains d'origine irlandaise, aux cheveux blond pâle et aux yeux bleus, ils étaient tous quatre dotés d'irrésistibles sourires et d'une grande vivacité d'esprit. Cela faisait maintenant près de trois ans que Mary Katherine s'occupait d'eux.

Depuis la disparition de Nora, l'épouse d'Arch, le 14 décembre 1982.

Après l'enterrement de Nora, après une ultime et douloureuse nuit dans leur vieil appartement new-yorkais, Carroll avait emménagé avec ses enfants et sa sœur dans la vieille maison de famille, à Riverdale. Celle-ci était restée fermée depuis la mort du père de Carroll et Mary Katherine, en 1981, un an après le décès de sa femme.

Mary Katherine en avait immédiatement redécoré l'intérieur. Elle s'était même aménagé un immense atelier de peinture inondé de lumière dans le grenier.

À Riverdale, les enfants disposaient d'espace pour galoper et de bon air. Vivre là présentait des avantages certains.

Carroll avait néanmoins conservé leur ancien appartement à loyer plafonné sur Riverside Drive. Il lui arrivait même d'y séjourner lorsqu'il devait travailler le week-end à New York.

— J'ai plusieurs messages importants pour toi, lui annonça gaiement Mary K. Mickey a dit, je paraphrase, que tu travailles trop dur et que tu ne gagnes pas suffisamment de pépettes. Clancy m'a demandé de t'avertir que si, ce week-end, tu ne joues pas avec lui au base-ball – en vrai, pas en vidéo – tu es un homme mort. Là, en revanche, ce sont scrupuleusement ses paroles. Quoi d'autre ?... Ah ! oui, j'ai failli oublier. Lizzie a décidé de devenir danseuse étoile. Il y a des cours à l'école Joliere pour le semestre de printemps à partir de trois cents dollars.

— C'est tout ?

— Mary te fait un mégabisou et un câlin tout aussi gros.

— J'aime la simplicité de cette jeune femme. Dommage qu'elle ne puisse pas avoir six ans toute sa vie.

— Arch ? (Mary Katherine afficha soudain un air inquiet.) Tu es au courant de ce qui s'est passé à Wall Street ? Cet attentat à la bombe ?

Carroll acquiesça d'un signe de tête las. Il avait envie de refouler le problème Wall Street dans un endroit sombre et reculé de son esprit tant qu'il ne se sentirait pas prêt à y faire face.

Il se baissa et dénoua les lacets de ses baskets montantes, se débarrassa d'un blouson en satin décoloré arborant l'inscription *Tollantine High School*.

Son épuisement avait cédé la place à une sorte de calme hébété et vaporeux.

Dans la grande salle de bains au premier étage, il ouvrit à fond les robinets de la baignoire. De la vapeur monta en tourbillonnant de la porcelaine blanche ébréchée et rayée vers le plafond. Il enleva le reste de sa répugnante tenue de clochard puis se tourna pour une rapide vérification devant le miroir.

Bien. Il faisait toujours environ son mètre quatre-vingt-huit, ferme, durable et robuste. Petite gueule agréable, plutôt banale mais attachante, comme celle d'un clébard affectueux que les gens font généralement rentrer chez eux sans rechigner lorsqu'il pleut.

Pendant que l'eau chaude coulait, Carroll, une serviette de bain autour des reins, redescendit à pas feutrés et laborieux au rez-de-chaussée et se rendit dans la cuisine, où il s'ouvrit une canette de Schlitz fraîche. Mary Katherine avait acheté des Schlitz, « pour changer ». En réalité, elle cherchait à lui faire réduire sa consommation d'alcool fort.

Carroll prit trois autres canettes fraîches et retourna dans la salle de bains, agréablement chaude et em-buée. Se défaisant de sa serviette de bain, il entra lentement, voluptueusement, dans la baignoire.

Il commença à se détendre en sirotant une bière. Carroll recourait aux bains comme d'autres recourent à la psychothérapie : c'était sa façon de reprendre pied avec la réalité, de faire le tri. En outre, il n'avait pas les moyens de s'offrir autre chose que de l'eau chaude et du savon en guise de thérapie.

Il se mit à penser à Nora. *Merde !* Comme chaque soir, quand il rentrait du boulot… C'était leur heure. Le vide qu'il éprouvait alors était insoutenable. Il battait en lui de façon lancinante, le laissant en proie à une profonde et terrible mélancolie.

Il ferma doucement les paupières et vit son visage.

Oh, Nora, adorable Nora. Comment as-tu pu m'abandonner ? Comment as-tu pu me laisser tout seul, avec nos enfants, dans ce monde de dingues ?

Elle avait été la personne la plus remarquable qu'il eût jamais connue. C'était aussi simple, aussi élémentaire que cela. Ils avaient formé un couple parfait. Nora était chaleureuse, attentionnée et drôle. Le seul fait qu'ils se fussent trouvés avait persuadé Carroll que le destin existait probablement et que la vie n'était pas qu'une suite de hasards et d'emballements aléatoires.

Étranges voies que celles de la vie et de la mort.

Lorsqu'il était adolescent, durant toute sa scolarité, au lycée à New York puis à l'université (South Bend, Notre Dame), Carroll avait secrètement redouté de ne jamais rencontrer quelqu'un qui l'aimerait. C'était une angoisse étrange, et il lui arrivait parfois de s'imaginer que, tout comme certaines personnes naissent avec un don pour l'art ou la musique, lui avait reçu le don de solitude.

Puis Nora l'avait trouvé et cela avait été un pur enchantement. Elle avait découvert Carroll le deuxième jour, à la fac de droit de Michigan State. Carroll avait tout bonnement su aussitôt, dès leur premier rendez-vous, qu'il ne pourrait jamais aimer une autre femme ; qu'il n'en aurait jamais besoin. Il ne s'était jamais senti aussi à l'aise avec quelqu'un de toute sa vie.

À présent, Nora était partie. Cela faisait presque trois ans qu'elle s'était éteinte, dans le service de cancérologie du New York Hospital. *Joyeux Noël à la famille Carroll. Votre dévoué, Dieu...*

« Je ne suis qu'une gamine, Arch », lui avait-elle chuchoté un jour, après avoir appris qu'elle était irrémédiablement en train de mourir. Elle avait trente et un ans à l'époque, soit un an de moins que lui.

Carroll but doucement sa canette de bière insipide. Il avait une vieille chanson country dans la tête… « La bière qui a rendu Milwaukee célèbre a fait de moi un raté. » Depuis la mort de Nora, il se suicidait lentement mais sûrement. Il buvait trop, mangeait essentiellement des cochonneries, et surtout, il prenait des risques idiots dans son travail…

Il ne pouvait pas prétendre ne pas s'en rendre compte. Mais il ne parvenait manifestement pas à faire quoi que ce soit pour s'empêcher de dévaler la pente. Tel un skieur imprudent lancé sur les pistes verglacées les plus dangereuses, il semblait se moquer de tout…

Arch Carroll, un présumé coriace avec une réputation de cynique, était à présent allongé dans la baignoire, l'un des jouets en plastique de ses gosses flottant à côté de lui. Chacun de ses quatre enfants le ravissait et le stupéfiait. Alors pourquoi foutait-il tout en l'air de la sorte depuis quelque temps ?

Il fut tenté de les réveiller tout de suite. Pour sortir faire de la luge à minuit sur la pelouse derrière la maison. Pour jouer au base-ball avec Mickey Kevin. Pour enseigner à Lizzie comment faire un plié et devenir une petite ballerine prometteuse.

Arch Carroll tendit l'oreille… Il se passait quelque chose de bizarre…

Des voix lui parvinrent d'un autre endroit de la maison.

Une porte claqua.

Des pas dans le couloir. Les lattes du parquet grincèrent bruyamment.

Les enfants étaient levés ! *Tout à fait ce qu'il me faut*, songea-t-il en affichant un large sourire.

Il entendit frapper légèrement à la porte de la salle de bains.

Cela devait être Lizzie ou Mickey. S'ensuivraient bientôt des hurlements de mômes en Dolby stéréo et de gros rires incontrôlables.

— Entrez. Entrez tout de suite, bande de plaisantins ! lança-t-il.

La porte s'ouvrit, lentement ; Carroll joignit les mains, s'apprêtant à les asperger d'eau du bain.

Il réussit à réprimer son geste juste à temps.

L'homme qui apparut dans l'encadrement de la porte portait un imperméable noir London Fog, des lunettes à monture métallique, une chemise blanche et une cravate de VRP rayée. C'était la première fois que Carroll le voyait.

— Veuillez m'excuser, monsieur, fit l'homme.

— Oui ? Que puis-je faire pour vous ? s'enquit Carroll.

Le gusse avait tout d'un banquier ; peut-être un agent de change d'une société de courtage. Très classe, en tout cas :

— Pardonnez-moi de vous importuner et de troubler ainsi votre intimité. Je dois vous demander de vous habiller et de venir avec moi, monsieur Carroll. Le Président veut vous voir. Maintenant.

12

Au cours de l'été caniculaire de 1961, John Fitzgerald Kennedy avait confié à ses proches collaborateurs que le travail éprouvant exigé par ses fonctions à la tête du pays l'avait déjà fait vieillir de dix ans.

Tandis qu'il parcourait d'un pas rapide les somptueux couloirs du premier étage de la Maison Blanche plongés dans une semi-pénombre, Justin Kearney, quarante et unième président des États-Unis, réalisait la justesse des paroles de Kennedy. Il avait récemment commencé à remettre en question les raisons qui l'avaient poussé à conquérir son domicile actuel du 1600 Pennsylvania Avenue.

Kearney n'était âgé que de quarante-deux ans ; il était non seulement le plus jeune – d'un mois – président américain jamais élu mais aussi le premier vétéran de la guerre du Viêtnam à accéder à cette charge.

À deux heures moins dix ce samedi matin, le président Kearney prit une grande inspiration, qui, il l'espérait, l'apaiserait, puis il pénétra dans la salle de réunion du Conseil de sécurité nationale. Les personnes déjà présentes dans la pièce se levèrent avec respect, et parmi elles Archer Carroll.

Ce dernier observa le président des États-Unis, qui prenait sa place habituelle au bout de l'imposante table en chêne. Lors de ses trois précédentes visites à la Maison Blanche, le policier n'avait jamais vu Kearney aussi tendu, aussi ostensiblement mal à l'aise.

— Tout d'abord, j'aimerais tous vous remercier d'être venus si promptement. (Le Président ôta son veston bleu marine froissé.) Je crois que vous vous connaissez tous, à une ou deux exceptions près... Je vous présente Caitlin Dillon, qui est assise entre Bill Whittier et Morton Atwater. Caitlin est la directrice des services d'inspection de la SEC[1]. Dans l'angle à droite, là-bas, l'homme vêtu d'une veste en velours côtelé brun clair est Arch Carroll. M. Carroll dirige la division antiterroriste de la DIA. Il s'agit de la section créée à la suite des événements de Munich et de Lod.

Le Président se passa nerveusement la langue sur les lèvres avant de parcourir l'assemblée du regard.

Il fut demandé au commissaire divisionnaire Michael Kane, de la police de New York, de présenter son rapport en premier.

— À l'heure qu'il est, nous avons des hommes à l'intérieur de tous les sites qui ont subi des dégâts, ainsi que des équipes d'experts en explosifs sous terre. Ceux-ci nous ont déjà informés que le numéro 30 de Wall Street et la Réserve fédérale sont plus que sérieusement endommagés. Les deux bâtiments sont tout à fait susceptibles de s'effondrer dans la nuit.

Claude Williams, du génie militaire, fut ensuite invité à prendre la parole :

---

1. Abréviation de *Securities and Exchange Commission*, c'est-à-dire la commission américaine des opérations boursières, l'équivalent de notre AMF.

— Nous avons noté une attention aux détails très perturbante dans cette affaire, et c'est ce qui est particulièrement alarmant dans tout ça. Le Pier, leur petit manège initial avec le FBI, leur connaissance approfondie de Wall Street... Je n'ai jamais rien vu de tel et je vous assure que je ne noircis pas le tableau pour vous en imposer. On dirait qu'une armée très bien organisée a frappé Wall Street. C'est comme si des hostilités avaient été ouvertes là-bas.

Vint alors le tour de Walter Trentkamp. Trentkamp avait été un vieil ami du père d'Arch Carroll. Il était même intervenu pour que le jeune Carroll obtienne son premier poste dans la police. Carroll se pencha en avant pour écouter son compte rendu.

— Je suis du même avis que Mike Kane, commença Trentkamp d'une voix rauque et impressionnante. Tout ceci ressemble à une opération paramilitaire savamment menée. Les explosifs de Wall Street ont été placés de façon à causer le maximum de ravages. À tel point que nos gars du service du matériel s'extasient littéralement devant ces salauds. Toute cette opération a été mise sur pied de manière très réfléchie. Il a dû leur falloir des mois, si ce n'est des années, pour concevoir leur plan et l'exécuter avec un tel succès. L'OLP ? L'IRA ? Les Brigades rouges ? Je suppose que nous saurons à quoi nous en tenir sous peu. Ils finiront bien par nous contacter. Ils doivent forcément vouloir quelque chose. Personne ne va aussi loin sans avoir des exigences à poser.

Chacun des membres de l'assistance y alla de son rapport, du secrétaire d'État à la Défense à la représentante de la SEC, Caitlin Dillon. Ils parlèrent tous succinctement. Bien que Caitlin Dillon eût peu d'éléments à ajouter, Carroll remarqua qu'elle s'exprimait avec une aisance extrême. Il avait de fait du mal à détacher son regard de la jeune femme.

— Arch ? C'est à vous.

Carroll se leva pour s'adresser à l'assemblée en affichant un sourire vaguement gêné. Tous les visages, importants et connus pour la plupart, se tournèrent alors vers lui.

Ses longs cheveux bruns et sa tenue décontractée évoquaient les témoins secrets et les policiers appelés à témoigner dans des procès liés à la drogue. Il avait envisagé de mettre son seul beau costume, acheté en solde chez Barney's Warehouse, mais il s'était ravisé.

Une partie des personnalités participant à cette cellule de crise connaissait Carroll de nom. Il passait pour un policier moderne et efficace, aux méthodes peu orthodoxes mais éprouvées.

Il était déjà arrivé à Carroll d'être qualifié d'élément perturbateur ; les politiciens de Washington jugeaient son perfectionnisme excessif et son excentricité ingérable. Il était de surcroît en train de se forger une réputation d'alcoolique.

— Je vais m'efforcer d'être bref, annonça-t-il d'une voix douce. Tout d'abord, je ne pense pas que, à ce stade, nous puissions déjà nous appuyer sur l'hypothèse que nous avons affaire à un groupe terroriste établi ou connu. Néanmoins, si tel est le cas, j'entrevois alors deux possibilités… Soit les Soviétiques, via le GRU[1] – avec une possible implication de François Monserrat. Soit une organisation terroriste indépendante, sans doute issue du Moyen-Orient. Ou, en tout cas, financée de là-bas. Je ne crois pas que qui que ce soit d'autre dispose de la structure, de la discipline,

_____

1. Les services secrets de l'ex-armée soviétique.

des compétences techniques et des fonds nécessaires pour monter une opération de cette ampleur. (Carroll promena ses yeux noisette alertes dans la pièce. Pourquoi ses propres observations lui semblaient-elles aussi superficielles ?) À peu de chose près, tous les autres suspects peuvent être rayés de la liste.

Il s'assit.

Walter Trentkamp leva l'index et reprit la parole :

— Pour votre information, nous avons installé une unité d'enquêteurs à Wall Street même. Celle-ci se trouve dans les locaux de la Bourse, qui a subi des dommages limités au cours de l'attentat. Ce sera donc notre quartier général. Quelqu'un de la police de New York a affirmé à la presse que la Bourse était située au numéro 13 de Wall Street. Cette adresse devait rester confidentielle. La Bourse a bien une entrée sur Wall Street, mais sa domiciliation reconnue – et j'espère qu'en l'espèce cela ne présage rien de mauvais – est Broad Street[1]. Vous voyez, nous avons commis notre première erreur, alors que nous n'avons même pas encore commencé notre enquête…

Presque tous les membres de l'assistance de la salle de réunion de la Maison Blanche rirent, mais le sens profond de sa remarque n'échappa à personne. Il y aurait d'autres erreurs ; de nombreuses erreurs, même, avant que ne se termine cette enquête.

Au bout de l'immense table, le président Justin Kearney se leva. Ses traits tirés trahissaient les tensions accumulées pendant la journée.

— Il me faut aborder un autre point, déclara-t-il. J'aimerais vous faire part d'une information qui ne

---

1. L'un des sens du mot *broad* étant « large, vaste », Trentkamp sous-entend que l'enquête s'annonce difficile.

doit absolument pas sortir de cette pièce. (Kearney marqua un temps d'arrêt et regarda successivement l'ensemble de ses conseillers les plus proches avant de reprendre :) Cela fait plusieurs semaines que la Maison Blanche, le vice-président Elliot et moi-même recevons des informations informelles de divers services de renseignements, faisant état de rumeurs concernant un spectaculaire complot. Une machination impliquant peut-être l'insaisissable François Monserrat...

Le Président s'arrêta de nouveau, ménageant délibérément son effet. Arch Carroll se dit que le simple qualificatif « insaisissable » ne rendait pas franchement justice au personnage Monserrat. En effet, Carroll avait quelquefois sérieusement douté de l'existence de cet homme, jusqu'à envisager l'hypothèse que Monserrat fût le nom de guerre de plusieurs individus distincts agissant en étroite collaboration. On le voyait un jour en France et le lendemain en Libye. Sa présence pouvait tout à fait être signalée au Mexique tandis que, au même moment, quelqu'un révélait l'avoir vu débarquer d'un avion non identifié à Prague.

Kearney poursuivit :

— Nos services de renseignements ont appris que des pays producteurs de pétrole du Moyen-Orient et d'Amérique du Sud envisageaient une action sur le marché financier de New York. Cette opération serait considérée comme une sanction « légitime » pour ce qu'ils estiment être des promesses non tenues, voire une escroquerie pure et simple, de la part des banques américaines et des maisons de courtage new-yorkaises. Le cartel du pétrole escompterait générer au minimum une panique de courte durée, dont ils seraient les seuls à tirer profit. Cette rumeur aurait-elle quelque chose à voir avec les événements d'aujourd'hui ? À l'heure qu'il est, je l'ignore... Je crains toutefois que nous ne soyons à l'aube d'une grave crise économique internationale. (Les yeux d'un bleu profond du président Kearney continuaient de scruter les visages des membres de l'assistance.) Nous devons impérativement découvrir qui est à l'origine de l'attentat de Wall Street d'hier soir. Nous devons découvrir comment ils ont procédé. Nous devons découvrir leur mobile...

13

Lorsque Arch Carroll quitta la salle de réunion de la Maison Blanche, à deux heures cinquante-cinq, il avait les oreilles qui bourdonnaient et les yeux larmoyants. Sombres et silencieux, la plupart des autres participants avaient l'air soit pensifs, soit exténués, voire les deux.

Carroll venait de commencer à descendre un escalier dont les marches recouvertes d'une épaisse moquette craquaient quand une main se posa sur son épaule, le faisant sursauter.

Il se retourna et découvrit Walter Trentkamp, toujours aussi impressionnant, même à trois heures du matin.

— Alors, on cherche à m'éviter ? (Trentkamp secouait la tête à la manière d'un père s'apprêtant à réprimander son fils aussi affectueusement que possible.) Comment vas-tu ? Ça fait un petit moment que je ne t'ai pas vu. T'as une minute ? On peut bavarder ?

— Salut, Walter. Bien sûr qu'on peut bavarder. Si on sortait ? Ça nous videra peut-être un peu la tête…

Quelques instants plus tard, Carroll et Trentkamp marchaient côte à côte dans la brume qui enveloppait Pennsylvania Avenue. Le ciel était une lourde dalle grise recouvrant la capitale. Au loin, le Washington Monument ressemblait à une épée plantée dans un roc.

— Je n'ai pas vu ta sale petite gueule depuis un bon bout de temps. Ça doit même remonter à l'époque où tu es parti t'installer dans la vieille baraque de la famille avec les gosses.

— Au début, ça m'a fait bizarre de retourner vivre là-bas. Maintenant, c'est bien. C'était un bon choix. Les enfants disent que c'est leur « maison de campagne ». Ils ont l'impression de vivre dans une ferme au Nebraska. À Riverdale, t'imagines ?

En dépit de l'heure, Carroll sourit.

— Ils sont géniaux, tes gamins. Et ta sœur, Mary Katherine, est une perle, elle aussi. (Trentkamp marqua un temps d'hésitation.) Et *toi*, comment te portes-tu ? C'est *toi* qui m'inquiètes.

— Je ne tiens pas trop mal le coup. Je vais même bien, je t'assure, affirma Carroll avant de hausser les épaules.

Walter Trentkamp secoua la tête et le dévisagea d'un air entendu. Carroll se sentit mal à l'aise.

— Je ne crois pas, Archer.

— Ah bon ? Excuse-moi. *Moi*, je pensais que j'allais bien.

Carroll sentit ses reins se raidir.

— Tu ne vas pas si bien que ça. D'ailleurs, « aller bien » n'est pas une expression qui s'applique à toi, même vaguement. Tes cuites sont devenues légendaires. Sans compter les risques que tu prends. Les autres flics parlent beaucoup de toi, Arch.

L'heure était mal choisie pour ce genre de discussion. Carroll se hérissa :

— C'est tout, monsieur le confesseur ? C'est juste pour ça que vous vouliez me voir ?

Trentkamp s'arrêta subitement de marcher. Il posa la main sur l'épaule de Carroll et la serra.

— J'avais envie de parler au fils d'un de mes vieux amis. J'avais envie de l'aider, si je le peux.

Arch Carroll détourna son regard voilé de celui du directeur du FBI.

— Je suis désolé ; je crois que la journée a été longue.

— La journée a été longue, c'est indéniable, et les trois années que tu viens de passer depuis la mort de Nora aussi. Tu es à deux doigts de perdre ton boulot à la tête de ton équipe de la DIA. Tes résultats sont appréciés mais pas tes méthodes de travail. On parle de te remplacer. J'ai notamment entendu circuler le nom de Matty Reardon.

Carroll sentit soudain son estomac se nouer. Il le savait ; il avait confusément senti que cela allait lui tomber dessus.

— Reardon serait un bon choix. Il a l'esprit maison. Il a bon esprit, tout simplement.

— Arch, épargne-moi tes conneries, tu veux bien ? Tu es en train de faire ton petit numéro à quelqu'un qui te connaît depuis trente-cinq ans.

Carroll se renfrogna et commença à tousser, comme Tchatcheur. Il se sentait vraiment merdeux.

— Ah, putain ! Excuse-moi, Walter. Je sais ce que tu essayes de faire...

— Les gens comprennent parfaitement ce que tu as traversé. Je le comprends ; crois-moi, je t'en prie, Arch. Tout le monde voudrait t'aider... C'est moi qui ai réclamé que tu sois mis sur cette affaire.

Carroll haussa de nouveau les épaules mais, en lui-même, il était blessé. Il ne s'était pas douté que sa réputation s'était ternie à ce point, et, qui plus est, peut-être aux yeux de Trentkamp.

— Je ne sais pas quoi dire. Je ne trouve même pas une bonne vieille vanne irlandaise à sortir. Rien.

— Tiens-moi au courant, à n'importe quelle heure. Juste ça, d'accord ?… Ne fais pas les choses tout seul dans ton coin. Tu me le promets ? insista Trentkamp.

— Promis, répondit Carroll, qui hocha lentement la tête.

Walter Trentkamp releva le col de son pardessus pour se protéger de la brume. Carroll et lui faisaient tous deux largement plus d'un mètre quatre-vingts. Ce matin-là, dans les rues de Washington, on aurait dit un père et son fils.

— Bien, finit par acquiescer Trentkamp. On va avoir besoin de toi, sur cette saloperie. On va avoir besoin que tu donnes le meilleur de toi-même, Archer.

14

À six heures du matin, le samedi 5 décembre, une morne rame de métro de la ligne de Lexington Avenue, couverte de graffitis, s'ébranla mollement dans un bruit de ferraille en direction de la station Pelham Bay.

Le colonel David Hudson était discrètement pelotonné sur une inconfortable banquette en plastique. Il était vêtu d'une façon qui n'attirait en aucune manière l'attention. Des vêtements quelconques, dans des tons gris terne et brun terreux, une tenue parfaite pour passer inaperçu. Cependant, il réalisa que ce camouflage n'était pas aussi efficace qu'il l'aurait souhaité parce que les gens le regardaient tout de même. Leurs yeux curieux finissaient invariablement par remarquer la manche vide de sa veste.

Tandis que le train s'élançait vers le nord, il se sentit parcouru par une série de décharges chaudes et froides. Son esprit oscillait entre le présent et le passé ; il tâchait de se remémorer avec exactitude les longues heures qu'il avait passées au poste d'écoute de sa base d'artillerie au Viêtnam...

Chacun de ses sens était à son degré d'acuité maximale, à cette époque. Tête penchée sur le côté :

écouter, observer, ne faire confiance à personne…
Or, il avait précisément besoin de ce genre de clair-
voyance dans l'immédiat, de cette même faculté à
compter uniquement sur lui-même.

Hudson était monté dans la rame à la 14e Rue et,
tandis que celle-ci dépassait la 33e, la 42e, puis la
59e Rue, il revécut les premiers jours suivant sa capture au Viêtnam.

Il se rappelait distinctement la prison de La Hoc
Noh, à présent…

Prison de La Hoc Noh,
juillet 1971
Le système nerveux du capitaine David Hudson
était à vif. Son corps meurtri ressentait la moindre
secousse, le moindre relief, même les plus petits
cailloux sur le sol. Quatre gardiens de prison l'em-
menaient, le portant autant qu'ils le traînaient, vers
le baraquement central du camp de prisonniers de
La Hoc Noh.

Ébloui par la lumière blanche et aveuglante du
soleil d'Asie, il considéra en plissant les yeux le mi-
nable gourbi aux murs de bambou affaissés et son
drapeau nord-vietnamien en loques.

Le poste de commandement.

Tout ceci était une farce si incroyable. La vie tout
entière était devenue une farce tellement cruelle.

Autrefois musclé, toujours bien mis, d'un comportement irréprochable et se tenant toujours parfaitement
droit, l'officier de l'armée américaine faisait maintenant
peine à voir, avec sa peau uniformément ridée, son
teint cireux, presque jaune, ses cheveux qui donnaient
l'impression d'avoir été arrachés par grosses touffes
malades.

Il était en train de mourir et il acceptait cette réalité. Il pesait moins de cinquante-cinq kilos ; cela faisait des mois qu'il souffrait continuellement de diarrhée. Il avait dépassé le stade de l'épuisement ; il vivait dans un monde changeant et hallucinatoire dans lequel il doutait de ses propres sensations et perceptions ordinaires.

La seule chose qui restait désormais au capitaine Hudson était sa dignité. Et il refusait d'y renoncer.

Il mourrait avec au moins une part essentielle de lui-même intacte ; cette part secrète et intime que personne ne pourrait lui soustraire, même par la torture.

L'officier supérieur – celui qu'ils avaient surnommé le Lézard – l'attendait en silence, accroupi derrière une table basse et bancale, à l'intérieur de ce qui tenait lieu de poste de commandement.

Installé sous un ventilateur en bambou tournoyant qui ne brassait guère l'air frisant les quarante-cinq degrés, le chef nord-vietnamien paraissait poser pour une photo.

Des odeurs de cuisine locale – piment vert, ail, litchis et crevettes d'eau douce – donnèrent soudain des haut-le-cœur à David Hudson. Il porta vivement la main à la bouche. Il se sentit défaillir.

Il se reprit par un effort de volonté intense, puisant dans ses maigres ressources et dans la vitalité qui subsistait en lui.

Un gardien lui assena un violent coup de poing à la mâchoire. Du sang chaud lui emplit la bouche, au goût métallique, qui accentua sa nausée.

Honneur et dignité. Quoi qu'il arrive.

— Toi cap'taine, ah Hud-sun ! hurla subitement l'officier supérieur vietnamien d'une voix stridente.

Il baissa les yeux sur le bloc-notes chiffonné qu'il emportait partout avec lui. Il tapait des doigts sur la page pour souligner certaines de ses paroles :

— Ho, ho. Vin-si ans. Viêtnam, Laos depuis dix-neuf soixan'-neuf. Toi espion six ans. Ho, ho. Toi, 'ssassin. 'ssassin ! Condamné à mourir, cap'taine.

Les gardiens du camp de prisonniers laissèrent tomber l'officier américain sur le sol de terre battue, jonché de têtes de poisson béantes et de riz.

La tête de Hudson lui tournait ; des points de lumière éclatante explosaient derrière ses yeux. Mon spectacle pyrotechnique privé, mon propre palais de douleur, pensa-t-il.

Sur la table branlante qui le séparait de l'officier nord-vietnamien était placé un plateau de jeu en teck.

Le capitaine Hudson promena distraitement son regard sur le dessus du plateau. Un jeu ? Comment se faisait-il qu'ils aimaient tous tant jouer ?

Le Lézard poussa un grognement. Un sourire affreux éclaira instantanément le bas de son visage. Sa mâchoire remua lentement, comme si elle s'était détachée de son crâne.

— Toi jouer jeu ? Toi jouer jeu moi, *Hud-sun* ?

Les yeux de l'Américain étaient rivés sur la table basse, essayant de voir distinctement.

Jouer à un jeu avec le Lézard ?

Le plateau semblait être en teck véritable. C'était un bois précieux, exotique et beau, incongru dans ce trou à rats humide.

Le plus frappant, c'étaient les dizaines de petits galets polis noirs et blancs, exquises pièces de jeu rondes et convexes de chaque côté.

L'espace d'un instant presque lucide, David Hudson se souvint d'une collection de billes. Réminiscence magique et jusque-là enfouie, remontant à son enfance dans le Kansas. La ferme du père. Lui, collectionnant les calots et les œils-de-chat. Avait-il réellement été un petit garçon dans cette vie-là ? Il avait bien du mal à se le rappeler. *Mourir avec dignité ! Dignité !*

— Jouer jeu contre ta vie ? Ho ? proposa le Lézard.

Le plateau de jeu se divisait en lignes horizontales et verticales, qui créaient des centaines d'intersections. Il y avait cent quatre-vingts petites pierres blanches et cent quatre-vingt-une noires.

Le Lézard avait la main posée sur un énorme revolver militaire Moison-Nazant placé à côté du tas de cailloux noirs. L'un de ses longs doigts jaunis tambourinait sans relâche sur la table.

— Toi jouer. Jouer jeu moi ! Perdant mourir !

Le capitaine Hudson continuait de fixer intensément la magnifique surface réfléchissante du plateau en teck. Reprends-toi, se conjura-t-il silencieusement. Concentre-toi. Meurs avec dignité.

Il ne saisissait que vaguement ce qui se passait autour de lui. Que lui voulait cet homme, à présent ? Hudson savait qu'il se moquait de lui. Qu'il s'agissait pour le Lézard d'une autre façon de le torturer.

Il avait l'impression que les galets noirs et blancs se déplaçaient tout seuls. Avec son champ visuel rétréci et sa vue floue, il les voyait tourbillonner et ramper, tels des insectes.

Finalement, le prisonnier américain répondit. Lorsqu'il retrouva sa voix, celle-ci était étonnamment puissante, irritée, presque provocante :

— Je n'ai jamais perdu une partie de Go, lança-t-il. À toi de jouer, enfoiré !

Dignité !

15

Le métro freina bruyamment en entrant dans une station du centre de Manhattan. Le quai était baigné d'une lumière bleue irréelle.

Plusieurs passagers de la rame matinale dévisageaient distraitement David Hudson.

Ce dernier leur rendait leurs regards. Il les fixait droit dans les yeux ; la plupart finirent par tourner la tête. La majorité des Américains étaient dépourvus d'intégrité élémentaire, de sens de l'honneur. Les civils avaient tendance à décevoir constamment David Hudson.

À l'arrêt de la 86ᵉ Rue Ouest, d'autres voyageurs apathiques montèrent avec peine dans le wagon. Essentiellement des Blancs d'âge mûr, des hommes et des femmes voûtés, des petits commerçants, des moins que rien qui géraient ou possédaient des boutiques de vêtements de contrefaçon ou des magasins d'alimentation de seconde zone aux prix exorbitants, à Harlem et Upper Manhattan.

L'un des hommes qui pénétra dans le wagon à la 86ᵉ Rue était, en revanche, totalement différent.

Dans les trente-cinq ans, ses cheveux noirs peignés en arrière. Il portait un pardessus en cachemire brun clair avec un foulard à motif cachemire, un pantalon bleu marine impeccablement repassé et des bottines. Il affichait l'expression de quelqu'un qui met le pied dans le métro pour la première fois de sa vie et trouve cela passablement amusant.

Il s'assit à côté de Hudson et ouvrit immédiatement l'édition du jour du *New York Times* en toussant négligemment dans son poing. Puis, une fois que le train eut redémarré en grondant, il plia soigneusement le journal en quatre.

— Vous avez fait la une… Bravo, chuchota finalement avec nonchalance mais circonspection Laurence Hadford.

Il s'exprimait d'une voix calme et aussi douce que son coûteux foulard en soie.

— J'ai admiré ce curieux spectacle aux informations de six heures, de sept heures, de dix heures et de onze heures. Vous êtes parvenus à les déstabiliser.

— Nous ne nous en sommes pas trop mal sortis jusqu'ici, acquiesça Hudson en hochant la tête. Toutefois, le plus difficile reste à faire. Les véritables épreuves qui prouveront que notre plan tient debout, lieutenant.

— Vous m'avez apporté un cadeau, j'espère ? Un cadeau de Noël ? demanda Laurence Hadford.

Tandis qu'il glissait sur la banquette en plastique pour se rapprocher de Hudson, celui-ci sentit son eau de Cologne citronnée.

— Oui. Exactement ce que nous avions convenu la dernière fois.

Tournant la tête pour la première fois, David Hudson contempla les yeux bleus et le demi-sourire obstinément moqueur de Laurence Hadford. Il n'aimait pas ce qu'il voyait. Ce n'était pas nouveau. Il n'appréciait déjà pas Hadford au Viêtnam, où il l'avait connu jeune officier imbu de lui-même.

Laurence Hadford était froid et impassible. Il ne montrait rien de ses émotions. Son visage rasé de près était semblable à une porte fermée sur un cabinet privé.

Plongeant la main dans sa veste, Hudson en sortit une épaisse enveloppe kraft rembourrée qu'il lui tendit. L'enveloppe ne portait pas la moindre inscription – rien permettant d'identifier sa provenance en cas de problème.

Celle-ci disparut dans le luxe moelleux du cachemire.

— Il y a un petit problème, toutefois. Rien de grave. Le montant là-dedans n'est pas suffisant. (Hadford sourit d'un air décontracté.) Compte tenu de ce qui s'est passé. De ce que vous avez fait, en fin de compte. Vous avez rendu ce marché très dangereux pour moi. Si vous m'aviez dit ce que vous projetiez réellement de faire…

— Vous n'auriez pas coopéré. Vous auriez fait dans votre froc.

— Mais, mon ami, j'ai fait dans mon froc !

Le métro pencha un peu sur le côté mais ne sembla guère ralentir en se précipitant dans la station de la 110ᵉ Rue.

— Nous étions tombés d'accord sur une somme avant que vous ne fassiez le moindre travail pour nous à Wall Street. Vos honoraires, soit un demi-million de dollars, vous ont à présent été entièrement réglés. (Hudson sentit une alarme familière se déclencher en lui.) Les renseignements que vous nous avez fournis et les risques que vous avez pris sont infimes, comparés au bénéfice financier que vous en tirez.

Hadford serra légèrement ses dents blanches parfaitement entretenues.

— Je vous en prie. Il ne sert à rien de me dire à quel point j'ai été bien payé. Je sais pertinemment ce que vous fabriquez, maintenant. Vous avez tellement d'argent qu'il vous est impossible de savoir quoi en faire. Un demi-million supplémentaire, c'est insignifiant. Que représente même un million pour vous, d'ailleurs ? Ce n'est pas la peine de vous crisper à ce point.

Le colonel David Hudson se força à sourire.

— Vous savez, vous avez peut-être raison. Vu l'état actuel des choses, qu'est-ce qu'un autre demi-million ?… Surtout si vous êtes prêt à effectuer quelques petites recherches complémentaires pour nous…

— Je suppose que, pour un bon prix, je pourrais me laisser convaincre, colonel.

David Hudson nota que le prochain arrêt serait celui de la 157e Rue. Entre la 110e et la 157e Rue, Laurence Hadford et lui discutèrent des prochaines mesures à prendre à Wall Street et du genre d'informations qu'il faudrait recueillir.

Des chiffres au pochoir indiquaient le numéro de la station sur des poteaux bleus mouchetés. Des visages taciturnes glissèrent lentement derrière les vitres du train tagguées à la bombe. Les freins crissèrent avant d'exhaler bruyamment.

Les rares passagers de la rame descendirent à l'arrêt de la 157e Rue, à l'exception de Hadford et Hudson. Les portes du wagon se refermèrent d'un coup sec. Les deux hommes étaient seuls.

Hadford se raidit, David Hudson le sentit. Son sang circulait rapidement dans ses veines. Tous ses sens étaient soudain en alerte, ses perceptions d'une netteté stupéfiante. Toute chose autour de lui ressortait comme illuminée par la lumière crue d'une lampe à arc.

— Je suis désolé, Hadford.

Le couteau étincelant apparut comme par magie. La longueur de la lame rendait le tour de passe-passe de David Hudson véritablement imprévisible – elle faisait au moins quinze centimètres, auxquels s'ajoutaient dix bons centimètres pour le manche.

La lame acérée disparut aussitôt dans le bas-ventre de Hadford, juste sous la paroi thoracique.

Elle déchiqueta le manteau en cachemire, déchirant des matières fibreuses, séparant sans effort la chair molle et les muscles tendus. La longue lame réapparut presque aussitôt.

Tandis que Laurence Hadford glissait de la banquette, Hudson le soulagea de la lourde enveloppe qu'il venait de lui remettre. Les yeux aveugles de Hadford fixaient le plafond.

Le colonel Hudson s'esquiva discrètement à la station suivante. Il tremblait. Son crâne était le théâtre de minuscules explosions blanches. C'était la première fois qu'il s'attaquait à un officier américain.

Une fois dans la rue, David Hudson se hissa dans un bus qui descendait vers le sud. Le bus fit une embardée et il entendit le Lézard pousser des cris perçants dans ses oreilles, tel un singe de la jungle. Le Lézard hurlait si fort que Hudson dut serrer les dents. Le Lézard riait et riait encore pendant que David Hudson s'échappait à travers la ville qui s'éveillait.

Dignité !
Vengeance !

16

Un peu plus d'une heure plus tard, Hudson arriva au Washington-Jefferson Hotel. Il y occupait une chambre située tout au bout d'un couloir sinistre et déprimant, au premier étage. Cela faisait près de cinq semaines qu'il logeait dans cette chambre et il se demandait s'il ne serait pas indiqué de changer d'adresse.

Mais le secteur nord de Times Square était un endroit parfait pour passer inaperçu, et extrêmement pratique pour le travail qu'il lui restait à exécuter.

Hudson resta assis sur le bord de son lit pendant un petit moment. Ses pensées revenaient inlassablement à Laurence Hadford, mais il savait qu'il ne pouvait pas se permettre de s'attarder plus longtemps sur le problème.

Il décrocha le téléphone et composa un numéro à Manhattan.

— Vintage, bonjour.

— Oui, ici David… Mon numéro est le 323. (Hudson parlait de sa voix habituelle, douce mais ferme.) Je peux vous décrire précisément le genre d'hôtesse que je recherche. Elle fait entre un mètre soixante-huit et un mètre soixante-dix-huit. Elle a entre dix-neuf et vingt-six ans. Je règle en liquide.

Hudson patienta puis on lui communiqua une heure et un nom pour son « rendez-vous ».

— Très bien… Dans trente minutes, si possible, au 343, 51ᵉ Rue Ouest… Merci. J'y attendrai donc… Billie.

Tout en remontant le couloir mal éclairé du premier étage, Billie éteignit son bip Vintage. Il serait de mauvais goût de recevoir un message au beau milieu d'une séance.

Mais le Washington-Jefferson, tout de même ? Elle frissonna involontairement.

Billie frappa doucement à la porte de la chambre. Celle-ci s'ouvrit en grand, presque instantanément. Elle fut surprise : il était beau, en fait. Il avait un sourire franc et charmant. Il était grand, mince et… Ah ! Elle voyait où était le hic ! La manche gauche de sa chemise flottait dans le vide…

Pourtant, Billie n'éprouva pas vraiment de pitié pour l'homme sur le seuil de la chambre d'hôtel. Il n'y avait rien en lui qui inspirait de la compassion. Il était incontestablement séduisant et son handicap ne le gênait manifestement pas ; il ne semblait pas du tout complexé.

— Bonjour, je suis Billie. (Elle lui adressa un sourire poli.) Vous êtes David ?

Le colonel Hudson l'observa pendant quelques secondes avant de lui répondre. Elle avait une abondante chevelure blond cendré avec de grosses boucles souples. Grande et élancée. De longues jambes. Des seins fermes sous un corsage en soie. Elle portait une jupe droite qui mettait sa silhouette en valeur, des bas sombres et des chaussures à talons brillantes.

— Veuillez m'excuser, finit-il par dire en souriant. Je vous dévisageais, n'est-ce pas ? Entrez. Je ne m'attendais pas à une jeune femme aussi belle...

Billie sourit – comme si elle n'avait jamais entendu cela dans le passé. Elle s'empourpra très légèrement au niveau des pommettes et le rouge descendit le long de son cou jusqu'au petit creux de sa gorge.

— Je suis désolé. Je n'ai pas fait attention. C'est Billie comment ? Votre nom de famille ?

— Juste Billie.

Elle le gratifia d'un autre sourire.

Hudson montra sa chambre d'hôtel spartiate d'un grand geste.

— Je sais, ce n'est pas vraiment le Plaza.

Pour une raison qu'elle ignorait, Billie se surprit à se détendre graduellement en sa compagnie. Cet homme était d'un abord facile et avait l'air raisonnablement intelligent.

La jeune femme s'assit sur le bord du lit.

Très langoureusement, elle défit le premier bouton de son chemisier, puis le deuxième.

— Vous venez vous asseoir à côté de moi ?

Il s'exécuta et elle l'embrassa délicatement sur la joue. Son parfum emplit voluptueusement les narines de David Hudson.

— Vous avez dit que j'étais belle. J'aimerais vous retourner le compliment : vous êtes très beau.

Billie glissa doucement les mains à l'intérieur de la chemise de Hudson. Elle en détacha les deux boutons du milieu.

Elle le caressa avec douceur et chaleur. Il se passa soudain une chose extraordinaire. Une chose inhabituelle : Hudson se mit à éprouver quelque chose.

Une sonnette d'alarme retentit au plus profond de lui-même. Il l'ignora. Mais quelque chose n'allait pas.

Elle était si naturelle et si détendue avec lui.

Ses caresses étaient si subtiles.

Elle le massait tout en se déshabillant.

Le corsage en soie glissa doucement. Puis la jupe noire.

Elle se tint debout devant lui – en porte-jarretelles, bas sombres et talons hauts.

Il eut l'impression de s'enfoncer dans le matelas.

La sonnette d'alarme tinta de nouveau au fond de lui. Il n'en tint pas compte.

Il s'immobilisa et la regarda respirer. Elle était si invraisemblablement belle ; elle sourit lorsqu'elle se rendit compte de ce qu'il faisait.

— Vous êtes *vraiment* belle.

Ses seins gonflaient. Hudson les flatta doucement, explorant leur rondeur, titillant chaque aréole rose.

Elle s'assit lascivement sur lui et ses cheveux blonds resplendirent dans la lumière de la lampe au-dessus de leurs têtes. Elle se balançait d'avant en arrière, dans un paisible mouvement de va-et-vient. Tout paraissait si naturel. Telle une sirène s'estompant au loin, les signaux d'alerte se turent dans la tête de David Hudson.

Il respirait de plus en plus vite.

Elle ferma les yeux, les ouvrit puis les referma.

De plus en plus vite, de plus en plus vite.

Il coula sa main entre ses cuisses et la caressa pendant que, semblable à la crête d'une vague, elle ondulait lentement au-dessus de lui. Il l'excitait avec les doigts tandis qu'elle se mouvait à son propre rythme.

Alors la jeune femme se raidit et elle s'abattit sur le torse de Hudson. Puis elle se cambra et retomba brusquement de nouveau en avant. Son corps donnait l'impression d'être parcouru par des courants électriques.

Il était presque sûr que…

Oui. Elle jouissait, son corps vibrait.

Cette onéreuse escort-girl qui travaillait pour Vintage.

Cette splendide prostituée.

Elle avait un orgasme avec lui.

Billie. Juste Billie.

Les alarmes mugissaient comme des sirènes de police sous son crâne. Cette fois-ci, il les écouta. Il ne jouit pas. Il ne jouissait jamais.

17

Ce matin-là, Arch Carroll prit un vol de la compagnie People Express à destination de Miami. L'expérience ne fut pas précisément des plus plaisantes.

Les membres de l'équipage étaient jeunes et inexpérimentés. Ils pouffèrent de rire durant la présentation des consignes de sécurité. Ils proposèrent des viennoiseries sous cellophane pour un dollar.

Le premier indice concernant le mystère Green Band avait émergé rapidement. Presque trop rapidement, selon Carroll. Il avait personnellement mis le doigt sur cette piste la veille au soir et s'était empressé d'embarquer sur le premier vol pour la Floride afin d'en apprendre davantage.

Il ouvrit les yeux et observa deux hôtesses qui, au bout de l'allée, chuchotaient avec des airs de conspiratrices. Plus tard, environ à la moitié du vol de deux heures quarante, il se leva avec lassitude et se rendit d'une démarche traînante aux toilettes.

Dans cet avion qui avait décollé de très bonne heure, tous les passagers semblaient déprimés ou sonnés, comme s'ils s'étaient levés beaucoup trop tôt et que leur organisme n'avait pas eu le temps de s'adapter. Plusieurs hommes d'affaires lisaient des journaux dont les gros titres commentaient gravement l'attentat de Wall Street.

Dans les toilettes, Carroll prit de l'eau au creux des mains et s'en aspergea les yeux. Puis il sortit un tout petit étui en plastique rouge de la poche de son pantalon.

Pendant sa maladie, Nora s'était servie de cette boîte à pilules pour y ranger sa dose quotidienne de Valium et de Dilantin, ainsi que quelques autres médicaments qui lui avaient été prescrits pour l'aider à enrayer les crises. Carroll avala un petit comprimé jaune – un léger stimulant censé lui permettre de tenir le coup.

Il aurait préféré un verre d'alcool. Un bon whisky irlandais. Un double bloody mary. Mais il avait promis à Walter Trentkamp, en le quittant, de mettre la pédale douce.

Il fixa son visage dans le miroir embué des toilettes de l'avion. Tout en examinant ses paupières gonflées et les poches violacées qu'il avait sous les yeux, il songeait à Green Band. S'agissant de terroristes et de leurs spécialités respectives, la mémoire de Carroll était infaillible. Il avait passé toute sa première année de service au sein de la DIA à répertorier les activités des plus célèbres groupes terroristes. Et il avait bien retenu les informations apprises à l'époque.

Les preuves tangibles dont ils disposaient jusque-là suggéraient… quoi ? Peut-être une action des services secrets soviétiques ? Mais dans quel but ? Kadhafi, alors ? Il y avait peu de chances. La patience indubitablement requise pour mener l'opération de Wall Street à terme ne concordait pas avec les méthodes généralement employées dans les pays du tiers-monde.

Les Cubains ? Non. Les membres de l'IRA provisoire ? Guère vraisemblable. Des révolutionnaires américains enragés ? Improbable.

Qui alors ? Et surtout, *pourquoi* ?

Et en quoi le dernier rapport de la police de Palm Beach avait-il un rapport avec ces événements ?… La veille des faits, un trafiquant de drogue du sud de la Floride avait parlé de l'attentat de Wall Street. Le truand avait même prononcé le nom de code inconnu, jusque-là ignoré du grand public : Green Band !

Comment était-il possible qu'un dealer de Floride fût au courant de l'existence de Green Band ?

Comme tout le reste, à ce stade de l'enquête, rien dans tout ceci ne semblait très logique. En outre, cela ne semblait mener en aucun lieu où Arch Carroll aurait souhaité aller. Il n'avait clairement pas la moindre envie de se retrouver dans le sud de la Floride à une heure aussi matinale.

Il se frotta les yeux, s'aspergea encore le visage d'eau froide et s'inspecta de nouveau dans la glace. Un vrai mort vivant. Son reflet lui évoquait les photos illustrant les avis de recherche placardés dans les postes de police, dont on avait toujours l'impression qu'elles avaient été prises sous un faible éclairage.

Carroll se détourna du miroir. L'avion ne tarderait pas à atterrir au pays féerique du jus d'orange, de Disney World, des trafiquants de drogue multimillionnaires… et, avec un peu de chance, de Green Band.

18

Le chef local du FBI, Clark Sommers, accompagné d'un collaborateur, attendait Arch Carroll à la porte des arrivées. Comme à l'accoutumée, l'aéroport international de Miami subissait une panne électrique partielle.

— Monsieur Carroll, je suis Clark Sommers, du Bureau. Voici mon adjoint, M. Lewis Sitts.

Carroll le salua d'un signe de tête. Il avait mal au crâne à cause du vol et des amphétamines qu'il avait avalées et qui, bourdonnant dans son système sanguin, commençaient seulement à agir.

— On discute en marchant ? proposa Sommers. Nous avons un sacré paquet de questions à aborder ce matin…

— Ouais, d'accord. Dites-moi quand même un truc. Je me fais des idées ou, chaque fois que je viens dans cet aéroport, la moitié des lumières ne fonctionnent pas ?

— Je vois ce que vous voulez dire. On peut effectivement voir les choses sous cet angle. En fait, les narcotrafiquants se plaignent de ce que les éclairages lumineux leur donnent mal aux yeux.

Clark Sommers décocha discrètement un sourire cynique à Carroll. Il avait indéniablement et totalement l'esprit FBI.

L'adjoint de Sommers, le dénommé Sitts, portait un pull bleu léger, un pantalon de golf brun clair et une chemise assortie. Il ne lui manquait plus qu'une paire d'espadrilles aux pieds.

Tandis qu'ils remontaient la galerie, Carroll jeta quelques coups d'œil aux affiches colorées représentant le soleil et les vagues. Il se sentait personnellement agressé. La mer était un peu trop bleue, le soleil un peu trop éclatant, les gens qui s'amusaient sur les photos un peu trop beaux et un peu trop cent pour cent américains à son goût. Cela lui donnait la nostalgie de New York, où, au moins, les demi-teintes hivernales et la grisaille des rues familières étaient véridiques.

Tripotant une paire de lunettes de soleil, Sommers lui dit d'un ton posé et plein d'assurance :

— Monsieur Carroll, il y a une chose qu'il vous faut sans doute comprendre, concernant notre fonctionnement ici. Pour des raisons de psychologie et d'organisation, et afin que mes hommes restent totalement efficaces, c'est moi qui *dois* commander cette descente. C'est moi qui mène les perquisitions. Ce sont mes hommes. J'espère que vous êtes capable de comprendre cela ?

Carroll ne sourcilla pas. Son visage resta impassible. Pratiquement tous les policiers avaient une tendance irraisonnée à se montrer farouchement attachés à leur territoire – c'était une réalité qu'il avait vérifiée en maintes occasions.

— Pas de problème, acquiesça-t-il. C'est votre descente. Tout ce que je souhaite, c'est pouvoir m'entretenir avec votre dealer ensuite. Juste pour lui demander ce qu'il pense de la Floride.

19

Le quartier de South Ocean Boulevard, dans le plus pur style méditerranéen des années 1930, consistait en un ensemble de luxueuses propriétés dans les tons bleu et rose pastel qui s'étendait sur six pâtés de maisons. Carroll eut le sentiment que tout et tout le monde était plongé dans un profond sommeil, autour de lui. À huit heures vingt, les gens dormaient encore ; les patios dallés dormaient, les courts en terre battue du Bath and Tennis Club dormaient ; les pelouses des terrains de golf, les cabines de plage à rayures multicolores et les piscines – tout dormait, comme dans l'attente du Prince charmant.

Ils longeaient la mer bleu-vert miroitante et Sommers ne cessait de parler d'une voix monocorde :

— À South Ocean, les transactions immobilières ne sont pas exactement effectuées par Century 21. À vrai dire, la plupart des ventes sont traitées par Sotheby's, la grosse boîte d'antiquaires. Les propriétaires de Palm Beach prennent leurs baraques pour de précieuses œuvres d'art.

— Ça me rappelle mon quartier, à New York, ironisa Carroll.

Sur la banquette arrière, pointant un long bras bronzé entre Carroll et Sommers, l'agent Sitts prit soudain la parole :

— Ce sont nos gars, là-bas devant, Clark.

Ils virent, regroupées à un croisement, six berlines banalisées bleu et vert.

Les véhicules stationnaient au vu et au su de tous. Plusieurs agents fédéraux vérifiaient des fusils à pompe et des Magnum en pleine rue.

— Ça la fout mal pour le prestige du quartier, grommela Carroll. J'espère que Sotheby's ne fait pas visiter de maisons ce matin.

Les sept voitures se mirent lentement à remonter South Ocean Boulevard en file indienne. Carroll examinait les environs. Toutes les maisons étaient en retrait par rapport à la rue, dont elles étaient séparées par des pelouses impeccablement tondues et d'un vert si vif qu'elles paraissaient avoir été bombées par un peintre monochrome.

Un livreur de journaux du *Miami Herald* les croisa, conduisant une mobylette poussive du même bleu improbable que le ciel. Le jeune homme freina et se gratta la tête en considérant le défilé de voitures.

L'un des hommes du FBI lui fit signe de poursuivre sa route.

— C'est là. Le numéro 640, annonça finalement Sommers. C'est ici que vit notre ami Diego Alvarez.

Carroll vérifia la présence de son Magnum chargé dans son holster. Son estomac lui jouait des siennes et les amphétamines mettaient son système nerveux à feu et à sang.

Les sept véhicules quittèrent South Palm et, tournant les unes derrière les autres dans une impressionnante rue transversale, vinrent se garer tour à tour devant deux propriétés adjacentes de style espagnol.

Des portières s'ouvrirent et se refermèrent, très doucement.

Carroll emboîta le pas à une douzaine d'agents fédéraux en costume gris. Ils prirent au trot la direction du domicile d'Alvarez.

— Rappelez-vous ce que je vous ai dit à l'aéroport, monsieur Carroll. C'est moi qui donne les ordres. J'espère que la capture de ce type vous permettra d'obtenir ce que vous cherchez, mais n'oubliez pas qui est aux commandes. On est bien d'accord ?

— Je n'ai pas oublié.

Le soleil du matin se reflétait avec un éclat dur sur les pistolets et les fusils. Carroll entendit des bruits de culasse qu'on actionnait. Les hommes du FBI se déployèrent à la manière d'une troupe de danseurs, lui évoquant de jeunes athlètes professionnels.

La scène était pleine de paradoxes visuels.

Carroll vit des mouettes placides s'élever de la mer et venir se poster en planant au-dessus de leurs têtes, attirées, semblait-il, par ce qui se tramait chez les Alvarez. Au moment où il commençait à s'imaginer en mouette rieuse, il décida qu'il était temps de se ressaisir.

Le vent qui soufflait de la mer était chaud mais agréable. Il charriait une odeur curieuse, mélange de poisson salé et de fleurs d'oranger. Le soleil était déjà aveuglant.

— Diego s'est payé une jolie petite maison. Sotheby's l'évaluerait dans les trois millions, trois millions cinq. Quand je donnerai le signal, mes hommes investiront chaque aile de la villa.

Carroll garda le silence. C'étaient les hommes de Sommers. C'était la petite planète de Sommers, qui en était le souverain suprême. Carroll observa les types du FBI pendant un moment puis il sortit son revolver. Il leva l'impressionnant canon noir de l'arme vers le ciel – une mesure de sécurité pour les humains, pas pour les mouettes.

Au moment où il s'agenouillait en position de tireur embusqué, la lourde porte d'entrée en bois de la maison d'Alvarez s'ouvrit avec fracas et alla heurter le mur de la façade en stuc rose.

— Qu'est-ce que c'est que ce bordel ? maugréa Clark Sommers.

20

Tout d'abord, une grosse femme aux cheveux blancs vêtue d'une chemise en lambeaux sortit en trébuchant. Athlétique et torse nu, un homme à la peau brune apparut derrière elle. Partout autour de la maison, des déclics d'armes automatiques se firent entendre.

Diego Alvarez s'adressa alors en hurlant aux agents fédéraux :

— Bande d'enculés ! Je vous préviens les mecs, je bute la vioque. C'est une vieille femme innocente. C'est ma cuisinière, les mecs. Posez tous vos putain de flingues !

Sommers était subitement muet. Son bronzage de héros des plages semblait s'estomper à vue d'œil.

Carroll jeta un regard au trafiquant de drogue. Les yeux noirs de l'homme étaient affolés, désespérés. Il avait des bulles de salive aux coins des lèvres. Se tournant vers Sommers, Carroll décréta :

— Nous devons le serrer. Peu importe comment, mais nous devons le serrer. Il me le faut.

Sommers resta silencieux. Il ne regarda même pas Carroll, qui insistait :

— Il faut impérativement l'arrêter. Nous n'avons pas le choix.

Le chef du FBI lui jeta un rapide coup d'œil. L'expression qui s'affichait sur son visage disait : « Toi, t'es flic à New York. Ici, c'est chez moi et c'est moi qui décide. » Carroll se représentait Alvarez leur échappant et cette idée le mettait hors de lui. Il devait empêcher que cela se produise. Sommers ignorait les implications de cette arrestation.

Diego Alvarez traînait tant bien que mal la corpulente cuisinière vers une Cadillac rouge garée devant son garage. Le trafiquant portait un pantalon blanc à pattes d'éléphant. Il était presque noir de peau et aussi musclé qu'un boxeur professionnel. La cuisinière ouvrait des yeux comme des soucoupes.

Carroll se mit en mouvement. Le plus discrètement possible, il recula de quelques pas et se faufila derrière un mur tapissé de fleurs.

Il patienta là quelques secondes, le temps de voir si sa disparition avait été remarquée, puis il longea précipitamment le mur jusqu'à une cour qui séparait la résidence d'Alvarez de la maison voisine. Des poubelles métalliques d'une propreté irréprochable y étaient alignées.

Un tuyau d'arrosage vert serpentait dans l'allée, jusqu'à une piscine où flottait un cheval gonflable que Carroll jugea grotesque. Il ne s'arrêta de courir qu'une fois parvenu dans la rue où les agents du FBI avaient garé leurs véhicules.

Tandis qu'il s'installait au volant de la Pontiac Grand Prix de Sommers, une pensée plutôt perturbante lui vint à l'esprit.

Il n'aurait jamais fait cela si Nora avait été encore en vie… Il n'aurait jamais pris de tels risques.

Arch Carroll mena doucement la berline jusqu'au coin de la rue, où il prit un large virage à droite avant de tourner promptement à gauche sur South Ocean.

Il aperçut Diego Alvarez qui, un pâté de maisons plus loin, pénétrait à reculons dans sa Cadillac. Le trafiquant de drogue tenait toujours la cuisinière aux cheveux blancs plaquée contre son torse nu. Il beuglait comme un forcené contre les agents fédéraux, mais ses paroles étaient emportées par la brise marine.

Carroll appuya à fond sur l'accélérateur. La voiture bondit en avant dans un crissement de ses pneus radiaux.

Carroll se cambra, inspira profondément.

Ne pense pas à ce que tu fais. Va jusqu'au bout, maintenant.

Son arme était posée à côté de lui, sur la banquette.

Le compteur s'affolait : cinquante, soixante-cinq, quatre-vingts kilomètres/heure.

Puis les roues avant heurtèrent violemment le trottoir avec un bruit assourdissant. La secousse souleva l'avant de la voiture d'au moins un mètre du sol.

L'espace de quelques interminables secondes, les quatre roues ne touchèrent plus terre. La voiture volait, littéralement.

— Putain de merde… ! beugla un agent fédéral en se jetant en roulé-boulé sur la pelouse.

— Nom de Dieu ! glapit un autre.

Diego Alvarez tira frénétiquement trois balles en direction de la Pontiac lancée sur lui à toute allure. Le pare-brise de la berline vola en éclats, projetant des bouts de verre sur le visage de Carroll.

La voiture rebondit sur la pelouse, de nouveau sur ses quatre roues, puis sur une allée en tomettes.

Carroll appuya de toutes ses forces sur l'accélérateur.

Tenant le volant d'une poigne de fer, s'y cramponnant aussi fort que ses mains et ses bras le lui permettaient, il baissa la tête juste avant le choc.

La voiture de Sommers s'encastra dans l'aile de la Cadillac rouge cerise de Diego Alvarez. La décapotable sembla se plier en deux et, tel un gigantesque palet de hockey sur glace, se mit à glisser latéralement avant de percuter le mur du garage.

Une douzaine d'officiers du FBI traversaient déjà la pelouse à toutes jambes.

Ils avaient rejoint les deux véhicules imbriqués avant même que ces derniers se soient immobilisés.

Des revolvers, des fusils d'assaut, des M 16 furent braqués sur l'intérieur de la Cadillac par les vitres avant ouvertes.

— Pas un geste, Alvarez. Ne bouge pas un cil, rugit un type du FBI. J'ai dit *pas un geste* !

Carroll poussa un grognement puis s'extirpa non sans peine de l'épave de la Pontiac. Il hurlait le nom de Diego Alvarez de toute sa voix, dont la puissance le stupéfia.

Il beuglait encore quand il arracha le trafiquant de drogue de sa voiture en ruine.

— Arch Carroll, division antiterroriste de la DIA ! Vous n'avez *aucun droit* ! Vous m'entendez ?... Comment étiez-vous au courant de l'existence de Green Band ? Qui vous en a parlé ? Répondez-moi !

— Va te faire foutre ! lui rétorqua Diego Alvarez avant de lui cracher au visage.

Le policier new-yorkais se décala légèrement sur la gauche puis lui plaça une droite au menton. Alvarez s'écroula sur le sol, sans connaissance.

— C'est ça ! Toi d'abord ! fit l'ancien gamin des rues du Bronx qui subsistait encore en Carroll.

Il essuya la salive du trafiquant de drogue sur sa joue.

Clark Sommers ouvrait une bouche si grande qu'elle formait un O parfait au centre de sa figure. Plusieurs jeunes et fringants agents fédéraux se contentèrent de secouer la tête.

Dans les bureaux du FBI, sur Collins Avenue, Miami, Diego Alvarez fut conduit dans une petite salle d'interrogatoire, où il confia à Carroll tout ce qu'il savait.

— Je sais pas qui ils sont. Sérieux, mec. Quelqu'un voulait juste te faire descendre en Floride.

Sachant qu'il y avait chez lui pour plus de trois cent cinquante mille dollars de cocaïne et que ses perspectives de libération dans cette vie tenaient de ce fait du vœu pieu, Alvarez n'avait rien à gagner à mentir. Carroll l'observa pendant qu'il parlait.

— Je le jure. Je sais rien d'autre, mec. Mais j'crois que quelqu'un te mène en bateau. On s'est servi de moi et de ma grande gueule. Mais c'est *toi* qui es visé… Quelqu'un voulait que tu viennes ici pour pas que t'ailles voir ailleurs. Ils jouent avec toi, mec. Ils te font marcher grave.

Carroll eut soudain envie de poser la tête sur la table de la salle d'interrogatoire, là, devant lui. Il avait été manipulé et il en ignorait totalement la raison. Tout ce qu'il savait, c'était que les gens derrière tout cela étaient d'une habileté sans pareille. Le message était des plus clairs : *Tu vois, on peut faire ce qu'on veut de toi – ce qu'on veut, comme on veut.*

Un peu plus tard, Carroll déambulait devant l'immeuble qui abritait les locaux du FBI, le long d'un mur de stuc blanc chauffé par le soleil.

Il espérait que le soleil de Floride apaiserait son esprit las. Il se disait que le climat de Miami serait sans doute plus agréable pour Tchatcheur que celui de New York.

Il était relativement sûr de deux ou trois choses, plutôt perturbantes… Les membres de Green Band – qui qu'ils fussent – savaient non seulement qui il était mais aussi qu'il serait chargé de l'enquête. Comment le savaient-ils ? Qu'est-ce que ceci était censé lui suggérer, concernant leur identité ?… Ils avaient manifestement envie qu'il sache à quel point ils étaient intelligents et bien informés. Ils avaient envie de l'impressionner – et, honnêtement, à cet instant précis en tout cas, ils avaient tout bon.

Dans l'avion qui le ramenait à New York, Arch Carroll but deux bières puis deux whiskies irlandais. Il aurait volontiers pris deux autres whiskies, mais il se rappela avoir fait une promesse à son directeur de conscience, Walter Trentkamp. Il passa le reste du vol à dormir.

Il fit un rêve délicieux. Il quittait son boulot à la division antiterroriste de la DIA et partait vivre avec les enfants et Nora sur la plus belle plage de sable blanc de Floride.

21

Le dimanche matin, avant le lever du soleil, Caitlin Dillon traversa à pied une rivière de glace et de neige fondue qui lui montait jusqu'à mi-mollet.

Lorsqu'elle émergea sur la Cinquième Avenue, la directrice des services d'inspection de la SEC héla un taxi, dont le chauffeur la conduisit à contrecœur jusqu'aux barricades érigées sur la 14e Rue par la police et la Garde nationale.

De là, Caitlin fut conduite en voiture jusqu'au chaos fumant du quartier financier.

Le trajet, sur trente pâtés de maisons, lui parut étonnamment rapide. Plus aucun feu de signalisation ne fonctionnait en dessous de la 14e Rue, et il n'y avait quasiment aucune circulation dans les environs.

Le sergent au volant de la voiture de police était aussi beau garçon qu'un acteur de série policière d'Hollywood. Ses longs cheveux noirs tombaient en boucles sur le col de son uniforme. Il s'appelait Signarelli.

— Jamais vu *tout* merder à ce point. (Le sergent s'exprimait avec l'accent nasal de Brooklyn.) On n'arrive même pas à joindre notre central de communications habituel. Ça sonne aussi tout le temps occupé au

101

bureau d'opérations qu'ils ont mis en place. Personne ne sait ce que fait l'armée. Ni ce que fout le FBI. C'est complètement dingue !

— Comment géreriez-vous cela, vous ?

La question de Caitlin n'était en rien condescendante. L'avis des gens de la base l'intéressait toujours. C'était l'une des raisons pour lesquelles elle était une chef efficace à la SEC. Une autre raison était qu'elle était intelligente et qu'elle connaissait si bien Wall Street et ses rouages que la plupart de ses collègues avaient pour elle une admiration mêlée de respect.

— Si c'était vous le patron, que feriez-vous, sergent ? insista-t-elle.

— Eh bien… Je ferais une descente dans tous les repaires de terroristes connus en ville. On en connaît un bon paquet. Je débarquerais à l'improviste dans tous leurs petits nids de serpents. J'arrêterais tout ce qui bouge. Comme ça, on serait sûr d'obtenir des informations…

— Sergent, je crois que c'est ce que les équipes d'inspecteurs ont passé la nuit à faire. Plus de soixante brigades d'inspecteurs de la police de New York. Mais il semblerait que les « serpents » ne se montrent pas très coopératifs, sur ce coup-là.

Caitlin arqua les sourcils puis adressa un sourire gentil à Signarelli.

Comme on pouvait s'y attendre, celui-ci lui proposa un rendez-vous dans la foulée. De manière tout aussi prévisible, Caitlin déclina son invitation.

Des hélicoptères de la police et de l'armée vrombissaient dans le ciel. Immobile et frigorifiée, Caitlin se tenait à l'angle nord-ouest de Broadway et de Wall Street.

Elle s'autorisa à parcourir des yeux le tableau le plus étrange et le plus glaçant qu'il lui avait été donné de voir jusqu'à ce jour.

Des milliers de tonnes des matériaux les plus divers, blocs de granit, de pierre, éclats de verre, de béton et de mortier, étaient retombés sur Wall Street, Broad Street et Pell Street, ainsi que sur toutes les petites rues adjacentes.

D'après la dernière estimation du service de renseignements de l'armée, au moins soixante charges de plastic différentes avaient explosé à dix-huit heures trente-quatre, le vendredi soir. Selon la police, les bombes avaient été déclenchées par des signaux radio perfectionnés, qui pouvaient avoir été transmis d'une distance d'entre quinze et vingt kilomètres.

Caitlin tendit le cou pour regarder vers le numéro 6 de Wall Street, à deux pas de là.

Elle grimaça en découvrant des paquets de fils électriques arrachés, d'épais câbles d'ascenseur pendant dans le vide entre les étages les plus hauts de l'immeuble de bureaux. Çà et là, des bouts de ciel apparaissaient par de grands trous béants dans les murs du bâtiment. On aurait dit une maison de poupée éventrée par un enfant coléreux.

Dans l'entrée d'un immeuble contigu, un photocopieur renversé, apparemment tombé de plusieurs étages avant de s'écraser sur le sol de marbre du hall. Caitlin distinguait des écrans fracassés de terminaux informatiques et les résidus fondus de claviers, lui évoquant de cauchemardesques travaux d'arts plastiques. Les gyrophares rouges et bleus des véhicules de la police et des urgences clignotaient dans toute la rue par ailleurs déserte et jonchée de débris.

Caitlin Dillon se sentait oppressée, son corps était comme engourdi. Ses oreilles bourdonnaient doucement, comme si la pression atmosphérique avait subitement chuté.

Elle ne parvenait pas à réprimer une sensation dérangeante de nausée et une faiblesse soudaine dans les jambes.

Elle comprenait ce que beaucoup d'autres ne saisissaient pas encore : tout un mode de vie avait peut-être été détruit à jamais, en ces lieux, le vendredi soir précédent.

Caitlin passa sous le porche du numéro 13. L'endroit fourmillait de secrétaires, installées jusque dans les couloirs et l'entrée de marbre et de pierre, qui tapaient frénétiquement sur leurs claviers, d'employés de la Bourse qui circulaient en tous sens, transportant des dossiers d'un bureau à un autre. La jeune femme parcourut les lieux du regard puis entreprit de traverser prestement un parterre de verre brisé et de gravats tombés du plafond. Elle se retrouva aussitôt cernée par des policiers armés jusqu'aux dents, qui exigèrent de voir ses papiers.

Elle se sourit à elle-même en leur présentant sa pièce d'identité. Personne ici ne semblait savoir qui elle était.

C'était tellement révélateur !

Depuis trois ans, la chef des services d'inspection de la SEC était une figure insolite de Wall Street : bien qu'y étant incontestablement influente, Caitlin Dillon restait une personne mystérieuse pour presque tous les gens qui travaillaient ici.

Les femmes étaient admises sur le parquet de la Bourse seulement depuis 1967. Toutefois, le principe de leur présence ne l'était pas encore. On pouvait encore lire sur une pancarte, bien en vue dans la galerie des visiteurs :

> *Les femmes sont de piètres spéculatrices.*
> *Livrées à elles-mêmes,*
> *elles se montrent relativement désarmées.*
> *Excellant dans certains domaines,*
> *elles sont contraintes de s'effacer*
> *pour ce qui est de la spéculation.*
> *Sans l'aide d'un homme,*
> *une femme à Wall Street est semblable*
> *à un navire sans gouvernail.*

Caitlin devait en fait son poste à l'infortune de son prédécesseur, victime d'un infarctus fatal. Elle savait que des initiés avaient prédit qu'elle ne tiendrait pas plus de deux mois. Certains l'appelaient même « l'intérimaire ».

Pour cette raison – et pour d'autres fortes motivations liées à son histoire personnelle –, elle avait résolu de devenir la chef des services d'inspection de la SEC la plus sévère et la plus dure depuis l'époque où le professeur James Landis s'occupait personnellement du recrutement, et, ce, quel que soit le temps qu'elle passerait à ce poste.

En conséquence, elle se montrait terriblement consciencieuse. D'aucuns prétendaient que Caitlin Dillon était obsédée par les enquêtes portant sur les délits financiers et s'appliquait plus qu'il n'était nécessaire à traquer les malversations des cadres supérieurs des grandes sociétés américaines.

« Je vais te confier un truc, juste entre nous, avait-elle un jour déclaré à l'une de ses amies proches, Meg O'Brian, la rédactrice en chef de la rubrique financière de *Newsweek*. Les dix hommes les plus recherchés des États-Unis travaillent tous à Wall Street. »

La chef « intérimaire » fit rapidement parler d'elle, au point que les éminences grises de Wall Street en vinrent à souhaiter ardemment la voir remplacée au plus tôt, ce qui ne se produisit pas : Caitlin faisait trop bien son boulot.

Ce matin-là, Caitlin finit par rejoindre son bureau du 13, à sept heures quarante-cinq.

Elle ôta son manteau et, tout en s'asseyant, respira profondément.

Un compte rendu des dommages, préparé la veille au soir à son intention, était posé sur son bureau. Elle le parcourut rapidement, éprouvant un désespoir grandissant devant l'ampleur des dégâts.

La Federal Reserve Bank
Salomon Brothers
Bankers Trust
Affiliated Fund
Merrill-Lynch
U.S. Trust Corporation
La Depository Trust Company...

Soit quatorze immeubles du centre-ville de New York, partiellement ou entièrement détruits.

Posant sa paume à plat sur le rapport, elle ferma les yeux.

Tout cela la dépassait ; la situation lui paraissait parfaitement ingérable.

Elle rouvrit les yeux.

C'était le début de la deuxième journée d'enquête officielle sur Green Band, et elle n'en savait pas davantage que la veille. Tel un nuage noir, le constat perturbant de cette ignorance obscurcit peu à peu son cerveau.

Ce dimanche s'annonçait très, très long.

22

Carroll sortit prestement d'une limousine officielle et se dirigea à grands pas vers la sinistre entrée de pierre grise du numéro 13 de Wall Street.

Green Band avait laissé ce bâtiment en grande partie intact – un fait qui le laissait songeur. Pourquoi une cellule terroriste désireuse de s'en prendre au capitalisme américain épargnerait-elle la Bourse ?

Carroll portait un manteau en cuir noir qui lui descendait jusqu'aux genoux, un cadeau de Nora le Noël précédant sa mort. À l'époque, elle l'avait taquiné en disant que cela lui donnait l'allure d'un héros ténébreux et irréductible. Ce manteau faisait désormais partie de ses rares trésors personnels. Il était un peu serré au niveau des aisselles, mais Carroll s'en moquait et n'envisageait pas une seconde de le faire retoucher. Il voulait qu'il restât exactement tel qu'il était lorsque Nora le lui avait offert.

Carroll fumait une cigarette toute ratatinée. Certains week-ends, il lui arrivait de porter son manteau en cuir et de fumer des cigarettes maltraitées quand il emmenait Mickey Kevin et Clancy à des matchs des New York Knicks ou des Rangers.

Cela faisait mourir de rire ses deux gamins. Ils lui disaient qu'il cherchait à ressembler à Mel Gibson dans ses films. Il savait bien que tel n'était pas le cas. C'était Mel Gibson qui essayait de lui ressembler.

Remontant promptement les interminables couloirs qui résonnaient sous ses pas, Carroll ôta les manches de son manteau en cuir avant de le laisser flotter sur ses épaules comme une cape.

Quelques pas encore, et il le plia sur son bras, dans l'espoir que cela lui donnerait un air un peu plus civilisé. De nombreux hommes d'affaires très sérieux arpentaient les couloirs sacrés du numéro 13 de Wall Street.

Carroll poussa les portes en cuir capitonnées d'une salle de conférences solennelle, de la taille d'un amphithéâtre, qui empestait la respiration et le tabac froid.

La réunion avait déjà commencé. Il était en retard. Il était également fatigué par le vol qui l'avait ramené de Miami, et ses nerfs – mis à mal par une surdose d'amphétamines – protestaient de plus belle.

Il jeta un coup d'œil à sa montre. Il avait une autre longue journée devant lui.

Carroll parcourut rapidement des yeux la salle sombre. Elle était remplie de policiers et d'officiers de l'armée américaine, ainsi que d'avocats d'affaires et d'investisseurs des principales banques et maisons de courtage de Wall Street. Les seules places libres se trouvaient à l'avant.

Grommelant dans sa barbe, Carroll s'avança vers la première rangée en se courbant. Il se fraya tant bien que mal un passage parmi des jambes de pantalon en tissu rayé gris ou bleu et dut même enjamber les genoux de quelqu'un. Il avait le sentiment que tout le monde dans la salle le regardait – ce qui correspondait probablement à la réalité.

—… vous expliquer comment gagner des fortunes à Wall Street, disait la personne qui avait la parole. Il suffit de voler un peu aux riches, un peu aux gens aisés et beaucoup à la classe moyenne…

Des rires nerveux retentirent dans le vaste amphithéâtre – une hilarité sourde et sans joie, dont on sentait qu'elle était surtout due à la tension nerveuse ambiante.

— Le système de sécurité de Wall Street ne fonctionne tout bonnement pas, poursuivit l'oratrice. Comme vous le savez tous, notre installation informatique est l'une des plus archaïques du monde financier. C'est la raison pour laquelle cette catastrophe a pu se produire.

Carroll finit par s'asseoir, se laissant progressivement glisser dans son siège jusqu'à ce que seule sa tête dépassât du dossier en velours gris. Il avait les genoux collés à la scène en bois, devant lui.

— Le système informatique de Wall Street est une véritable honte…

Carroll leva enfin les yeux sur la personne qui animait la réunion. *Nom de Dieu !* La vue de Caitlin Dillon debout sur l'estrade le saisit. Cheveux châtains soyeux coupés au carré ; longues jambes, taille fine, grande – visiblement plus d'un mètre soixante-quinze.

Elle contemplait le premier rang, d'un regard noisette calme et scrutateur. Carroll réalisa que c'était lui qu'elle dévisageait ainsi sans détour.

— Vous prévoyez du grabuge pendant mon intervention, monsieur Carroll ?

Elle fixait son Magnum dans son vieux holster en cuir. Carroll ne sut quoi répondre. Il haussa les épaules et tenta de s'enfoncer un peu plus profondément dans son siège. Pourquoi son habituel sens de la repartie lui faisait-il maintenant défaut ?

Caitlin Dillon reporta en douceur son attention sur l'assemblée de hauts responsables des forces de l'ordre et d'hommes d'affaires. Elle reprit son exposé exactement là où elle s'était interrompue :

— Au cours des dix dernières années, les investissements étrangers aux États-Unis ont grimpé en flèche... (Un tableau succéda au précédent sur l'écran derrière elle.) Notre économie a vu affluer des francs, des yen, des pesos, des deutsche Mark, le tout pour un montant total de quatre-vingt-cinq milliards de dollars...

Carroll ne la quittait pas des yeux. Rien n'aurait pu lui faire détourner le regard, à l'exception – peut-être – d'un deuxième attentat à Wall Street...

Elle avait une lueur pétillante dans le regard et une touche de douceur inattendue dans le sourire. Comment pouvait-elle occuper un poste comme le sien en *douceur*? Ce mot n'appartenait pas au vocabulaire de Wall Street.

Elle était élégante – même vêtue d'un tailleur classique en tweed gris chiné.

Mais elle paraissait avant tout intouchable.

Il se remit à prêter attention à ce qu'elle disait. Elle décrivit dans les grandes lignes la situation de crise provoquée par Green Band, l'insuffisance avérée des archives informatisées à Wall Street et la suspension de tous les transferts de fonds internationaux.

Elle énonçait des faits qui donnaient à réfléchir et faisaient froid dans le dos.

— Étrangement, l'organisation terroriste n'a toujours pas repris contact avec les autorités. Quel que soit le genre d'organisation dont il s'agit... Ainsi que vous le savez peut-être, aucune revendication n'a véritablement été formulée. Aucun ultimatum. Absolument aucune explication n'a jusqu'ici été donnée concernant les événements de vendredi. Une autre réunion se tiendra après celle-ci avec les gens de mon service et les informaticiens. Il nous faut trouver une solution pour les ordinateurs avant l'ouverture du marché, lundi. Dans le cas contraire... j'entrevois de sérieux désagréments.

Le silence régna soudain dans l'amphithéâtre. Les bruits de raclements de pieds et de papiers froissés cessèrent.

— Voulez-vous dire que nous allons être confrontés à une panique financière ? À une espèce de krach boursier ? demanda quelqu'un.

Caitlin marqua un temps d'arrêt avant de reprendre la parole. Carroll sentit qu'elle choisissait de toute évidence les termes de sa réponse avec circonspection.

— Je crois que nous devons tous admettre... qu'une espèce de panique du marché est possible, si ce n'est probable, dans les jours qui viennent.

— Qu'appelez-vous précisément « panique » ? Donnez-nous un exemple, lança un influent homme d'affaires.

— Eh bien, les cours sont tout à fait susceptibles de perdre plusieurs centaines de points très rapidement. En l'espace de quelques heures seulement...

Une voix s'éleva, au fond de la salle :

— Est-ce que nous parlons d'une situation de type « Jeudi noir » ? Sous-entendez-vous qu'un krach boursier est effectivement à même de se produire ?

Caitlin fronça les sourcils. Elle connaissait l'homme qui avait posé ces questions – un comptable vieux jeu et guindé travaillant pour l'une des plus grandes banques new-yorkaises.

— Pour l'instant, je ne me prononcerai pas. Comme je l'ai dit tout à l'heure, si nous disposions d'un système informatique plus moderne, si Wall Street s'était adapté au XXe siècle, nous en saurions davantage. Une chose est sûre : nous serons tous alors aux premières loges pour voir ce qui se passera. Nous devrions nous préparer. Je suggère que, pour une fois, nous fassions en sorte d'être prêts.

Sur ces paroles, Caitlin Dillon descendit de la scène. Tandis qu'il la regardait se diriger seule vers les portes du fond de l'amphithéâtre, Arch Carroll prit conscience d'une présence à côté de lui.

Il se retourna dans son fauteuil et découvrit le capitaine Francis Nicolo, du service de la balistique de la police de New York. Son costume trois pièces rayé et sa moustache soignée et gominée le proclamaient haut et fort à la face du monde : cet homme-là se prenait pour un dandy.

— Viens voir une minute, Arch, dit Nicolo en lui faisant signe de l'accompagner.

Ils sortirent précipitamment de la salle et Carroll le suivit à travers plusieurs couloirs faiblement éclairés de la Bourse.

Nicolo ouvrit la porte d'une petite pièce située sur l'arrière du bâtiment. Il la referma avec précaution quand Carroll fut entré.

— Qu'est-ce qui se passe ? s'étonna ce dernier, à la fois curieux et vaguement amusé. Dis-moi tout, Francis.

— Jette un œil là-dedans, répondit Nicolo, montrant du doigt une boîte en carton posée sur un bureau. Ouvre-la. Vas-y.

— Qu'est-ce que c'est ?

Carroll se dirigea d'un pas hésitant vers le bureau. Il posa le bout des doigts sur le couvercle de la boîte.

— Ouvre-la, elle va pas te mordre.

Carroll souleva le couvercle.

— Putain ! D'où ça sort ? s'exclama-t-il. Nom de Dieu, Frank !

— Le concierge l'a trouvée derrière le réservoir d'une chasse d'eau, dans l'un des W.C. des hommes, expliqua Nicolo.

Carroll fixait le dispositif et le long ruban vert vif soigneusement noué autour. *Green Band.*

— Ça ne risque rien, le rassura Nicolo. Elle n'a jamais été censée exploser, Arch.

Arch Carroll ne parvenait pas à en détacher les yeux. Une bombe, présentant tous les signes d'un travail de professionnel. *Elle n'a jamais été censée exploser*, se répéta-t-il en son for intérieur. Un autre avertissement ?

— Il y a là largement de quoi rayer cet endroit de la carte, dit-il, éprouvant une violente nausée.

Nicolo fit claquer sa langue.

— Sans problème. Charge de plastic, comme toutes les autres. Je ne sais pas qui est derrière tout ça, mais il semble sacrément savoir ce qu'il fait, Arch.

Carroll marcha jusqu'à la fenêtre du bureau et contempla la rue en contrebas, qui fourmillait de policiers. Le théâtre d'inexplicables hostilités.

23

Le sergent Harry Stemkowsky perça consciencieusement le jaune de chacun des trois œufs remplissant l'assiette posée devant lui.

Il les recouvrit ensuite d'une généreuse couche de ketchup, avant de beurrer et d'enduire de confiture de fraises quatre moitiés de petits pains aux oignons tout juste grillées. Il était prêt.

Ce repas, un composé de hachis de corned-beef, d'œufs et de petits pains, était l'habituel petit-déjeuner que Stemkowsky prenait dans son bouiboui attitré, le Dream Doughnut and Coffee, à l'angle de la 23ᵉ Rue et de la Dixième Avenue. Il avait pris son service pour les taxis Vétérans trois heures auparavant. Trois heures pendant lesquelles il n'avait pensé qu'à ce festin.

Chaque matin, tandis qu'il dévorait son petit-déjeuner au Dream, Harry Stemkowsky ressassait invariablement les mêmes pensées...

C'était incroyablement bon d'être sorti de cet hôpital de vétérans de merde. C'était tellement génial d'être de nouveau vivant.

Il avait à présent une raison valable de s'accrocher à la vie...

Et il devait tout cela au colonel David Hudson. Qui se trouvait être à la fois le meilleur soldat, le meilleur ami et l'un des meilleurs hommes que Stemkowsky eût jamais rencontrés. Le colonel Hudson avait offert à tous les vétérans une deuxième chance. Il leur avait offert la mission Green Band pour qu'ils prennent enfin leur revanche.

Plus tard dans la matinée de ce même jour, alors qu'il slalomait dans l'épaisse couche de neige fondue recouvrant Jane Street, dans le West Village, le colonel David Hudson se demanda s'il n'était pas victime d'hallucinations.

Passant la tête par la vitre à moitié baissée de son taxi, saisi par la pluie battante et le vent glacé lui fouettant le visage, il cria :

— Vous allez rouiller, sergent ! Voulez-vous rentrer, nom de Dieu !

Le vieux fauteuil roulant cabossé de Harry Stemkowsky était solidement planté sur le trottoir, juste devant l'entrée du dépôt des taxis Vétérans. Le sergent s'y tenait recroquevillé, tel un zombie, sous la pluie battante.

Hudson trouva ce spectacle extraordinairement émouvant, assurément plus triste qu'insolite. Comme un point final à ce qui avait été irrémédiablement perpétré au Viêtnam : Harry Stemkowsky, en un instantané aussi poignant que n'importe quelle image de blessé immortalisée par un reporter dans la zone des combats de l'Asie du Sud-Est.

Hudson sentit les muscles de ses mâchoires se contracter et une fureur qui venait de loin commença à monter en lui. Il lutta pour la réprimer. Ce n'était pas le moment de laisser libre cours à ses sentiments personnels. Ce n'était pas le moment de se complaire dans une vieille et vaine colère.

Quand David Hudson arriva devant la porte patinée du dépôt, un large sourire fendait le visage de Stemkowsky.

— Vous êtes réformé à vie pour raisons psychiatriques, sergent. Vous avez définitivement perdu la tête, décréta Hudson. Aucune justification n'est recevable.

En réalité, un sourire se dessinait sur ses lèvres. Il savait pourquoi Stemkowsky l'attendait dehors ; il connaissait tous ces vétérans, maintenant, aurait pu réciter par cœur l'histoire de leurs vies à jamais brisées. Il se flattait de connaître chacun d'eux aussi bien qu'il connaissait leurs antécédents militaires respectifs.

— Je-je vou-voulais être i-i-ici qu… quand vous arriveriez. C'é-c'é-tait juste p-p-pour ça, co-co-colonel.

Hudson se radoucit :

— Ouais, je sais, je sais. Ça fait du bien de vous revoir, sergent. Même si vous vous conduisez toujours comme un vrai con.

Poussant un bruyant soupir, le colonel Hudson se pencha brusquement et, avec son puissant bras valide, souleva aisément les soixante-deux kilos de Harry Stemkowsky.

Ce dernier était invalide depuis l'offensive du printemps 1971. En outre, il bégayait violemment et incurablement, depuis qu'il avait reçu dix-sept balles d'un fusil automatique soviétique SKS. Quelques mois auparavant, Stemkowsky était encore une pitoyable loque.

Tout en montant l'escalier exigu et piqué par l'humidité, à l'intérieur du local des taxis et coursiers Vétérans, Hudson décida de ne plus penser au

Viêtnam. Ils étaient censés être en permission et se retrouver pour célébrer le succès de la première partie de la mission Green Band.

La chanson « Bad to the Bone », de George Thorogood, beuglait dans la pièce au-dessus. Bonne chanson. Très bon choix.

— Voilà le colonel !

Lorsque Hudson pénétra dans la grande pièce aux murs d'un jaune blafard, au premier étage, il fut accueilli par des cris de joie perçants et des acclamations. Pendant un court instant, cette clameur l'embarrassa. Puis il songea au fait qu'il avait donné à tous ces hommes un second souffle, un objectif qui transcendait l'amertume rapportée du Viêtnam.

— Le colonel est arrivé ! Le colonel est là !

— Oh, merde ! Planque le Johnnie Walker… Non, je plaisante, colonel.

— Alors, comment ça va, Bonanno ? Et toi, Hale ? Et toi, Skully ?

— Colonel… On a réussi, nom de Dieu ! Pas vrai ?

— Oui, on a réussi. Jusqu'à présent, en tout cas.

— Colonel ! C'est génial de vous voir. Tout a marché exactement comme vous l'aviez dit !

— Ouais. La partie *facile* de l'opération s'est vraiment bien déroulée.

24

Les vingt-six vétérans continuèrent à l'acclamer. Hudson parcourut des yeux la pièce miteuse où, pendant presque un an et demi, ils avaient ensemble mis sur pied l'opération Green Band.

Il examina les rangées de visages familiers, les barbes mal taillées et en bataille, les coiffures longues et démodées, les vestes vert kaki des vétérans. Il était chez lui. Il était chez lui, et il était manifestement le bienvenu parmi les siens.

Il sentait les vibrations de ferveur pure que ces hommes éprouvaient pour lui. Et, l'espace d'un court instant, le colonel David Hudson faillit perdre le contrôle de lui-même.

Il les gratifia finalement d'un sourire de conspirateur plein d'ironie.

— C'est bon de vous revoir tous. Poursuivez votre petite fête. C'est un ordre.

Hudson déambula parmi eux d'un pas tranquille, serrant des mains, saluant le reste du groupe : Jimmy Cassio, Harold Freedman, Mahoney, Keresty, McMahon, Martinez – des hommes qui n'avaient pu retrouver leur place au sein de la société après la guerre, des hommes qu'il avait recrutés pour Green Band.

Ces vétérans étaient des asociaux qui pâtissaient d'une incapacité chronique à travailler ; selon les critères américains de succès et d'accomplissement, ils étaient des ratés de première. Au moins la moitié d'entre eux souffraient de syndromes de stress posttraumatiques, si répandus parmi les anciens combattants.

Les hommes réunis dans le vestiaire des chauffeurs de taxi s'étaient tous distingués de façon remarquable. Chacun d'entre eux avait servi sous les ordres de Hudson, à une époque ou à une autre. Chacun d'entre eux était un expert technique hautement qualifié ; chacun d'entre eux possédait un talent unique, que personne, à l'exception de Hudson, ne semblait avoir le besoin ou l'envie d'exploiter dans la société civile.

Steve Glickman, dit « le Cheval », et Pauly Melindez, dit « Mister Bleu », formaient la meilleure équipe de tireurs isolés que Hudson eût jamais commandée.

Spécialistes de l'artillerie, Michael Doud et Joe Barreiro étaient des experts dans la fabrication et l'assemblage de dispositifs explosifs sophistiqués.

Manning Rubin aurait pu gagner mille dollars par semaine en travaillant pour Ford ou General Motors. Pour peu que son don pour réparer les voitures ait été doublé de patience, d'une toute petite disposition lui permettant de se contenir face à la connerie ambiante…

Davey Hale possédait des connaissances encyclopédiques sur presque tout, en particulier sur les marchés boursiers.

Campbell, Bowen, Kamerer et Generalli étaient des soldats de très grande valeur.

— Très bien, messieurs. Nous avons des leçons à réviser, maintenant, intervint Hudson. C'est la dernière fois que nous aurons l'occasion de revoir ces détails et l'ensemble de nos plannings d'opérations. Si vous avez l'impression que ça ressemble à des instructions militaires officielles, vous avez raison, parce que c'en sont.

Se taisant momentanément, Hudson observa le cercle de visages qui l'entouraient, tous braqués vers lui avec une attention intense.

— Petite anecdote personnelle, messieurs… À la vénérable JFK School de Fort Bragg, on nous répétait sans cesse ceci : « le génie réside dans les détails »… J'ai retenu cette leçon comme nulle autre apprise avant cela ou depuis… Je souhaite donc vérifier les derniers détails une ultime fois avec vous tous. Voire deux fois. Les détails, messieurs…

Vétéran 1 avait délibérément conçu sa présentation sur le modèle concis des directives techniques du manuel de campagne des forces spéciales. Dans l'immédiat, il voulait que ses hommes se rappellent le Viêtnam. Il voulait qu'ils se souviennent de leur attitude là-bas : de leur audace et de leur courage, de l'esprit de corps dont ils avaient tous fait preuve, à un moment ou à un autre.

Pendant près de deux heures et demie, le colonel Hudson passa minutieusement en revue tous les scénarios, tous les imprévus susceptibles de survenir jusqu'à la conclusion de la mission Green Band. Il usa de moyens mnémotechniques : des cartes topographiques de reconnaissance, des astuces pour mémoriser les éléments importants, des organigrammes semblables à ceux utilisés dans l'armée.

Une voix rauque s'éleva finalement du fond du vestiaire des vétérans :

— Comment vous êtes aussi sûr que personne aura de crise de conscience ? demanda l'un des hommes, un Noir du sud des États-Unis du nom de Clint Hurdle. Ça va commencer à chauffer, colonel. Comment savoir si quelqu'un va pas merder et s'arracher en courant ?

La pièce devint silencieuse.

Hudson réfléchit avec soin avant de répondre. Il s'était lui-même posé cette question des centaines de fois.

— Personne, pas un seul d'entre vous, n'a jamais failli au combat... Même dans une guerre qu'aucun de vous ne voulait et à laquelle vous ne croyiez pas... Personne n'a craqué, dans les camps de prisonniers !... Personne ne flanchera maintenant non plus. Je parierais là-dessus n'importe quoi.

Un silence gêné subsista après cette réplique chargée d'émotion. Le regard intense de David Hudson parcourut une fois encore la pièce.

Il désirait qu'ils fussent certains qu'il pensait chacun des mots qu'il venait de prononcer. Bien que cela ne sautât vraisemblablement pas aux yeux, tous les hommes présents avaient été soigneusement choisis, parmi des centaines d'anciens combattants. Chaque soldat dans cette pièce était un individu à part.

— Si quelqu'un parmi vous a envie de renoncer, c'est le moment... C'est *tout de suite*, messieurs. Ça concerne quelqu'un ?...

Un vétéran se mit lentement à taper dans ses mains. Puis les autres l'imitèrent.

Les vingt-six hommes applaudirent solennellement. Quoi qu'il dût se passer, ils étaient ensemble.

25

Hudson hocha la tête.

— J'ai gardé les missions à l'étranger pour la fin. Je n'admettrai aucune discussion ni aucune protestation concernant ces déplacements. Le contexte opérationnel est déjà suffisamment confus pour que nous nous dispensions de toute confusion. C'est d'ailleurs l'une des raisons pour lesquelles nous allons gagner cette guerre.

Le colonel Hudson marcha jusqu'à une longue table en bois. Il commença à distribuer d'épaisses enveloppes à l'aspect très officiel. Une étiquette blanche était collée sur chacune d'elles.

Elles contenaient des faux passeports américains et des visas, des billets d'avion de première classe et une généreuse somme d'argent pour les frais ; ainsi que des cartes topographiques détaillées reprenant les informations revues pendant le briefing. *C'était dans les détails que résidait le génie.*

— Cassio ira à Zurich, annonça Hudson. Stemkowsky et Cohen se rendront respectivement en Israël et en Iran... Skully ira à Paris, Harold Freedman à Londres, puis à Toronto. Jimmy Holm à Tokyo. Vic

Fahey à Belfast. Le reste d'entre nous ne bouge pas de New York.

Des grognements de collégiens se firent entendre. Hudson les réduisit au silence d'un geste sec.

— Messieurs, je ne répéterai pas ce que je m'apprête à vous dire ; il vous faudra donc vous en souvenir… Quand vous vous trouverez en Europe, en Asie, en Amérique latine, il est absolument *essentiel* que vous vous conformiez scrupuleusement au comportement et au look vestimentaire que nous avons spécialement conçus pour vous. Tous vos déplacements se feront en première classe. Tout l'argent qui vous a été remis pour les restaurants et l'achat de vêtements est censé être intégralement dépensé. Dépensez cet argent. Dépensez-le sans compter. Montrez-vous plus déraisonnables que vous ne l'avez jamais été dans toute votre vie. Amusez-vous – si, compte tenu des circonstances, vous y parvenez. C'est un ordre ! (Hudson se détendit.) Pendant les prochains jours, vous devez vous mettre dans la peau d'hommes d'affaires américains prospères et sûrs d'eux. Vous devez imiter les gens que nous avons observés à Wall Street depuis un an. Pensez comme un homme de Wall Street, ressemblez à un homme de Wall Street, conduisez-vous comme un influent cadre de Wall Street. Tout à l'heure, on vous fera des coupes de cheveux d'hommes d'affaires, on vous rasera et, croyez-le ou non, vous aurez droit à une manucure. Votre garde-robe a aussi été soigneusement choisie pour vous chez Brooks Brothers et Paul Stuart – vos boutiques préférées, messieurs. Vos chemises et vos cravates viennent de chez Turnbull & Asser. Vos portefeuilles sont de la marque Dunhill et contiennent des cartes de crédit et une copieuse somme en espèces dans les devises dont vous aurez besoin dans les pays respectifs où vous voyagerez.

Le colonel Hudson s'interrompit. Il promena lentement son regard dans la pièce.

— Il me semble avoir dit tout ce que j'avais à vous dire... À l'exception d'une chose importante... Je vous souhaite du fond du cœur bonne chance à tous. Pour la suite. Et pour les années qui vous restent à vivre. Je crois en vous. Croyez en vous-mêmes.

26

À trois heures de l'après-midi, Carroll posa lourdement ses vieilles chaussures de sécurité Timberland sur son bureau, au numéro 13 de Wall Street. Il bâilla si intensément que sa mâchoire craqua.

Il sortait de quatre interrogatoires épuisants et infructueux avec le gratin des agents provocateurs et des terroristes de la région de New York.

Carroll s'était intentionnellement choisi un bureau exigu au fin fond du bâtiment de Wall Street. Sa petite quoique valeureuse équipe de la DIA – une demi-douzaine de renégats de la police et deux secrétaires efficaces et dures au mal – était installée dans des box disposés en cercle autour de sa petite alvéole.

Sur les murs de celle-ci la peinture s'écaillait comme une peau malade et la fenêtre, fracassée par les bons soins de Green Band, avait été rafistolée avec un morceau de papier kraft déjà détrempé par la pluie.

Les quatre premiers suspects interrogés par Carroll étaient des terroristes connus vivant dans l'agglomération new-yorkaise : deux membres du

FALN[1], un militant de l'OLP et un collecteur de fonds de l'IRA. Malheureusement, les quatre hommes n'étaient pas mieux informés sur l'attentat mystère de Wall Street que Carroll lui-même. *Pas la moindre information ne circulait dans le milieu.* Chacun d'eux le lui jura de façon convaincante, à la fin d'entretiens longs et épuisants.

Carroll se demandait comment une telle chose était possible.

Quelqu'un devait bien savoir quelque chose sur Green Band. Il était tout simplement impensable que quelqu'un puisse tranquillement faire exploser la moitié de Wall Street et garder l'anonymat pendant plus de deux jours.

La porte en bois abîmée et rouillée de son bureau s'ouvrit lentement. Carroll leva les yeux au-dessus du couvercle en carton de son gobelet fumant de café.

Mike Caruso, l'un de ses adjoints à la DIA, jeta un coup d'œil furtif à l'intérieur. Petit et maigre, Caruso était un ancien flic de bureau dont les cheveux noirs étaient coiffés en une banane années 1950 qu'il portait haut au-dessus du front. Généralement affublé d'abominables chemises hawaiiennes dépassant de pantalons amples, il cherchait manifestement à se singulariser par une débauche de couleurs dans la grisaille ambiante. Carroll l'aimait infiniment pour ce fervent manque de style.

— On a Isabella Marqueza sur le feu. Elle est déjà en train de gueuler qu'elle veut son grand avocat de

---

1. Abréviation de l'espagnol *Fuerzas Armadas de Libéracion Nacional*, soit les « Forces armées de libération nationale ». Il s'agit d'une organisation portoricaine.

Park Avenue. J'exagère pas : elle est vraiment en train de gueuler comme un putois !

— Ça promet. Fais-la donc entrer.

27

Quelques instants plus tard, la Brésilienne surgit dans le bureau de Carroll telle une tornade tropicale.

— Vous ne pouvez pas me faire cela ! Je suis citoyenne du Brésil !

— Excusez-moi, mais vous devez me confondre avec quelqu'un qui en a quelque chose à foutre. Si vous vous asseyiez ? lui proposa Carroll sans se lever derrière son bureau encombré.

— Pourquoi ? Pour qui vous prenez-vous ?

— Je vous ai demandé de vous asseoir. C'est moi qui pose les questions, pas vous.

Carroll se cala dans son fauteuil et dévisagea Isabella Marqueza. La jeune femme avait des cheveux mi-longs noirs et brillants. Sa bouche charnue, d'un rouge très vif, surlignait l'arrogance du menton.

Sa chevelure, ses vêtements, et même sa peau, paraissaient coûteux. Elle portait un pantalon de cheval moulant en velours gris, une chemise en soie, des santiags et une veste en fourrure. *Le grand chic terroriste*, songea Carroll.

— Vous vous habillez comme un richissime Che Guevara, lui dit-il en souriant.

— Je n'apprécie pas vos tentatives pour faire de l'humour, *senhor*.

— Ah ? Eh bien, bienvenue au club. (Le sourire de Carroll s'élargissait.) Je n'apprécie pas davantage vos tentatives pour massacrer les gens.

Il connaissait cette femme de réputation. Isabella Marqueza était une journaliste et photographe de presse de renommée internationale. Et la fille d'un homme fortuné qui possédait des usines de pneus à São Paulo. Bien que ce fût impossible à prouver, on lui attribuait la mort de citoyens américains au Brésil.

On la croyait, entre autres, responsable de l'enlèvement, puis du meurtre barbare, commis de sang-froid, d'un ingénieur de la Shell et de sa famille, au mois de juin précédent. L'homme d'affaires américain, son épouse et leurs deux petites filles avaient disparu à Rio. Leurs corps atrocement mutilés avaient été retrouvés, quelques jours plus tard, dans une favela.

On soupçonnait surtout Isabella Marqueza de travailler pour le GRU, par l'intermédiaire de François Monserrat. En outre, la rumeur courait qu'elle avait été la maîtresse de ce dernier.

Arch Carroll n'aurait pu imaginer regard plus outré et plus froid que ceux qu'elle lui jetait depuis son entrée dans la pièce. Elle le fixait avec des yeux noirs brûlants de fureur.

Le policier secoua la tête d'un air las et repoussa son gobelet de café bouillant. Il observa la jeune femme, qui lui faisait l'effet d'une tempête sur le point de se déchaîner. Il la vit se pencher en avant et taper des deux poings sur le bureau : l'éclat impétueux, la lueur qui embrasait ses yeux noirs étaient spectaculaires.

— *J'exige de voir mon avocat !* Immédiatement ! Je veux mon avocat ! Appelez-le. Maintenant, *senhor !*

— Le truc, voyez-vous, mademoiselle, c'est que personne ne sait que vous êtes là, rétorqua Carroll d'une voix délibérément douce et courtoise.

Il avait décidé que, quoi que fît la Brésilienne et quelle que fût son attitude, il se conduirait exactement à l'inverse.

Deux des agents de Carroll avaient appréhendé Isabella Marqueza sur la 70e Rue Est, ce matin-là, au moment précis où elle mettait le pied dans la rue, au sortir de son appartement. Elle leur en avait donné pour leur argent, poussant de grands cris et se débattant, au vu et au su des passants.

Lesquels, en bons New-Yorkais de l'East Side, avaient assisté à la scène sans moufter, avec sur le visage cet air détaché des gens qui observent un incident qui les intéresse mais ne les concerne pas particulièrement.

— Vous m'avez kidnappée en pleine rue, s'insurgea-t-elle.

— Laissez-moi vous faire une confidence, fit Carroll sur un ton toujours aimable. Au cours des dernières années, j'ai été contraint d'enlever quelques personnes comme vous. Appelez cela la nouvelle justice. Ou appelez cela comme vous voudrez. Vous comprendrez que le kidnapping ne m'impressionne plus des masses. En fait, j'aime assez l'idée d'être un ravisseur. Je kidnappe des terroristes. Je trouve le principe plutôt sympathique, vous savez. Vous n'êtes pas de cet avis ?

— J'exige de voir mon avocat ! Allez vous faire voir ! Mon avocat est Daniel Curzon ! Vous connaissez ce nom ?

Arch Carroll acquiesça d'un signe de tête. Qui ne connaissait pas Daniel Curzon ?

— Daniel Curzon est un pauvre con. Je ne veux même pas entendre son nom. Je parle sérieusement.

Les yeux de Carroll se posèrent alors sur une pochette d'aspect banal, couleur kraft et entourée de ficelle, qui était posée sur son bureau. Ce dossier contenait la justification morale de la conduite qu'il estimait nécessaire de suivre dans l'immédiat.

La chemise kraft renfermait une dizaine de clichés noir et blanc et couleur de la famille de Jason Miller, précédemment domiciliée à Rio : la famille assassinée du cadre supérieur de la Shell. Elle incluait aussi les photographies d'un couple d'Américains qui avait disparu à la Jamaïque, d'un comptable de la filiale colombienne d'Unilever et d'un dénommé Jordan, qui s'était mystérieusement volatilisé au printemps précédent.

Carroll leva les yeux sur la Brésilienne et poursuivit, posément :

— Je m'appelle Arch Carroll. Je suis né ici même, à New York. Un petit gars du coin... Fils d'un flic qui était lui-même fils de flic. Je reconnais qu'on manque peut-être un peu d'imagination dans la famille...

Carroll marqua une courte pause, le temps de rallumer un reste de mégot de cigarette – tout à fait dans l'esprit de Tchatcheur.

— Mon travail consiste à localiser les terroristes qui menacent la sécurité des États-Unis, reprit-il. Ensuite, s'ils n'ont pas trop de relations politiques, s'ils ne sont pas trop protégés, je m'emploie à mettre un terme à leurs activités... Si on envisage les choses sous un autre angle, on peut sans doute considérer que je suis un terroriste à la solde des États-Unis. Je suis les mêmes règles que vous… C'est-à-dire *aucune*. Alors, oubliez vos avocats de Park Avenue. Les avocats, c'est pour les personnes gentilles et civilisées qui respectent les règles. Pas pour nous.

Carroll dénoua lentement la ficelle de la pochette kraft. Il fit ensuite sortir les photographies qu'elle contenait avant de les pousser nonchalamment l'une après l'autre vers Isabella Marqueza.

— Ça, c'est le corps de Jason Miller. Miller travaillait comme ingénieur pour Shell. Ainsi que vous et vos employés de São Paulo le savez, il était également enquêteur financier pour le secrétariat d'État aux Affaires étrangères. Un homme charmant, d'après ce qu'on m'a dit… Il collectait certes des informations pour le ministère, mais il était somme toute plutôt inoffensif…

Carroll fit doucement claquer sa langue plusieurs fois. Son regard croisa brièvement celui d'Isabella Marqueza.

Celle-ci était muette, maintenant. La voix suave du policier semblait l'avoir déstabilisée. De plus, elle ne s'était manifestement pas attendue à se retrouver avec ces clichés entre les mains.

— Là, c'est la femme de Miller, Judy. Elle était vivante, sur cette photo. Un joli sourire, assez typique du Midwest. Puis, là, on a deux petites filles. Ou plutôt leurs cadavres. Je suis moi-même père de deux petites filles. En fait, j'ai deux filles et deux garçons.

Carroll sourit de nouveau. Il s'éclaircit la gorge. Il avait besoin d'une bière – une bière et un whisky irlandais bien tassé auraient vraiment été les bienvenus. Il étudia Isabella Marqueza pendant un moment. Puis il reprit la parole :

— Au mois de juillet, l'année dernière, vous avez participé aux meurtres avec préméditation des quatre membres de la famille Miller.

La Brésilienne se leva d'un bond de son siège dans la salle d'interrogatoire. Elle se remit à hurler :

— Je n'ai rien fait ! Prouvez ce que vous dites ! Non ! Je n'ai tué personne ! Jamais. Je ne tue pas des enfants !

— Épargnez-moi ces bobards ! Notre petite discussion amicale est terminée. Vous vous foutez de la gueule de qui, nom de Dieu ?

Sur ces paroles, Carroll referma d'un coup sec la chemise kraft chiffonnée, la fourra dans son tiroir de bureau et leva de nouveau les yeux sur Isabella Marqueza.

— *Personne* ne sait que vous êtes là ! Personne ne saura jamais ce qui vous est arrivé à partir d'aujourd'hui. Tout comme la famille Miller au Brésil.

— Vous racontez des conneries, Carroll…

— Ah oui ? la coupa-t-il. Poussez-moi un peu et vous allez le vérifier très vite.

— Mon avocat, je veux voir mon avocat…

— J'ai peur que ce ne soit pas possible…

— Je vous ai donné son nom, Curzon, Daniel Curzon…

— C'est un joli nom, mais ça ne change rien : vous ne le verrez pas.

Isabella Marqueza dévisagea Carroll en silence. Puis elle croisa les bras et se rassit. Alluma une cigarette.

— Pourquoi est-ce que vous me faites ça ? Vous êtes fou.

Voilà qui est mieux, pensa Carroll.

— Parlez-moi donc de Jack Jordan, là-bas, en Colombie. Le comptable américain descendu à la mitraillette dans l'allée de son jardin. Sous les yeux de sa femme.

— Jamais entendu parler de lui.

Carroll émit un nouveau claquement de langue et hocha lentement la tête. Il affichait un air vraiment déçu. Assis derrière son bureau, dans cette pièce dépouillée et morne, il avait l'expression d'un homme auquel son meilleur ami vient inexplicablement de raconter un énorme bobard.

— Isabella. Isabella… (Il poussa un soupir exagéré.) Je crois que vous ne saisissez pas le fond de l'histoire. Je crois que vous ne comprenez pas exactement la situation. (Il se leva, s'étira, réprima un bâillement.) Vous voyez, *vous n'existez plus*. Vous êtes *morte*, brusquement, ce matin. Un accident de taxi sur la 70ᵉ Rue Est. Personne n'a pris la peine de vous le dire ?

Carroll se sentait vidé, à présent. Il n'avait qu'une envie, en terminer au plus vite avec cet interrogatoire.

Il avait désespérément besoin d'un verre d'alcool.

— Vous avez été la maîtresse de François Monserrat, ici, à New York, reprit-il. Allez. *Nous le savons déjà*. Pas l'été dernier, celui d'avant. Ici même, à Nueva York.

Isabella se tenait assise, tête baissée. Sa jambe droite tapait nerveusement sur le sol, mais elle ne semblait pas en être consciente. Elle avait l'air physiquement malade.

— Qui est Monserrat, *bordel* ? Comment obtient-il ses renseignements ? Comment obtient-il des informations qu'absolument personne en dehors des membres du gouvernement américain ne pourrait obtenir ? *Qui est-il ?*

Il entendait sa propre voix, retentissante, comme si elle était un son étranger dans une chambre de réverbération.

— Écoutez… Écoutez-moi très attentivement… Si vous me parlez maintenant, si vous me dites ce que vous savez de François Monserrat – seulement ce qui concerne son rôle dans l'attentat de Wall Street… Si vous faites cela, je vous laisse partir. Je vous le promets. Personne ne saura que vous êtes venue ici. Parlez-moi seulement de l'attentat de Wall Street. Rien de plus. Rien d'autre… Que sait François Monserrat de cet attentat à la bombe ?…

Trente minutes encore, à cajoler Isabella Marqueza, à la menacer, à vociférer ; trente minutes éreintantes pendant lesquelles la voix de Carroll s'enroua, son visage se congestionna ; trente minutes pendant lesquelles sa chemise lui sembla s'imprimer dans son corps en sueur.

Alors, la jeune femme se leva et hurla :

— *Monserrat n'a rien à voir avec cette histoire !* Il ne comprend pas non plus… Personne ne comprend le sens de cet attentat. Lui aussi est à la recherche de Green Band. *Monserrat les cherche, lui aussi !*

— Comment le savez-vous, Isabella ? Comment savez-vous ce que fait Monserrat ? Vous l'avez forcément vu !

La Brésilienne plaqua la paume de sa main sur ses yeux creusés et cernés :

— Je ne l'ai *pas* vu. Je ne le *vois* pas. Jamais.

— Alors, comment êtes-vous au courant ?

— Des messages circulent. On chuchote des choses, dans certains lieux. Personne ne voit Monserrat.

— Où se trouve-t-il, Isabella ? Il est ici, à New York ? Où est-il, nom de Dieu !

La jeune femme secouait obstinément la tête.

— Je n'en sais rien. Je ne sais pas.

— À quoi ressemble Monserrat, aujourd'hui?

— Comment voulez-vous que je le sache? Il se métamorphose sans cesse. Il passe son temps à se métamorphoser. Parfois il a des cheveux bruns et une moustache. Parfois des cheveux gris. Des lunettes de soleil. Parfois une barbe. (Elle s'interrompit.) Monserrat n'a pas de visage.

Alors, consciente d'en avoir trop dit, Isabella Marqueza se mit à sangloter. Carroll s'adossa au dossier de son fauteuil et appuya la tête contre le mur crasseux du bureau. Elle ne savait rien de plus; il en était certain.

Personne ne savait rien sur Green Band.

Mais c'était impossible, non?

Quelqu'un devait bien savoir ce que Green Band voulait, merde!

Mais qui?

28

Une bonne dizaine de journaux jaunis datés du
25 octobre 1929 étaient étalés, pêle-mêle, sur une
lourde table de travail en chêne semblable à celles
qu'on trouve dans les bibliothèques. Les énormes
titres avaient gardé l'impact qu'ils avaient dû avoir,
une cinquantaine d'années plus tôt :

LE PLUS TERRIBLE KRACH BOURSIER DE L'HISTOIRE :
12 894 650 ACTIONS INONDENT LE MARCHÉ !

PANIQUE À WALL STREET ! VENTE RECORD D'ACTIONS !
COLOSSALE CHUTE DES COURS !

EFFONDREMENT DES COURS ET DÉBÂCLE
À L'ÉCHELLE NATIONALE :
QUATORZE MILLIARDS DE DOLLARS D'ACTIONS
INONDENT LE MARCHÉ.
LES BANQUIERS DOIVENT SOUTENIR LE MARCHÉ AUJOURD'HUI.

LES COURS DES ACTIONS S'ÉCROULENT SUITE
À DE CONSIDÉRABLES LIQUIDATIONS.
CHUTE TOTALE S'ÉLEVANT À DES MILLIARDS DE DOLLARS.

2 600 000 ACTIONS VENDUES
PENDANT LA DERNIÈRE HEURE DE LA BAISSE RECORD !

DE NOMBREUX COMPTES INDIVIDUELS COMPLÈTEMENT LIQUIDÉS !

EFFONDREMENT DU COURS DU BLÉ !
LA BOURSE DE CHICAGO EST EN ÉMOI.

HOOVER CERTIFIE QUE LES AFFAIRES DU PAYS
SONT TOUJOURS SAINES ET PROSPÈRES !

Caitlin Dillon s'arracha finalement à la table de travail et aux articles de journaux poussiéreux qui la recouvraient. Elle étira les bras haut au-dessus de sa tête et poussa un soupir. Elle se trouvait au quatrième étage du numéro 13 de Wall Street, en compagnie d'Anton Birnbaum, membre du comité directeur de la Bourse de New York.

Birnbaum faisait partie des génies américains de la finance. Si quelqu'un était à même de comprendre ce château de cartes branlant qu'était Wall Street, c'était bien lui. Caitlin savait qu'il avait commencé comme garçon de bureau à l'âge de onze ans. Puis il avait progressivement gravi les échelons pour finir par diriger sa propre société d'investissements. Bien qu'il fût à présent âgé de quatre-vingt-trois ans, il avait l'esprit toujours vif ; une lueur malicieuse brillait encore dans ses yeux.

Caitlin avait fait la connaissance de Birnbaum, plusieurs années auparavant, alors qu'elle était encore étudiante à Wharton. Pendant sa dernière année là-bas, son directeur de thèse avait invité le grand financier pour une conférence. Après un de ses exposés iconoclastes, Birnbaum avait consenti à un débat avec quelques-uns des étudiants présents. Caitlin faisait partie de ceux-ci. Birnbaum avait par la suite dit à son directeur : « Elle est extrêmement douée. Son seul défaut est sa beauté. Je le pense vraiment. Cela lui posera un problème à Wall Street. Cela sera même un sérieux handicap pour elle. »

Dès que Caitlin eut son diplôme universitaire en poche, Birnbaum l'engagea en tant qu'assistante dans sa société. En moins d'un an, elle était devenue l'une de ses assistantes personnelles. Contrairement à bon nombre de gens qu'il employait, Caitlin exprimait son désaccord avec le grand financier quand elle jugeait qu'il se trompait.

Pendant cette période, Caitlin avait également commencé à se faire certaines relations, dont elle aurait ultérieurement besoin à Wall Street et à Washington. Son premier emploi auprès de Birnbaum lui procura une formation qu'elle n'aurait jamais eu les moyens de se payer. Elle trouvait infernal de collaborer avec le vieil homme mais, pour une raison ou pour une autre, elle y parvenait, ce qui prouva à Birnbaum qu'elle était aussi remarquable qu'il l'avait initialement pensé.

— Anton, *qui donc* tirerait *profit* d'un krach boursier actuellement ? Je voudrais que vous m'aidiez à établir une liste, un inventaire concret qui nous servira plus ou moins de base…

— D'accord, suivons cette piste de départ. Des personnes qui tireraient profit d'un krach boursier ?… (Birnbaum s'empara d'un bloc et d'un crayon.) Une multinationale avec un énorme déficit à dissimuler ?

— En effet. Ou les Soviétiques. Ils en bénéficieraient – en termes de prestige international, tout au moins…

— Les cinglés du tiers-monde ? Je crois Kadhafi capable d'une telle chose. Et capable surtout de trouver le financement nécessaire à une opération de ce type.

Caitlin regarda sa montre, une Bulova fonctionnelle que son père lui avait offerte dix ans plus tôt pour un Noël qu'elle était rentrée passer dans l'Ohio.

— Je ne sais plus quoi penser, déclara-t-elle. Qu'est-ce qu'ils attendent ? Que se passera-t-il à l'ouverture du marché, demain ?

Anton Birnbaum enleva ses lunettes à monture d'écaille. Il se frotta l'arête du nez, sur laquelle une marque rouge était incrustée.

— Le marché ouvrira-t-il seulement, Caitlin ? Les Français le souhaitent. Ils répètent qu'ils ouvriront à Paris. C'est peut-être encore un de leurs coups de bluff. Quoi qu'il en soit, cela signifie que les Arabes veulent que *leurs* banques françaises ouvrent. Une crapule parisienne a peut-être envie de profiter de la situation – ou espère retirer une partie de son argent, avant que la panique ne soit à son maximum.

Birnbaum rechaussa ses lunettes. Il regarda fixement Caitlin pendant quelques instants. Puis il haussa les épaules, un mouvement de mauvaise humeur à peine perceptible.

— Le président Kearney négocie avec les Français. Mais ils ne l'ont jamais beaucoup apprécié. Depuis Kissinger, nous ne sommes jamais parvenus à les amadouer.

— Et Londres ? Et Genève ? Et ici, à New York, Anton ?

— Tout le monde a les yeux braqués sur la France. Les Français, ma chère, sont très habilement manipulés. Mais par qui ? Et pour quelle raison ? Et qu'est-ce qui nous attend, ensuite ?

Caitlin et le vieil homme restèrent tous deux muets pendant un moment. Au fil des ans, ils s'étaient habitués à ces pauses silencieuses quand ils réfléchissaient à un problème ensemble.

— Je vais vous dire quelque chose, ma chère. Au cours de toutes les années que j'ai passées à Wall Street, je ne me suis jamais senti aussi inquiet. Pas même en octobre 1929.

29

Bergdorf's, sur la 57ᵉ Rue, avait été ouvert toute la journée du dimanche, à l'occasion de l'habituelle ruée hystérique des courses d'avant Noël.

François Monserrat passa les portes du grand magasin peu après dix-huit heures trente, ce soir-là. À l'extérieur, une autre tempête de neige menaçait.

Monserrat arborait des lunettes à solide monture métallique et un pardessus passe-partout en tweed gris. Il portait également un chapeau assorti et des gants noirs, ce qui créait un ensemble monochrome. Ses lunettes lui grossissaient les yeux sans pour autant déformer sa vision. Il les avait fait faire par un fabricant de verres optiques, rue des Postes à Bizerte, une ville située au nord de Tunis.

En sortant d'un ascenseur bondé à l'un des étages, Monserrat s'émerveilla silencieusement.

Nulle part ailleurs, dans aucune ville de sa connaissance, on ne voyait tant de femmes superbes et provocantes. Même les démonstratrices en parfumerie du magasin étaient d'une sensualité et d'un exotisme qui laissaient rêveur.

Une fille noire d'une minceur de bon aloi l'aborda pour lui demander s'il souhaitait essayer le « nouvel Opium ».

— Je l'ai déjà essayé, ma chère, répondit Monserrat avec un sourire et un geste indolent de la main. En Thaïlande.

Une foule dense d'acheteurs serrant des sacs chatoyants d'autres grands magasins défilait lentement devant les yeux distraits du terroriste. Des haut-parleurs diffusaient la chanson « Winter Wonderland ».

Tout en cheminant dans les rayons, Monserrat songeait, non sans une certaine fierté, à sa réputation. Quelle importance qu'il eût été l'auteur de tel ou tel acte puisque son unique but véritable, son seul moteur, était le bouleversement total de l'Occident puis son renversement ? La mort d'un président égyptien. Un pape blessé. Quelques bombes irlandaises. Rien de plus que des grains de sable sur une plage. Monserrat aspirait à changer le mouvement même de la marée…

Déambulant dans le flux et le reflux de la marée humaine chez Bergdorf's, il repéra enfin la femme qu'il avait suivie à l'intérieur du magasin. Comme toujours obsédée par son apparence, celle-ci passait en revue des robes de soirée accrochées sur un long portant.

Monserrat se dissimula derrière un présentoir de pull-overs et continua de l'observer. Il éprouvait une sensation froide au centre du crâne, comme si son cerveau s'était transformé en poing de glace. C'était une sensation qui lui était familière dans certaines situations. Là où d'autres hommes auraient eu une incontrôlable montée d'adrénaline, Monserrat vivait ce qu'il appelait secrètement le Gel.

Tous les hommes qui passaient, ainsi que quelques femmes élégantes et distinguées, contemplaient, ouvertement ou non, Isabella Marqueza.

Sa veste en fourrure était nonchalamment desserrée et, lorsqu'elle se tournait, virant sur la gauche ou sur la droite, son décolleté laissait délicieusement entrevoir ses seins, une vision formidablement troublante. Les goûts personnels de Monserrat le portaient à considérer que, de toutes les femmes présentes chez Bergdorf's, Isabella était la plus désirable, celle dont la beauté était la plus spectaculaire.

Il la regarda s'éclipser dans une cabine d'essayage. Enfonçant les mains dans les poches de son pardessus, il surprit son reflet dans un miroir en se dirigeant vers la cabine, devant laquelle il s'arrêta.

Il s'éloigna de quelques mètres, étudia les gens autour de lui qui achetaient des cadeaux de Noël avec une allégresse forcée, puis revint lentement sur ses pas.

Feignant d'examiner une chemise en soie, tel un riche mari du West Side cherchant une petite babiole à mettre sous le sapin, il tendit l'oreille afin d'écouter les bruits provenant de la cabine d'essayage.

Rassuré, Monserrat pénétra alors promptement dans la minuscule cabine. Stupéfaite, Isabella Marqueza se retourna.

Pourquoi était-elle toujours aussi belle ? Une vague de chaleur le parcourut. Il sortit les mains de ses poches.

La jeune femme ne portait qu'une culotte moulante noire en tissu très fin et tenait mollement à la main la robe de soirée qu'elle comptait essayer.

— François ! Que fais-tu ici ?

— Il fallait que je te voie, chuchota-t-il. J'ai entendu dire que tu avais eu des petits ennuis…

Isabella fronça les sourcils.

— Ils m'ont laissée partir. De toute manière, ils n'avaient aucune raison de me garder, n'est-ce pas ?

Ce n'était rien d'autre qu'un stupide coup de bluff, François.

Elle sourit mais son expression ne masquait pas tout à fait son inquiétude.

Il posa délicatement une main gantée sur ses seins. Elle embaumait Bal à Versailles. Son parfum préféré. Celui de Monserrat, également.

— Est-ce que tu es suivie, Isabella ?

— Je ne crois pas. Non, bien sûr que non.

— Bien. Bien, murmura-t-il.

La Brésilienne ouvrit la bouche et recula brusquement contre le mur. Il n'y avait vraiment pas la place de se mouvoir dans la toute petite cabine d'essayage.

— François, tu ne me crois pas ? Je ne leur ai rien dit. Absolument rien.

— Dans ce cas, pourquoi t'ont-ils laissée partir, mon amour ? J'attends une explication.

— François, tu me connais suffisamment, non ? Non ?

— Je ne te connais que trop bien, fit Monserrat en se collant contre elle.

Son minuscule pistolet cracha un infime son rauque. Isabella Marqueza poussa un gémissement puis s'effondra sur le carrelage noir et blanc.

Monserrat quitta instantanément la cabine et se dirigea discrètement vers la sortie la plus proche.

Elle avait parlé. Elle avait avoué qu'elle le connaissait, et c'était déjà trop.

Elle avait été retournée pendant l'interrogatoire, habilement et de telle façon qu'elle ne l'aurait sans doute jamais admis. Monserrat en avait été informé moins de dix minutes après que Carroll en eut terminé avec elle.

Il s'engouffra dans la 57ᵉ Rue Ouest balayée par un vent froid et cinglant et tourna à l'angle d'une rue, un individu ordinaire perdu dans une foule de gens à la recherche de l'esprit de Noël, au comble de l'excitation et les joues rouges de froid.

30

« J'aimerais que vous déjeuniez avec moi, monsieur Carroll, l'avait avisé Caitlin Dillon au téléphone. Est-ce que midi et quart aujourd'hui vous irait ? C'est important. »

Son appel avait pris Carroll au dépourvu. Quand on le lui avait transmis, il était plongé dans ses vieux dossiers, passant au crible les organisations terroristes, à la recherche d'une piste qui le mènerait à Green Band.

« Je veux vous présenter quelqu'un, avait ajouté la directrice des services d'inspection de la SEC.

— Qui ça ?

— Un homme du nom de Freddie Hotchkiss. Il a un certain poids à Wall Street. »

Elle avait une voix agréable au téléphone. *De la musique dans un monde discordant*, avait pensé Carroll. Il avait posé les pieds sur son bureau et la tête contre le mur. Fermant les yeux, il s'était efforcé de se rappeler le visage de la jeune femme. Intouchable, se rappela-t-il.

« Freddie Hotchkiss est en relation avec un dé-nommé Michel Chevron, avait poursuivi Caitlin Dillon.

— Ce nom me dit quelque chose, avait répondu Carroll, tentant de le resituer.

— D'après ce que je sais, Chevron magouille sur le marché des titres volés et, selon certaines rumeurs – et c'est cela qui devrait incontestablement vous intéresser, monsieur Carroll –, il existerait un lien entre lui et François Monserrat. »

Carroll desserra le nœud de sa cravate rouge et bleu avant de déguster la première gorgée de sa pale-ale John Smith. Il trouvait les cravates inconfortables à porter et c'était l'une des raisons pour lesquelles il en mettait si rarement. À vrai dire, il les jugeait même parfaitement inutiles, à moins d'être pris d'une envie irrépressible de se pendre ou, en l'occurrence, d'avoir à entrer dans un grill-room new-yorkais pratiquant des prix exorbitants.

Ici, chez Christ Cella, sur la 46e Rue Est, veste et cravate étaient obligatoires. En dehors de cela, il s'y sentait plutôt bien. En réalité, il lui plaisait surtout d'y déjeuner en compagnie de Caitlin Dillon.

Chez Christ Cella, les steaks – de premier choix – pesaient quatre cent cinquante grammes minimum. Quant aux homards, ceux qui faisaient moins d'un kilo ne franchissaient pas la porte. Impeccables et dociles, les serveurs faisaient preuve d'un flegme à toute épreuve. Pour le moment, Carroll prenait du bon temps. L'affaire Green Band lui était carrément sortie de l'esprit.

— L'une des premières choses que j'ai apprises à New York, c'est que, pour survivre à Wall Street, il est indispensable de fréquenter assidûment les grill-rooms, lança Caitlin en souriant de l'autre côté de la table couverte d'une nappe en lin blanc.

Elle avait déjà raconté à Carroll qu'elle était originaire de la ville de Lima dans l'Ohio et, en l'écoutant parler de la vie à New York, il en arrivait presque à la croire.

— Même pour survivre à la SEC, il faut connaître les conventions. Surtout quand on est une « petite jeune », ainsi que le PDG. d'une maison de courtage m'a appelée un jour : « Je vous présente la nouvelle petite jeune de la SEC. »

Carroll pouffa. Ils se sourirent.

Carroll et Caitlin attendaient l'arrivée de Duncan « Freddie » Hotchkiss, qui était juste ce qu'il faut en retard, bien que Caitlin l'eût expressément prié d'être à l'heure.

Un cocktail de crevettes fut déposé devant Carroll. Les crustacés, dont le prix aurait pu faire penser qu'ils arrivaient tout droit de la planète Mars, étaient excellents.

Curieux de connaître le point de vue de quelqu'un bénéficiant d'une position aussi avantageuse à la SEC, Carroll posa à Caitlin des questions sur Wall Street. Elle lui relata quelques-unes de ses anecdotes préférées sur le quartier financier – de véritables horreurs.

— Il n'a jamais été plus facile de détourner des fonds à Wall Street, expliqua-t-elle, les yeux pétillants. L'un des économistes que nous avons poursuivis en justice travaillait à la Banque centrale de New York. À vingt-sept ans, il en est parti et s'est acheté une résidence secondaire dans les Hamptons, avant de se payer une nouvelle Mercedes décapotable *et* une Porsche, puis il a offert un manteau en zibeline à sa petite maman… Il disait avoir lâché son job pour un autre, bien mieux payé. En fait, il avait emporté les codes d'accès confidentiels, qui lui ont permis d'en savoir suffisamment pour vendre ou acheter sur les marchés boursiers et de crédit. C'est une source de renseignements très, très rentable. Il avait accès au nec plus ultra en matière de tuyaux sur les spéculations pour initiés... Vous savez comment le pot aux roses a été découvert ? Sa mère a appelé la SEC. Elle s'inquiétait parce qu'il dépensait des sommes astronomiques et qu'elle ne le voyait pas travailler. Sa mère a vendu la mèche parce qu'il lui avait offert un manteau de fourrure !

« Il y a eu aussi cette boîte, OPM Financial Services – OPM pour *"other people's money"*, "l'argent des autres", si, si, je vous jure que c'est vrai. Michael Weiss et Anthony Caputo ont ouvert cette société au-dessus d'une confiserie dans les années 1970. Au cours de leur joyeuse carrière, Michael et Anthony sont parvenus à escroquer Manufacturers Hanover Leasing, la Crocker National Bank et Lehman Brothers, à hauteur de cent quatre-vingts millions. Alors, s'il vous arrive un jour de perdre un peu d'argent à la Bourse, relativisez.

— J'ai beaucoup de chance sur ce plan : je n'ai pas d'argent à perdre. Mais comment de telles choses peuvent-elles se produire ?

— Franchement, ce n'est pas bien sorcier. Comme je vous l'ai dit tout à l'heure, ces histoires sortent rarement de Wall Street...

— Je suis d'autant plus honoré que vous me fassiez l'honneur de me les raconter.

— Vous pouvez l'être... Les banques, les maisons de courtage, les banquiers d'affaires et même les boîtes d'informatique savent que leur succès repose sur la confiance. S'ils engageaient des poursuites contre tous les fraudeurs, s'ils admettaient à quel point il est aisé de détourner des fonds à Wall Street, s'ils dévoilaient le nombre de titres qui sont en fait volés chaque année, ils feraient *tous* faillite. Wall Street a tout bonnement plus peur de voir son image de marque ternie que...

Caitlin Dillon se tut soudain.

— Veuillez me pardonner, Caitlin. Je suis sincèrement navré.

Freddie Hotchkiss était enfin arrivé. Il était treize heures. Il avait quarante-cinq minutes de retard.

Carroll leva la tête et vit un homme blond aux cheveux clairsemés qui affichait un sourire extraordinairement niais. Il avait des yeux bleus tellement pâles qu'ils semblaient dépourvus de couleur et un visage rond et inexpressif.

Caitlin avait expliqué à Carroll que Hotchkiss était en train de devenir un mythe. C'était un conseiller très demandé, qui représentait fréquemment sa société sur la côte Ouest et jusqu'en Europe – où il se livrait à des transactions considérables avec les banquiers du Vieux Monde.

— Vraiment désolé pour ce retard. (Hotchkiss semblait tout sauf désolé.) J'ai complètement oublié l'heure. Je campe dans notre pied-à-terre de Park Avenue depuis les événements de vendredi. Kim et les enfants sont à Boca Raton, dans la propriété de sa mère et de son père. Ah, ça c'est du timing, monsieur !

Ayant remarqué l'arrivée de Hotchkiss, un serveur s'était précipité à la table pour prendre sa commande d'apéritif. Carroll dévisageait Hotchkiss. C'était le genre de personne avec qui il ne se sentait pas à l'aise et qu'il n'aimait pas particulièrement. Le pauvre « campait » sur Park Avenue !

— Je voudrais un kir. L'un de vous deux désire autre chose ? s'enquit Hotchkiss.

— Je vais prendre une autre John Smith, fit Carroll.

Il était décidé à se montrer raisonnable : pas d'alcool fort, pas davantage de whisky sec. Il allait essayer aussi de ne pas se montrer impulsif avec Freddie Hotchkiss, de ne pas avoir de paroles susceptibles de gâcher ce moment.

— Non, merci, rien pour moi, fit Caitlin. Freddie, voici Arch Carroll. M. Carroll est le chef de la division antiterroriste américaine. C'est un département de la DIA.

Hotchkiss gratifia Carroll d'un sourire radieux.

— Oh oui ! J'ai lu quelque chose sur vous, les membres des forces de police spéciales. Plus vite quelqu'un parviendra à mettre un peu d'ordre dans cette malheureuse affaire, mieux ce sera. J'ai entendu hier, à moins que je ne l'aie lu quelque part, qu'un commando de tueurs libyens vit ici, à New York. Quelque part dans Manhattan...

— Laissons tomber les Libyens, vous voulez bien ? fit Carroll.

Il se pencha en avant et planta doucement son index dans la chemise bleu pâle de Freddie, ce qui provoqua comme une altération sismique sur le visage joufflu de celui-ci.

— J'aimerais qu'on arrête le bavardage, d'accord ? Vous avez une heure de retard et nous sommes pressés. En tant qu'individu, vous ne m'intéressez pas le moins du monde, Freddie, vous savez ça ? Je crois même que vous me déplaisez, mais cela n'a aucune importance. La seule chose qui importe et qui m'intéresse, c'est un dénommé Michel Chevron...

— Ce gars-là n'aime pas échanger des banalités, Freddie, lui signala Caitlin en souriant avant de boire une gorgée de son apéritif.

Freddie Hotchkiss semblait avoir arrêté de respirer. Il baissa les yeux sur le doigt de Carroll enfoncé dans son plexus.

— Je ne sais pas ce… Je ne suis pas certain de comprendre. C'est-à-dire que j'ai entendu parler de Michel Chevron, comme tout le monde, évidemment…

— Évidemment, appuya Carroll en se rasseyant confortablement.

— Un Français, grand, l'air sévère, intervint Caitlin. De luxueux bureaux de style Louis XIV rue du Faubourg-Saint-Honoré, à Paris. Une maison très cossue au cœur de Beverly Hills. (Elle ouvrit un cahier relié en cuir posé sur la table.) Voyons si je peux vous rafraîchir la mémoire… Hum… Ah ! oui… Le 19 février de l'année dernière, vous êtes allé dans les bureaux de Michel Chevron, à Beverly Hills. Vous y avez passé environ deux heures. Vous êtes d'ailleurs retourné lui rendre visite à Los Angeles le 3 mars. Ainsi que le 9 juillet, le 11 juillet et le 12 juillet. En octobre, vous vous êtes rendu dans ses bureaux parisiens. Ce soir-là vous avez dîné avec Chevron chez Lasserre. Vous vous en souvenez ? Vous commencez à le remettre ?

Freddie Hotchkiss semblait maintenant chercher de l'air, à la manière d'un poisson sur la rive.

— Nous savons depuis plus de deux ans que Chevron est le plus grand trafiquant de titres et d'obligations volés en Europe et au Moyen-Orient, poursuivit Caitlin. Nous savons en outre que c'est un ami personnel de François Monserrat. D'autre part, nous sommes également très bien informés sur vos propres compétences en matière de transactions de valeurs. À présent, nous avons besoin de savoir exactement avec qui d'autre traite Chevron et de nous faire une idée approximative de la nature de ce trafic, une impression générale du marché clandestin entre l'Europe et l'Asie. C'est la raison pour laquelle j'ai pensé que nous devrions déjeuner tous les trois ensemble...

Elle sourit.

Freddie Hotchkiss trouva alors la force de froncer les sourcils d'un air qui se voulait narquois. Tâchant de reprendre le dessus, il rétorqua d'un ton brusque :

— *Rien que ça !* Vous ne vous attendez quand même pas à ce que j'évoque avec vous ici, dans ce restaurant, des transactions commerciales confidentielles et parfaitement légales ? Si vous croyez cela, je vous conseille de sortir de votre chapeau *toutes* vos assignations à comparaître et vos meilleurs avocats. Je peux vous assurer que cela ne se fera pas dans le cadre d'un déjeuner... Bon après-midi, Caitlin, et à vous aussi, monsieur... euh, Carroll.

— Ne bougez pas, fit celui-ci. Reposez votre petit cul mou sur cette chaise. Et tâchez de vous détendre. D'accord ?

Hotchkiss était tellement stupéfait qu'il s'exécuta.

D'une voix douce, que Carroll trouva assez sexy, Caitlin Dillon reprit sa lecture à voix haute :

— Le 21 février, vous avez déposé cent vingt-six mille dollars à Genève, en Suisse. Le 26 février, autre dépôt de cent quatorze mille dollars. Le 17 avril, vous avez déposé... c'est possible, une telle somme ?... quatre cent soixante-deux mille dollars ? Le 24 avril, encore trente et un mille. Une mauvaise journée, ce coup-là...

— Ce que Caitlin cherche poliment à vous signifier, Freddie, c'est que vous êtes un escroc de seconde zone ! lâcha Carroll avant de se redresser sur sa chaise et de sourire à Hotchkiss, qui se tenait à présent assis, aussi expressif qu'une marionnette de ventriloque abandonnée.

Le policier éleva la voix, qui couvrit le brouhaha habituel du restaurant :

— Pauvres Kim et les gosses, qui passent l'hiver au soleil à Boca Raton. Je parie qu'ils ne se doutent de rien. Et les copains du club de tennis. Et les gars du yacht club. Ils ne savent rien, eux non plus… Vous devriez être en prison. Vous ne devriez pas avoir le droit de manger ici. Vous n'êtes qu'une merde.

Quelques clients de cet établissement huppé du centre-ville posèrent leurs couverts dans leurs assiettes. Dans un mouvement qui n'était pas sans rappeler une transe hypnotique collective, ils se mirent à regarder fixement de l'autre côté de la salle de restaurant.

Carroll finit par baisser la voix. Il désigna une table d'angle à laquelle deux hommes en costume gris terne étaient assis.

— Les deux types, là ? Vous les voyez ? Ils n'ont même pas les moyens de s'offrir les amuse-gueules qui sont servis ici. Regardez, ils se partagent un soda à trois dollars Ce sont des gars du FBI et ils sont là pour vous… Alors, soit ils vont procéder à votre arrestation, ici et maintenant… soit, Freddie, vous allez nous parler longuement et de manière convaincante de Michel Chevron. Cela dépend entièrement de vous. Et, oui, cela se passera ici même, dans ce restaurant. Si vous choisissez la seconde option, vous vous en tirerez à bon compte et vous pourrez rentrer tranquillement chez vous, dans votre pied-à-terre de Park

Avenue. Dans ce cas, on reste potes et tout baigne. (Carroll serra le poing de manière théâtrale.) On est comme ça, nous autres les poulets. Petits salaires mais gros cœurs.

Freddie Hotchkiss s'avachit pratiquement sur la table. Il eut un court moment d'hésitation puis commença à raconter une autre des ces révoltantes histoires de Wall Street.

Le personnage principal en était M. Michel Chevron. C'était l'histoire fascinante du cercle d'ordures le plus fermé au monde. Tous ses membres étaient des banquiers respectés, des avocats très cotés, des agents de change prospères. Tous sans exception jouissaient de la confiance absolue de leurs clients.

Est-ce que c'est ça, Green Band ? se demandait Carroll. Est-ce que Green Band serait un puissant cartel regroupant les banquiers et les hommes d'affaires les plus riches de la planète ?

Quand Hotchkiss eut fini, Carroll fit signe aux deux agents fédéraux qui patientaient à la table d'angle.

— Vous pouvez arrêter cet individu, maintenant… Ah oui, Freddie ! C'était un mensonge, évidemment, quand j'ai dit que vous seriez libre de partir… Demandez donc à votre avocat d'appeler le mien demain matin. *Ciao* !

Mike Caruso attendait son chef devant le restaurant. Tel un amoureux de l'été n'épousant jamais la cause de l'hiver, le second de Carroll portait une chemisette aux couleurs criardes sous son pardessus.

Lorsque Carroll sortit en compagnie de Caitlin, Caruso lui signifia qu'il voulait lui parler en aparté. Les deux hommes s'isolèrent sur le bord du trottoir.

— Je viens d'avoir des nouvelles de notre amie Isabella Marqueza, annonça Caruso. Elle a été assassinée chez Bergdorf's. Une balle de petit calibre.

Carroll regarda furtivement Caitlin, qui l'attendait à quelques mètres de là. Vision exquise dans la grisaille d'une ville en hiver. Il s'efforça d'imaginer Isabella Marqueza morte.

— On lui a tiré dessus à bout portant, ajouta Caruso avec la désinvolture de ceux qui sont immunisés contre les meurtres. Ça a fait flipper tous les gens qui faisaient leurs courses de Noël, tu imagines !

— Voyez-vous ça… (Carroll garda le silence pendant quelques secondes.) Quelqu'un a jugé qu'elle parlait trop. Quelqu'un qui la surveillait manifestement de près.

Caruso acquiesça d'un signe de tête.

— Quelqu'un qui connaissait ses faits et gestes. Ou *les tiens*, Arch.

Une bourrasque de vent sillonna la 46e Rue Est, éparpillant des journaux sur son passage. Carroll fourra les mains dans les poches de son manteau et fixa la ville maussade et froide autour de lui. Cette enquête lui plaisait de moins en moins.

Finalement, montrant l'entrée de Christ Cella derrière eux, il dit à Caruso :

— Chouette resto, Mickey. Penses-y, la prochaine fois que t'auras envie de claquer deux cents dollars pour déjeuner.

Caruso hocha la tête puis rentra un pan de sa chemise à fleurs dans son pantalon.

— Je me suis déjà envoyé un hot dog.

31

Le lendemain matin, invité d'une édition spéciale de l'émission *Wall Street Week* sur la chaîne PBS, Anton Birnbaum expliqua les raisons pour lesquelles la destruction du quartier financier de Manhattan ne marquait pas tout à fait la fin du monde civilisé.

— Le grand marché américain a effectivement été assommé vendredi dernier. Toutefois – croyez-le ou non –, il existe d'autres marchés chez nous et il n'est pas totalement exclu qu'ils deviennent les bénéficiaires de ce désastre... Je pense notamment aux Bourses du Midwest, du Pacifique et de Philadelphie. Si un actionnaire d'AT & T se voit contraint de vendre cinquante actions pour payer le dernier remboursement de son crédit immobilier, son courtier du coin est parfaitement à même de traiter l'opération sans passer par New York. Évidemment, il se peut qu'il ne trouve pas d'acheteur à un prix s'approchant de ce qu'il demande. Il est clair que c'est à Chicago que les choses décisives se joueront cette semaine. Entre la Bourse du Midwest et les deux premières Bourses du commerce, cela laisse encore à tout le monde des tas d'occasions de perdre énormément d'argent.

Bien qu'il tînt un discours délibérément apaisant et rassurant, Anton Birnbaum savait que la situation était en réalité plus dramatique qu'il n'osait le reconnaître. À l'instar de pratiquement tous les gens étroitement liés au marché, il prévoyait un krach.

D'une certaine façon, quelque part au fin fond de lui-même, il se réjouissait presque de cet épisode purificateur, qui se faisait attendre depuis si longtemps. Le vénérable financier ne pouvait deviner à quel point le rôle qu'il jouerait personnellement dans l'affaire Green Band se révélerait important.

32

Green Band… Michel Chevron… Paris…

Carroll éprouvait un sentiment proche de la terreur. Assis dans cette limousine bleu foncé du secrétariat d'État aux Affaires étrangères qui sillonnait le boulevard Haussmann tel un fier navire, il se refusait à contempler les rues par la vitre. Il ne voulait pas accepter le fait qu'il était de retour dans la capitale française.

Pour Arch Carroll, Paris était une ville regorgeant de souvenirs déchirants. Paris, c'était Nora et lui en d'autres temps. Deux jeunes mariés insouciants en voyage de noces, qui arpentaient main dans la main les boulevards, s'arrêtaient de temps à autre pour s'embrasser, ne pouvaient jamais s'arrêter de se toucher.

Fais comme si tu te trouvais ailleurs, se dit-il.

Pourtant, les souvenirs affluaient sans répit, comme portés par la marée.

Nora buvant un café au lait sur le boulevard Saint-Germain grouillant de monde.

Nora souriant ou riant tandis qu'ils visitaient les sites touristiques incontournables : la tour Eiffel,

Montparnasse, les berges de la Seine, le quartier étudiant.

Près de l'Opéra Garnier, un homme accroupi au visage reptilien feignit de lancer un pample-mousse pourri sur le symbole de la richesse et du pouvoir américains qui passait en douceur devant lui.

La vue de cet homme fit tressaillir Carroll, confor-tablement assis sur la banquette arrière en velours gris du véhicule. Il se détendit, tenta de s'éclaircir les idées, de chasser les effets de la fatigue du voyage et du décalage horaire.

Il ouvrit son volumineux dossier Green Band et se plongea dedans, espérant ainsi échapper à ses souvenirs.

Comment expliquer que Green Band se soit si bien tenu à l'écart du monde des terroristes ? Comment était-il possible que, même dans le milieu, il n'y eût pas la moindre rumeur, pas la moindre piste menant à cette organisation ? Et qu'est-ce qui avait motivé la destruction du quartier financier de New York ?

Une question traversa soudain l'esprit de Carroll : et si, cette fois encore, il ne cherchait pas là où il fallait ?

— La Société générale, monsieur. Vous êtes arrivé à bon port. J'espère que le trajet a été agréable… Voici le quartier de la Bourse.

Carroll s'extirpa de la limousine officielle et pénétra à pas lents dans la banque.

Le bâtiment, l'immense hall d'entrée, les escaliers gigantesques, les ascenseurs actionnés manuellement : tout ici était grandiose, impressionnant. Le genre de cadre que les touristes américains en goguette en Europe prenaient en photo et collaient dans leurs albums en rentrant chez eux.

La prestigieuse institution financière française évoquait une autre époque. Comparé à Wall Street, l'endroit était plus délicat, plus civilisé. On aurait dit que l'argent n'était pas ce qui s'y jouait principalement, que les desseins de ses occupants y étaient moins vulgaires, voire qu'ils relevaient d'une dimension spirituelle.

Un couvent dominicain avait jadis occupé le site du quartier de la Bourse. Sur ce même emplacement, on vouait désormais un culte à un autre Dieu. L'histoire du lieu importait peu, et on adorait ici les mêmes idoles qu'à Wall Street. La distinction et les bonnes manières n'étaient qu'illusoires.

Michel Chevron, songea Carroll, se remémorant le motif de sa présence dans cet endroit. Chevron et l'impénétrable marché clandestin européen.

Le problème, double, était de savoir, d'une part, si Chevron était réellement une pièce du puzzle Green Band et, d'autre part, s'il existait un lien, même ténu, entre ledit Chevron et Monserrat.

Un jeune homme maigre âgé d'un peu moins de trente ans, l'assistant du banquier français, cheveux blonds coupés à ras, accueillit Carroll dans un bureau ancien qui, à New York, aurait convenu exclusivement à un directeur. Il portait un costume croisé rayé et une cravate mauve sinistre.

Carroll essaya de s'imaginer en train de faire une demande de prêt face à ce lugubre personnage. Il se représenta l'employé de banque examinant les formulaires de demande tout en reniflant et en affichant un air de légère répugnance.

— Je m'appelle Arch Carroll. Je viens de New York pour rencontrer monsieur Chevron. J'ai arrangé ce rendez-vous avec quelqu'un hier au téléphone…

— Oui, avec moi. (L'assistant de Chevron lui répondit comme un gentilhomme campagnard s'adressant à un garçon d'écurie à propos de la santé d'un hongre.) Monsieur le directeur vous accordera un quart d'heure… à onze heures quarante-cinq… Monsieur le directeur a un déjeuner important à midi. Je vous prierai donc de patienter. Vous trouverez des canapés là-bas, monsieur Carroll.

Carroll hocha très lentement la tête et se dirigea vers un ensemble de banquettes art déco.

Il s'assit et serra les poings. Il s'efforçait de réprimer sa colère. Au téléphone, l'assistant de Chevron et lui avaient décidé d'un rendez-vous à onze heures précises. Il était à l'heure et il avait parcouru plusieurs milliers de kilomètres pour être là.

Michel Chevron est derrière ces lourdes portes en chêne, se répétait-il sans cesse.

Chevron devait vraisemblablement rire sous cape à la pensée de cet imbécile d'Américain poireautant à son secrétariat…

À onze heures quarante-cinq, l'assistant de Chevron posa enfin son fin stylo plume en argent. Il leva les yeux d'une épaisse liasse de documents. Il se passa la langue sur les lèvres puis il déclara :

— Vous pouvez voir M. Chevron, à présent.

33

Carroll fut introduit dans un intimidant bureau de directeur du Vieux Monde. Une haute bibliothèque vitrée remplie de livres anciens occupait entièrement l'un des murs lambrissés. Les autres murs étaient ponctués d'une succession de portes-fenêtres drapées de tentures cramoisies donnant sur un balcon en pierre grise.

Michel Chevron, un homme étonnamment petit, doté de traits chevalins ainsi que d'une tignasse couleur jais posée sur sa tête telle une kippa crépue, resta debout derrière son bureau. Il était de toute évidence imbu de lui-même et fier de son poste, ainsi que de tous les signes extérieurs de pouvoir qui l'entouraient. Un magnifique Fragonard était accroché juste derrière lui.

Dès que son assistant eut quitté la pièce, le banquier français se mit à pérorer dans un anglais aussi rapide qu'excellent. Il usait d'un ton froid et condescendant :

— Il y a un problème, monsieur Carroll. Un contretemps regrettable et indépendant de ma volonté. Je suis vraiment navré mais j'ai un important engagement chez Taillevent. Le restaurant, vous le connaissez, *monsieur* ? Mon emploi du temps de cet après-midi n'est pas fameux non plus… Je peux donc seulement vous accorder quelques minutes…

Arch Carroll éprouva une sensation de froid au creux de l'estomac. Elle lui était familière et il tenta de l'ignorer mais, sa patience ayant déjà été mise à rude épreuve, il ne put se contenir plus longtemps :

— Très bien. On va le faire à ma manière, alors. Je n'ai pas plus de temps à perdre que vous…

Le banquier se mit à sourire d'un air dédaigneux.

— *Monsieur*, vous ne semblez pas comprendre dans quel pays vous vous trouvez. Vous n'êtes plus en Amérique. Vous n'avez pas le moindre pouvoir, ici. J'ai consenti à vous recevoir uniquement dans un esprit de coopération.

Carroll plongea la main dans la poche de sa veste et en sortit une enveloppe kraft qu'il jeta sur le bureau de Chevron.

— Ça tombe bien, que vous parliez de coopération. Voilà un mandat dûment signé. Un mandat d'arrêt délivré contre vous par la police *française*. Signé par le commissaire Blanche, de la Sûreté. Vous êtes mis en examen pour, entre autres, extorsion, corruption de fonctionnaires et abus de confiance. Vous me voyez très honoré d'être celui qui vous annonce la nouvelle…

Michel Chevron se laissa tomber pesamment dans son fauteuil. Il semblait soudain ratatiné, ridé, comme un accordéon vidé de son air. Il tenta de faire bonne figure :

— Très bien, monsieur Carroll. Je comprends. Qu'est-ce qui me vaut l'honneur de votre visite, exactement ? Quels renseignements désirez-vous me soutirer ?

Carroll s'installa confortablement dans un fauteuil, de l'autre côté du bureau de Chevron.

— Pour commencer, j'aimerais que vous me parliez du marché clandestin en Europe et au Moyen-Orient. Je veux des noms, des lieux, des dates précises. J'ai besoin de connaître la structure de ce marché et les capitaux concernés.

Chevron s'éclaircit la gorge.

— Vous ne savez pas ce que vous dites, ce que vous exigez de moi. Nous parlons de milliards de dollars. Nous parlons de personnes loin d'être recommandables.

Chevron se cala dans son fauteuil et Carroll remarqua que de minuscules gouttes de sueur luisaient sur son front. Son impressionnante chevelure noire paraissait avoir perdu sa couleur. Pour la première fois depuis son arrivée à Paris, Carroll se sentait détendu et confiant.

— Soyez pas si timide. Je vous écoute.

À cet instant précis, les portes en chêne du bureau s'ouvrirent à la volée.

L'espace d'une seconde interminable, Carroll crut que ce qui s'était produit à Wall Street se répétait à Paris.

Trois hommes armés apparurent, chacun d'entre eux brandissant un pistolet-mitrailleur. Derrière eux, dans le couloir étroit, l'assistant blond de Michel Chevron semblait collé au mur.

Carroll plongea au sol, tandis que des éclats de verre et de bois volaient partout autour de lui, dans le bruit des rafales d'armes automatiques.

Du coin de l'œil, il vit Michel Chevron s'élever dans les airs de façon surnaturelle et rebondir contre un mur lambrissé, au milieu de gerbes de sang.

Les assaillants reportèrent alors leur attention et leurs armes sur le policier new-yorkais. Lequel se jeta à travers une porte-fenêtre donnant sur le balcon...

Il se retrouva à terre, au milieu d'éclats de vitre et de bois, un froid âpre et mordant lui cinglant le visage, et il se releva tant bien que mal, sentant les morceaux de verre lui taillader la peau des mains plus profondément à chaque mouvement.

Long et étroit, le balcon surplombait la rue de seize étages et faisait apparemment le tour de l'immeuble.

Dérapant sur le sol de pierre jonché de débris, Carroll courut vers l'angle le plus proche. Des rafales de mitraillette suivies de cris de terreur incrédules et de douleur s'échappaient des bureaux de la banque parisienne. Les armes toussaient et crachaient éperdument, sans relâche.

Des terroristes français ? Les Brigades rouges ? François Monserrat ?

Qui était informé de sa présence en ces lieux ?

Des balles frôlèrent en sifflant le visage de Carroll, ébréchant le corps de pierre accroupi d'une gargouille.

Deux des tueurs s'étaient lancés à sa poursuite, leurs manteaux en cuir flottant derrière eux. Carroll leva son arme, fit feu. Le crépitement assourdi du silencieux se fit entendre.

L'homme le plus proche de lui porta les mains à sa poitrine, chancela et, basculant par-dessus le muret de pierre, alla s'écraser dans la rue.

— Oh, putain ! gémit soudain Carroll en s'agrippant l'épaule, où une balle venait de se loger.

Il passa en titubant l'angle suivant, faisant feu à plusieurs reprises pour inciter son poursuivant à se mettre à l'abri, puis se remit à courir sur une autre étendue de balcon à découvert, qui aboutissait brutalement à un mur de briques grises surmonté de solides barreaux en fer.

Il sentait le goût chaud et métallique du sang dans sa bouche. Chaque inspiration lui lacérait la poitrine. Il éprouvait une douleur extrême, fulgurante, tout le long de son bras blessé.

Il allait mourir ici. À Paris.

Dans cette ville pleine des souvenirs de Nora.

Il vit le ciel s'éloigner doucement. Le soleil d'hiver n'était plus qu'un cercle dur et indifférent.

Carroll s'ébroua, se servit de son bras valide pour enjamber le muret du balcon. Il entrevit des voitures, seize étages sous lui. Et du béton, froid et aussi gris que le visage d'un croque-mort...

Il atterrit sain et sauf sur une terrasse, deux mètres plus bas, mais son épaule blessée heurta sauvagement une dalle de granit. Violente, inhumaine, la douleur lui explosa dans la tête, le mettant au supplice. Aveuglé par la souffrance, il s'obligea à avancer en vacillant jusqu'à une porte-fenêtre qui s'ouvrit lorsqu'il s'appuya dessus.

Il saignait abondamment. Il regarda autour de lui. Il se trouvait dans une réserve pleine de sacs de courrier.

Les jambes tremblantes, Carroll s'accroupit et attendit. Il n'y avait aucun endroit où se cacher, dans cette pièce. S'ils le trouvaient maintenant...

Ses pensées étaient confuses. Son esprit embrouillé, presque inutile. La seule chose qui vivait encore en lui était un sentiment de rage. Sur son front, ses joues, dans sa nuque, des éclats de verre le brûlaient. La tête lui tournait et il avait envie de vomir.

Des coups de feu et des hurlements continuaient à retentir dans l'immeuble du siège de la Société générale. Puis des sirènes de police se firent entendre, dans le lointain. Carroll ôta sa chemise et en emmaillota son bras en sang.

Michel Chevron ne révélerait plus rien du puissant marché clandestin en Europe et au Moyen-Orient. Et pas davantage sur l'identité éventuelle des membres de Green Band.

Carroll ne tenait plus debout. Il s'affaissa contre un mur en plâtre, laissa retomber sa tête entre ses genoux.

34

C'était un moment magique, un moment que le sergent Harry Stemkowsky, il le savait, ne pourrait jamais oublier. Quelque chose dont il rêvait, lui semblait-il, depuis aussi loin que remontaient ses souvenirs.

Tandis que l'aube se faufilait à travers le ciel gris ardoise sale, Stemkowsky descendait dans son fauteuil roulant la rampe de béton qu'il avait fait construire pour pouvoir entrer et sortir de sa maison de Jackson Heights, dans le quartier de Queens. Son épouse, Mary, une ancienne infirmière, de dix ans plus âgée que lui, marchait d'un pas tranquille à ses côtés.

— Ça y est, mon ange, lui dit-elle à voix basse.

— Ça, pour y être, ça y est, répondit-il d'un ton enjoué.

Mary Stemkowsky portait les deux sacs de voyage Dunhill tout neufs de Harry. Elle contempla son mari, si imposant et sérieux dans son costume sombre à rayures.

Ses cheveux récemment coupés étaient impeccablement coiffés. Il tenait un porte-documents en cuir souple qui avait coûté sans doute très cher.

— Alors, Harry, tu m'as l'air bien excité, fit Mary, qui ne put réprimer un sourire timide et doux.

À ses yeux, Harry était un saint.

Elle ignorait comment il y était parvenu, mais Harry semblait avoir accepté ce qui lui était arrivé, plus de dix ans auparavant, au Viêtnam. Depuis ce jour où Harry et elle avaient fait connaissance, à l'hôpital des anciens combattants où elle travaillait, elle ne l'avait jamais entendu se plaindre de ses lésions ou de ses douleurs.

— À vrai dire, j'ai un p-p-peu la trouille. Une tr-tr-trouille agréable, admit Harry.

Il essaya de sourire mais son visage trahissait son appréhension.

Elle se pencha et l'embrassa sur les deux joues. Étrange, à quel point elle l'aimait. Malgré ses infirmités, ses limites physiques. Elle l'aimait. Infiniment.

— Dé-désolé que tu ne puisses p-p-pas venir, Ma-Mary.

— Oh, je viendrai la prochaine fois, probablement. Oui, oui. Compte sur moi à coup sûr, la prochaine fois. (Elle s'esclaffa soudain, de son grand rire chevalin, radieux.) Tu ressembles à un président de banque ou quelque chose comme ça. Le président de la Chase Manhattan Bank. C'est vrai, Harry. Je suis si fière de toi.

Elle se baissa et l'embrassa de nouveau. Elle ne voulait pas que son voyage en Europe fût gâché parce qu'elle ne pouvait pas l'accompagner cette fois-ci. Il devait savourer chaque seconde de son périple.

— Ah, le voilà ! Mitchell arrive enfin ! s'exclama-t-elle en montrant du doigt un taxi jaune qui venait de passer l'angle de leur rue bordée de pavillons tristes et pour ainsi dire anonymes.

Derrière le volant, Mary distinguait Mitchell Cohen, coiffé de son habituelle chapka.

Mitchell et Harry travaillaient sur ce projet depuis bientôt deux ans. Tout ce qu'ils avaient jamais consenti à leur confier, à Neva Cohen et à elle, c'était qu'il s'agissait plus ou moins d'opérations d'arbitrage. Mary avait confusément retenu que cela consistait en des échanges de devises entre un pays et un autre et qu'on gagnait de l'argent en utilisant les différences des cours en Bourse – et aussi que ces spéculations allaient sous peu permettre aux deux hommes d'arrêter de faire le taxi.

— Il prend deux Dilantin avant de se coucher, informa-t-elle Mitchell pendant qu'ils installaient Harry à l'intérieur du taxi Vétérans.

Stemkowsky éclata de rire. Il adorait cette façon qu'avait Mary de s'inquiéter continuellement pour lui, de se soucier de menus détails tels que le Dilantin qu'il prenait invariablement chaque soir et trois fois dans la journée.

— Fais un excellent voyage, Harry. Ne travaille pas *trop* là-bas, en Europe. J'espère que je te manquerai un peu.

— Oh ! voy-voyons. Tu m-m-me manques déjà, marmonna Harry, qui était sincère.

Il n'avait jamais réellement compris ce qui avait poussé Mary à partager la vie d'un infirme. Il se réjouissait seulement que ce fût le cas. Maintenant, il allait faire quelque chose pour elle, quelque chose qu'ils méritaient tous les deux. Harry Stemkowsky s'apprêtait à tirer le numéro gagnant.

Tandis que Stemkowsky et Cohen étaient en route pour l'aéroport Kennedy, Vétéran 7, un de leurs collègues coursiers, se trouvait déjà en première classe à bord du vol Pan Am 311, qui volait vers le Japon.

Jimmy Holm régalait une hôtesse de l'air de ses souvenirs de guerre, lui racontant comment il avait survécu à trois ans d'emprisonnement dans une geôle nord-vietnamienne ; les deux années suivantes, passées dans un hôpital pour anciens combattants à Bakersville, Californie, s'étaient révélées bien pires, lui expliquait-il.

— Et maintenant, me voilà. J'ai une vie palpitante et franchement classe. Je vis à cent à l'heure. L'Europe, l'Extrême-Orient. (Holm sourit et vida sa coupe de Moët & Chandon.) Dieu bénisse l'Amérique. Avec tous ses vilains défauts dont on entend tellement parler. Dieu bénisse notre pays.

À peu près au même moment, Vétéran 15, alias Pauly Melindez, et Vétéran 9, à savoir Steve Glickman, jouissaient d'un traitement équivalent sur un autre vol, à destination cette fois de l'aéroport Don Muang à Bangkok. Ce jour-là, 9 décembre, ils étaient personnellement en possession de plus de seize millions de dollars…

Des « échantillons »…

Vétéran 5, Harold Freedman, était déjà arrivé à Londres ; Vétéran 12, Jimmy Cassio, se trouvait à Zurich et Vétéran 8, Gary Barr, à Rome. Assis sur une magnifique terrasse en pierre surplombant le Tibre.

Pendant plus de quatre ans et jusqu'à très peu de temps auparavant, Barr avait été videur dans une boîte qui proposait des spectacles comiques sur Sunset Boulevard, Los Angeles. À l'heure qu'il était, il se disait qu'il devait rêver.

Vétéran 8 ferma les yeux. Il les rouvrit… et Rome était toujours là, sur les berges du Tibre.

Ainsi que les vingt-deux millions pour ses négociations.

D'autres « échantillons ».

35

Vétéran 3, lui, ne voyageait pas en avion et ne menait pas franchement la grande vie. Nick Tricosas n'arborait pas un costume Brooks Brothers à quatre cents dollars. Il ne possédait pas non plus un portefeuille Dunhill bourré de cartes de crédit. Vétéran 3 portait un T-shirt du corps des marines aux manches coupées, un pantalon de treillis kaki délavé et un bandana sur la tête. Il se trouvait dans le quartier du West Village de New York.

Tricosas promena son regard autour de lui, dans le standard exigu des taxis et coursiers Vétérans, et se sentit pris à la gorge par une impression subite de claustrophobie. Les seuls ornements de ce placard à balai isolé au deuxième étage du dépôt des taxis Vétérans étaient une table de jeu en métal gris et une chaise pliante assortie, l'émetteur-récepteur et une affiche du film *Rambo* scotchée sur un mur.

— Contact. Ici Vétéran 3, fit Tricosas dans l'émetteur. Bien, vous tous valeureux vétérans de guerres étrangères. Vous à qui on a décerné des *Purple Heart*[1] et des Médailles d'Honneur... Qui peut passer prendre

1. Décoration militaire décernée aux blessés de guerre américains.

une passagère à l'angle de Park Avenue et de la 39e ?… Une certaine Mme Austin et son infirmière, Nazreen… Mme Austin est une petite dame adorable avec une chaise roulante pliante, qui rentre pile-poil dans le coffre d'un taxi. Elle se rend au Lenox Hill Hospital pour sa séance hebdomadaire de chimiothérapie. À vous !

— Ici Vétéran 22. Je suis sur Madison, au niveau de la 52e. Je passe prendre Mme Austin. J'la connais, la petite mémé. J'y serai dans environ cinq minutes. À vous.

— Merci infiniment, Vétéran 22… OK, au suivant. J'ai un compte société au 25 Central Park West. Compte T-21. M. Sidney Solovey, qui va au Yale Club, au 50, Vanderbilt. M. Solovey travaillait pour Salomon Brothers. Avant que quelqu'un fasse péter Wall Street, naturellement. À vous.

— Ici Vétéran 19. Je suis sur Central Park South et la Sixième. J'emmène M. Solovey au Yale.

Nick Tricosas se leva. Il s'étira longuement et se frictionna le bas du dos. Il répartissait les courses par radio sans répit depuis cinq heures du matin et il avait grand besoin d'une pause.

Il alluma un cigare, qu'il fit doucement rouler entre son pouce et son index.

Puis il descendit tranquillement l'escalier en colimaçon à l'arrière des locaux des taxis Vétérans, laissant de lourds nuages de fumée dans son sillage. Il emprunta ensuite l'escalier qui menait au garage.

Le sol du sous-sol était jonché de poussière accumulée et de débris. Une cave new-yorkaise typique, infestée de rats. Il y avait un deuxième central téléphonique encadré de bancs pour les chauffeurs attendant leurs courses. Au fond à gauche, se trouvaient des machines à sodas et à confiseries rouillées et une porte grise en métal.

Tricosas plissa les yeux et se dirigea vers la porte. Il poussa un profond soupir. Le colonel Hudson avait décrété que personne ne devait en aucun cas pénétrer dans la cave fermée à clé.

Tricosas sortit toutefois une clé qu'il enfonça dans la solide serrure encastrée. Il la tourna et entendit le déclic du mécanisme d'ouverture. Il poussa la porte grinçante.

Il regarda alors à l'intérieur du saint des saints du colonel Hudson…

Nick Tricosas en eut le souffle littéralement coupé. Ses yeux d'un brun profond manquèrent lui sortir de la tête.

Nick Tricosas n'avait jamais vu autant d'argent de toute sa vie ! Ce qu'il avait là, sous les yeux, ce qu'il fixait d'un air parfaitement niais, ne semblait tout simplement pas croyable.

Des milliards de dollars.

36

Le colonel Hudson fit une chose très rare : pour une fois il hésita avant d'agir. Debout dans la cabine téléphonique du coin de la 54ᵉ Rue et de la Sixième Avenue, il reconsidéra la question une dernière fois en fixant la condensation sur les vitres. Il savait qu'il prenait un risque en redemandant la même fille.

Il tapota le boîtier métallique noir du téléphone avec une pièce de vingt-cinq cents qu'il finit par insérer dans la fente.

Dring. Dring. Liaison établie.

Oui, il souhaitait revoir Billie.

Il avait *très* envie de la revoir.

Moins d'une heure plus tard, assis sur un tabouret de bar, Hudson la regardait se faufiler gracieusement dans la foule bruyante du O'Neal's, sur la 57ᵉ Rue Ouest.

Billie… Juste Billie.

Elle portait un long manteau gris chiné et des cuissardes en cuir noir. Un béret gris perle était délicatement posé de côté sur ses cheveux blonds lâchés. Elle se distinguait des femmes d'affaires, jeunes ou plus mûres, qui se pressaient dans le bistro à la mode.

Elle sourit lorsqu'elle le vit enfin et se dirigea vers lui d'un pas ondulant.

— Ils n'ont prévu qu'une heure pour votre rendez-vous. Voulez-vous aller ailleurs ? Une heure, ce n'est pas bien long.

— J'aimerais prendre un verre ici, avec vous. Nous avons largement le temps. Pour un verre.

Hudson fit signe au barman, qui accourut, chemise blanche impeccable et nœud papillon, comme s'il répondait à une dernière sommation. Billie avait déjà remarqué que Hudson paraissait capable d'obtenir tout ce qu'il voulait.

Elle commanda un verre de vin blanc de la maison et sourit à Hudson en secouant la tête ; cet homme était impossible – et indubitablement déroutant.

Elle trouvait plutôt raide de débourser cent cinquante dollars de l'heure plus l'addition du O'Neal's juste pour avoir l'honneur de boire un coup avec une jolie fille.

— Vous n'avez pas à payer. Je dirai que vous n'êtes pas venu, dit-elle, se sentant immédiatement gênée et troublée.

Hudson avait la certitude qu'elle ne faisait pas ce métier depuis très longtemps. De jeunes comédiennes et des mannequins pleines d'avenir travaillaient parfois comme call-girls.

— Je vous aime bien. Je crois que je ne vous comprends pas, mais je vous aime bien, déclara-t-elle.

Ils se regardèrent dans les yeux et ce fut comme s'ils étaient seuls au milieu du bourdonnement et de l'agitation ambiants.

Hudson se pencha et l'embrassa sur la joue ; il avait envie de se rapprocher de Billie, de s'ouvrir un peu à elle.

— Dites-moi quelque chose sur vous. Juste *une* petite chose… Il n'est pas nécessaire que ce soit quelque chose d'important.

Elle lui sourit.

— D'accord… Il m'arrive d'être trop impulsive. Je ne devrais pas vous proposer ce qu'on appelle communément une passe à l'œil. Je pourrais être renvoyée pour ça. À vous de me dire quelque chose sur vous, maintenant.

— Je n'ai pas assez d'argent pour régler la note, annonça Hudson, qui se mit à rire.

Billie l'imita avant de lui demander :

— C'est vrai ?

— Non. Maintenant, dites-moi une chose *vraie*. N'importe quoi, simplement un truc vrai.

Elle hésita, haussa les épaules.

— J'ai deux grandes sœurs, à Birmingham. Chez moi, en Angleterre.

— Elles sont toutes les deux mariées. Heureuses en ménage. Et votre mère vous le rappelle en permanence, fit Hudson en souriant.

— Non. Elles sont effectivement toutes les deux mariées. Vous avez vu juste sur ce point. À Birmingham, c'est ce que fait toute fille sensée. En revanche, leurs mariages respectifs ne sont pas heureux. Sinon, en effet, ma mère me rappelle constamment que je suis toujours célibataire.

Hudson continuait de sourire. Il sirota sa bière en contemplant avec retenue les yeux bruns de Billie et ses lèvres légèrement humectées de vin.

Elle pouffa bruyamment mais de façon charmante.

— Je perds totalement la boule ! Je n'arrive pas à croire ce que je suis en train de faire. Je n'arrive vraiment pas à le croire.

— Boire un verre de vin blanc ? À midi ? Ce n'est pas si extraordinaire, à New York...

— Il va falloir que j'y aille. Sérieusement. Il faut que je les appelle et que je leur dise que vous n'avez pas honoré votre rendez-vous.

— Cela pose un problème. Si vous faites ça, ils ne me laisseront plus vous revoir. Ils vont me coller l'étiquette de quelqu'un de pas du tout fiable. Et ce n'est pas ce que nous souhaitons, n'est-ce pas ?

— Non. J'imagine que non. Mais je dois *vraiment* y aller.

— Eh bien, cela ne me convient pas. Non. Attendez encore une minute.

Hudson plongea la main dans son manteau râpé. Il posa trois dollars cinquante sur le bar.

— Billie comment ? Dites-moi au moins votre nom de famille.

— Ça ne servirait à rien. Je vous en prie. Ce n'est pas du tout une bonne idée.

— Billie comment ?

Elle donnait l'impression d'avoir été giflée, comme si un membre de sa famille de la classe moyenne anglaise l'avait prise en flagrant délit dans l'exercice de son travail de call-girl à New York. Elle eut un moment de flottement avant de lui répondre :

— Billie Bogan. Comme la poétesse, Louise Bogan... « Maintenant que je connais ton visage par cœur, je semble... »

— Vous me *semblez* extrêmement belle.

Cela faisait quinze ans que David Hudson ne s'était pas senti dans cet état. Le moment était inopportun et cette rencontre tombait on ne peut plus mal – mais c'était ainsi.

Lui, en proie à une *émotion* – alors qu'il n'en avait éprouvé aucune depuis tant d'années. Une émotion intense, qui plus est. Des signaux d'alarme se déclenchaient dans tous les recoins de son être.

37

La journée s'annonçait sombre à Washington, en ce matin du 9 décembre. Même les arbres tristes et nus semblaient mendier de la lumière et de la vie.

Une deuxième réunion extraordinaire se tenait à la Maison Blanche, rassemblant les membres du Conseil de sécurité nationale et tous les fonctionnaires collaborant à l'enquête sur Green Band.

Tout en attendant patiemment l'arrivée du Président, Carroll grimaçait.

Il lui aurait été difficile de faire autrement. Il éprouvait de temps à autre de violents élancements dans son bras droit, pour l'heure en écharpe. Il tressaillait alors et pestait, le temps de se rappeler qu'il avait beaucoup de chance d'être encore en vie. En dépit des doses de codéine ingurgitées depuis Paris, Carroll avait l'impression que ses terminaisons nerveuses se désagrégeaient.

Un syllogisme morbide lui vint à l'esprit. Un chat a neuf vies. Je ne suis pas un chat. Donc je n'ai pas neuf vies. Alors combien de vies ai-je ? Combien de jours me reste-t-il, si je continue à prendre de tels risques ?

Justin Kearney fit enfin son entrée dans la salle et tout le monde se leva.

Le président des États-Unis portait une tenue décontractée. Il avait choisi un polo Lacoste bleu marine et un pantalon sport en toile légèrement froissé. Carroll se dit qu'il avait tout à fait l'air d'un homme ordinaire, qu'en des jours meilleurs et à une autre saison on aurait pu aisément imaginer dans son jardin devant son barbecue, occupé à surveiller la cuisson d'une pièce d'aloyau. Carroll se souvenait que Kearney était père de deux petits garçons ; il jouait probablement au base-ball avec eux. Il ne devait toutefois pas disposer de beaucoup de temps libre, dans l'immédiat. La plupart des critiques des médias concernant les événements de Wall Street avaient été dirigées contre Kearney – le phénomène typique du bouc émissaire mis en avant pour calmer l'opinion publique. Brusquement, en l'espace de deux ou trois jours, sa bonne étoile politique s'était vue sérieusement ternie.

Toutes les personnes présentes étaient arrivées à cette réunion matinale munies de serviettes et de porte-documents en cuir pleins à craquer : elles apportaient les preuves matérielles de quatre jours d'investigations acharnées.

Tandis que la réunion commençait, Carroll s'autorisa à penser, à en juger par le volume impressionnant des documents produits par les uns et les autres, que quelqu'un devait nécessairement avoir découvert quelque chose sur Green Band.

Il sourit à Caitlin Dillon, assise à l'autre bout de la pièce. Elle lui rendit son sourire. Son porte-documents était également bien bombé. Ce jour-là, elle s'était choisi un look très professionnel, vêtue d'une chemise blanche très sobre, d'un tailleur bleu marine et d'une lavallière assortie.

— Bonjour à tous – bien que j'aie du mal à voir ce que cette journée pourrait nous réserver de bon. Pour dire les choses sans détour, je suis encore plus inquiet que je ne l'étais vendredi soir.

Cette entrée en matière du président Kearney ne contribua en rien à alléger la tension ambiante. Il resta debout, très raide, au bout de la longue table en bois.

— Nos estimations les plus fiables prévoient le risque imminent d'une panique boursière, d'un krach de grande envergure… Certains des plus gros salopards en ce monde ont déjà trouvé le moyen de tirer parti de cette tragédie… Tout à fait entre nous, je vais vous faire une confidence : l'économie occidentale serait incapable de se relever d'un krach sérieux en ce moment. Même un effondrement des cours de moindre importance se révélerait catastrophique.

Le Président avait haussé le ton, laissant momentanément transparaître d'infimes traces de son style de campagne – l'inflexion galvanisante dans la voix et la détermination caractéristique de la mâchoire.

Justin Kearney requit un tour de table afin de passer en revue les nouveaux éléments de l'enquête. Chaque conseiller fit un rapport succinct des résultats des recherches de ses services sur Green Band.

Lorsque son tour arriva, Carroll rapprocha son siège de la table. Il s'efforça d'apaiser le tumulte qui régnait dans sa tête. Il avait les idées floues depuis sa mésaventure parisienne. Il était encore en proie à la sensation de léthargie et de froid consécutive à la fusillade. Sa blessure au bras l'élançait de nouveau.

— Je n'ai pas de très bonnes nouvelles non plus, commença-t-il. Nous disposons d'informations factuelles, de statistiques, peu de choses qui soient réellement utiles. En revanche, nous possédons les données de base au sujet des bombes. Les terroristes ont utilisé cinq charges de plastic par immeuble. Ils auraient pu raser le bas de Manhattan s'ils l'avaient voulu. Ils ne l'ont pas voulu… Ils ont fait exactement ce qu'ils cherchaient à faire. Cet attentat était une démonstration, méthodiquement organisée et maîtrisée. Mon équipe a passé au crible tous nos contacts avec le milieu terroriste. Il n'existe *aucun lien* avec ce groupe. (Il tourna une page de son bloc-notes.) Nous étions cependant sur une piste plutôt obscure mais prometteuse concernant le marché clandestin européen… Malheureusement, cela a tourné court. Par ailleurs, le nombre d'ordinateurs de Wall Street et d'archives de maisons de courtage détruits est tel qu'il nous est impossible de dresser un tableau sûr du marché boursier. Nous ne savons même pas si des titres ont été dérobés ou s'il y a eu une quelconque arnaque informatique…

Le vice-président, Thomas More Elliot, se leva. De tous les membres de l'assistance, ce sévère natif de Nouvelle-Angleterre était manifestement celui qui faisait preuve de la plus grande maîtrise. Ce matin-là, il donnait plus l'impression d'être à la tête de la cellule de crise que le Président lui-même.

— Seriez-vous en train de dire que nous ignorons *totalement* à qui nous avons affaire ?

Carroll fronça les sourcils et secoua la tête.

— Aucune revendication n'a été faite. Aucune tractation n'a été entreprise. Les gens de Green Band n'ont jamais repris contact avec nous. Ils donnent l'impression d'avoir inventé un jeu complètement nouveau et terrifiant. Un jeu dont nous ignorons aussi bien la nature que les règles ! Ils déplacent leurs pions et nous n'avons pas la moindre idée de la façon de réagir…

— Y a-t-il des commentaires ? s'enquit Elliot, d'un ton ostensiblement acerbe.

Carroll ne lut ni encouragement ni soutien sur les visages impassibles braqués sur lui. Les dirigeants des organismes chargés de faire respecter la loi se montraient tout particulièrement froids et distants. Les membres du cabinet étaient pour la plupart issus du milieu des affaires et ignoraient tout des difficultés du travail de police sur le terrain. Les contraintes et les exigences d'une enquête comme celle-ci les laissaient totalement indifférents.

Le leader de la majorité au Sénat se leva à son tour. La voix bien connue de Marshall Turner était empreinte d'un fort accent du Sud et aussi tonitruante que l'écho d'une caverne de Virginie-Occidentale :

— Monsieur le président, je crains fort qu'on ne puisse tout bonnement pas se contenter de cela. Tout ce que je viens d'entendre est loin d'être satisfaisant. À la fin de la semaine dernière, nous étions déjà à deux doigts d'un effondrement économique complet. Et aujourd'hui, vous affirmez que nous sommes toujours dans une situation critique, voire que cette menace est encore plus grande. On envisage un deuxième « Jeudi noir ». J'ai le sentiment qu'il est de notre devoir de tout faire pour mettre en place le meilleur appareil d'investigation possible. En l'occurrence, dans le cadre de la chasse aux terroristes qui est menée actuellement, d'après ce que je vois, tant le FBI que la CIA me paraissent sous-employés.

Le ton du sénateur était insultant pour Carroll. Ce dernier dévisagea le leader politique, qui était doté de ce genre de visage bouffi et couperosé qu'on peut croiser dans les arrière-boutiques pleines de sciure de certains magasins de campagne.

Phil Berger, le directeur de la CIA, sortit de son mutisme. C'était un homme mince, de petite taille, au crâne chauve et luisant. Carroll eut la vision fugitive d'un œuf dur posé dans un coquetier.

— Le FBI et la CIA travaillent sur cette enquête vingt-quatre heures sur vingt-quatre, objecta-t-il. Il est totalement erroné d'affirmer que nous sommes sous-employés.

— Très bien. Ne nous querellons pas entre nous, intervint le Président, qui se leva abruptement. (Il regarda Carroll et dit :) J'ai pris une décision difficile hier soir. Je vous aurais appelé pour vous en faire part, mais vous n'étiez pas à New York…

— J'étais en train de me faire tirer dessus à Paris…

Justin Kearney ignora la réflexion de Carroll.

— Cette décision prend effet immédiatement. J'ordonne les changements suivants : je veux que vous continuiez à diriger la partie de l'opération liée aux organisations terroristes connues. Mais je veux que Phil Berger supervise l'enquête sur Green Band dans son ensemble, y compris l'enquête portant sur les terroristes à l'intérieur de nos frontières. Vous êtes également tenu de communiquer à la CIA un rapport officiel complet comprenant tous vos contacts personnels et tous vos dossiers.

Carroll contempla Kearney, l'air incrédule. Il avait la quasi-certitude que rien de tout cela n'était légal, principalement la mise en demeure de transmettre ses archives à la CIA. Il avait aussi l'impression d'avoir été lâché au beau milieu du Potomac, sur un radeau prenant l'eau.

Il détourna les yeux du Président. Avait-il pris cette décision tout seul ? Cela troublait Carroll et le plongeait dans la perplexité. Mais il y avait autre chose, une chose qui le perturbait davantage encore.

La froideur régnant dans la salle de réunion. Cette atmosphère de secret à outrance, d'élitisme absolu. La duplicité érigée en mode de fonctionnement.

Ces gens-là prenaient les décisions, avec morgue, persuadés de n'avoir de comptes à rendre à personne.

— Je crois avoir saisi le message, monsieur le président, et il ne me reste donc plus, compte tenu des circonstances, qu'à vous remettre ma démission. Avec tout le respect que je vous dois, monsieur. Je jette l'éponge.

Carroll se leva, quitta la salle de réunion et la Maison Blanche C'était fini pour lui.

38

Une heure plus tard, Carroll était assis dans une navette aérienne à destination de New York. À l'extérieur, des éclairs déchiraient le ciel.

Par son hublot il voyait défiler d'impressionnants nuages noirs. Il observait l'orage sur le point d'éclater et se sentit submergé par un terrible sentiment de solitude.

Nora lui manquait tellement. Il n'avait jamais rencontré qui que ce soit, ni avant, ni après, qui fût à ce point capable de lui rendre le sentiment de sa propre intégrité.

Il sentit une main se poser sur son bras. Caitlin Dillon. Il se tourna vers elle et lui adressa un faible sourire. Elle essayait de se montrer compatissante et gentille. Mais elle n'était pas Nora.

— Vous savez pertinemment que ce n'est pas votre faute. Tout le monde a peur, Arch. Green Band ne s'est pas contenté de faire son petit numéro à Wall Street ; l'attentat a généré un vent de panique. Notre président, qui se révèle à l'usage encore moins résolu que je ne l'imaginais, a pris cette décision sous le coup de la trouille. C'est tout.

Elle lui tapota le bras et il eut l'impression d'être un petit garçon venant de s'écorcher le genou. Cet

aspect chaleureux, presque maternel, de la personnalité de Caitlin le surprit.

— Vous n'y êtes pour rien, insista-t-elle. Washington
pullule d'hommes effrayés qui prennent des décisions
inadaptées. (Elle marqua un temps d'arrêt avant de
lui demander :) Qu'est-ce que vous allez faire ? Vous
lancer dans une carrière d'avocat ? Rédiger des testa-
ments ? Des actes notariés ? Peut-être vous spécialiser
en droit des sociétés ?

Carroll sortit lentement de la torpeur qui lui en-
gourdissait l'esprit. La légère ironie de Caitlin ne lui
échappa pas. Elle était même la bienvenue. *Le droit*,
songea-t-il. Son diplôme ne lui avait jamais servi parce
que la perspective de passer du temps dans d'énormes
ouvrages juridiques, de chercher des précédents dans
des livres poussiéreux et indéchiffrables, d'avoir à
fréquenter d'autres avocats, lui était intolérable.

Il garda le silence pendant un petit moment puis
il demanda :

— Sérieusement, vous m'imaginez sous les ordres
de Phil Berger ?

Caitlin secoua la tête.

— C'est une tête d'œuf, dans les deux sens du
terme[1]. Il a dû être couvé, ce gars-là.

Carroll éclata de rire. L'orage secouait l'avion.

— Quand j'étais petite, reprit Caitlin, ma mère nous
donnait des œufs durs au petit déjeuner. Une tradition
campagnarde. Et nous, les mômes, on tapait tous
sur nos œufs avec nos cuillères. C'est ça que j'aurais
voulu avoir, tout à l'heure, à la Maison Blanche. Une
cuillère géante pour taper sur le crâne de Phil Berger.

_____

1. Dans le texte original, *egghead*, littéralement « tête d'œuf » mais
aussi, contrairement au français, « intello ».

Il se tourna vers elle. Elle riait, à présent. Son rire était musical, et Carroll sut qu'il ne pourrait jamais l'oublier.

— Vous m'étonnez. Vous m'étonnez vraiment.

— Pourquoi ?

— Vous avez l'air si conventionnelle et si sérieuse, et en même temps vous avez un sacré sens de l'humour, d'autant plus inattendu.

— Inattendu chez quelqu'un qui travaille à Wall Street, je suppose. Une fille du Midwest bon teint, qui plus est. Une presbytérienne.

Carroll rit encore et sentit que cela lui faisait du bien. Les nœuds dus à la tension nerveuse se relâchaient enfin dans sa nuque.

— Ouais. Exactement. Une péquenaude de l'Ohio, renchérit-il.

— Mon père m'a appris qu'il fallait un solide sens de l'humour pour survivre à Wall Street. Il a lui-même réchappé de cet univers impitoyable, mais de justesse.

Caitlin se tut et regarda Carroll. Elle avait cessé de rire et affichait à présent un air grave ; ses yeux étudiaient le visage du policier.

Carroll l'observait, de son côté, réalisant que quelque chose se produisait dans son propre corps. Pendant quelques secondes il eut le sentiment désagréable de trahir Nora, de trahir ses souvenirs.

Bon sang, cela faisait un bail qu'il n'avait pas réagi de la sorte ; il était conscient qu'il souffrait d'une immense carence affective. Il leva une main. Ses doigts tremblaient légèrement. Il posa la paume sur la joue de Caitlin.

Puis il l'embrassa. Tendrement.

Et cet instant s'évanouit, aussi soudainement qu'il s'était produit.

Caitlin Dillon contemplait le tableau spectaculaire des nuages par le hublot, l'informant qu'ils arriveraient très bientôt à New York. Et Carroll se demandait s'il l'avait réellement embrassée.

Lorsque Carroll arriva au numéro 13 de Wall Street, il ne lui restait plus qu'à vider son bureau et à dire adieu au monde des planques inutiles et des journées de travail de vingt heures.

C'est facile et indolore, pensa-t-il. J'aurais probablement dû le faire depuis longtemps.

Il fut interrompu par quelqu'un qui frappait à la porte. Quand il se retourna, Walter Trentkamp se tenait sur le seuil. Le chef du FBI traversa lentement la pièce. Il s'appuya contre le bureau encombré de papiers et poussa un bruyant soupir.

— Moi aussi je démissionnerais, si j'avais un bureau comme celui-ci. (Trentkamp fronça les sourcils et parcourut la pièce du regard.) J'ai déjà vu des endroits sinistres, mais, là…

— Qu'est-ce que je peux faire pour toi, Walter ?

— Reconsidérer la décision que tu as prise à Washington.

— On t'a envoyé ici ? On t'a prié de ramener Carroll à la raison ?

Trentkamp pinça les lèvres. Il secoua la tête.

— Qu'est-ce que tu vas faire maintenant, de toute façon ?

— Du droit, mentit Carroll.

— T'es trop vieux, déjà. Le droit, c'est un boulot de jeunes.

Carroll soupira. Arrête, Walter. *Arrête tout de suite !*

Trentkamp fronçait toujours les sourcils.

— Personne ne connaît le terrorisme comme toi. Si tu pars, des vies seront perdues. Et *tu le sais*. Alors, qu'est-ce que ça peut bien foutre si ta fierté en a pris un petit coup aujourd'hui ?

Carroll s'assit pesamment derrière son bureau. À cet instant précis, il détestait Walter Trentkamp. Il détestait l'idée que quelqu'un pût lire en lui si aisément.

— T'es juste une saloperie de manipulateur et tu le sais.

— Tu crois que je suis arrivé là où je suis sans un minimum de compréhension des petits travers du genre humain ? fit Trentkamp. Tu es un flic. Tu me rappelles ton père un peu plus chaque jour. Lui aussi, c'était une putain de tête de mule.

Il tendit la main. Carroll hésita. Il vivait là un moment décisif. Il avait la possibilité de choisir – un choix s'offrait à lui, là, tout de suite.

Il haussa les épaules puis serra la main de Trentkamp.

— Content de te savoir de retour à bord, Archer.

À bord de quoi ? s'interrogea Carroll, qui précisa :

— Je tiens à ce que tu saches un truc : quand on aura réglé l'affaire Green Band, je donnerai ma démission.

— Entendu. Pas de problème. Contente-toi de me tenir au courant jusqu'à ce que cette affaire soit *effectivement* réglée.

— Je veux être libre, Walter.

— N'est-ce pas ce à quoi nous aspirons tous ? (Trentkamp lui décocha un sourire.) Putain, qu'est-ce que t'es mignon quand tu fais la tronche !

39

Au premier étage du même immeuble, Caitlin Dillon se tenait assise sur un tabouret en bois, dans une semi-pénombre. La plupart des lampes du plafond de la salle attribuée à la cellule de crise étaient éteintes. Elle écoutait l'apaisant ronronnement électronique émis par une demi-douzaine d'ordinateurs IBM et Hewlett-Packard.

C'était elle qui avait eu l'idée de rassembler et d'analyser toutes les informations parues dans la presse ainsi que les renseignements réunis par la police, qui affluaient à présent sur les consoles informatiques. Les nouvelles arrivaient par vagues soudaines et impérieuses, multitude de petites lettres vertes provenant à la fois des organismes financiers et des services de police du monde entier.

Les yeux irrités à force de fixer les écrans, elle réfléchissait à deux choses.

D'une part, l'éventualité concrète et effrayante d'un effondrement boursier complet à l'échelle mondiale.

D'autre part, le casse-tête complexe et désespérant qu'était sa vie privée.

De nombreuses années auparavant, le père de Caitlin, alors banquier d'affaires sagace et intègre du

Midwest, avait tenté de tenir tête à la coterie des sociétés de Wall Street. Il avait perdu un combat inégal et déloyal, et avait été précipité dans la faillite. Pendant des années, Caitlin l'avait écouté disserter amèrement sur l'injustice, la félonie et la stupidité inhérentes au système financier américain. Tout comme certains enfants grandissent avec l'ambition de devenir des avocats au service de grandes causes, Caitlin avait décidé qu'elle voulait contribuer à réformer le système financier.

Elle avait débarqué sur la côte Est telle une espèce d'ange vengeur. Le monde fermé des affaires, et tout particulièrement Wall Street, suscitait en elle à la fois de la fascination et de la répulsion. Son souhait le plus cher était que le système financier fonctionne dans la plus parfaite transparence, et elle faisait preuve d'une application farouche, presque obsessionnelle, dans l'exercice de ses fonctions à la tête des services d'inspection de la SEC.

C'était également cette part indépendante et non conventionnelle en elle qui la portait vers des excentricités modérées – comme, par exemple, se balader dans les rues de New York vêtue d'un jean italien moulant, d'un T-shirt trop grand et fripé, et chaussée de cuissardes en cuir lui montant presque jusqu'aux fesses.

Elle était capable de consacrer un dimanche après-midi à exécuter une recette italienne originale, mais il pouvait aussi s'écouler plusieurs longues semaines pendant lesquelles la simple idée de cuisiner lui répugnait et où elle se dérobait à toute tâche ménagère dans son appartement de l'East Side. Elle était fière de son salaire annuel à six chiffres, mais il lui arrivait souvent d'avoir envie de tout plaquer pour faire un enfant. Elle ressentait parfois une douleur physique à la pensée qu'elle ne serait peut-être jamais mère. Et elle était alors prise de panique, à l'idée que ces élans contraires pourraient ne jamais coexister sereinement.

Et particulièrement depuis ce baiser, pendant le vol entre Washington et New York.

Cela avait été rapide, et pourtant elle savait qu'elle souhaitait aller plus loin que ce premier baiser avec Carroll.

Mais à quoi penses-tu, franchement ?

Elle connaissait à peine Arch Carroll. Son baiser avait été celui d'un étranger. Elle ne savait même pas avec certitude si l'embrasser avait représenté quelque chose pour lui ou si cela avait été provoqué par les circonstances du moment – si cela n'avait pas été qu'une simple manière pour lui de relâcher la pression et de compenser sa déception.

Je ne connais absolument rien de lui, songea-t-elle.

Un bruit de pas traînants la fit se retourner. Elle découvrit Carroll sur le seuil de la salle informatique. Elle se sentit gênée, comme si elle le soupçonnait d'être à même de lire dans ses pensées.

Il avait le bras en écharpe – une écharpe toute propre et blanche – et il était pâle. Elle sourit. Elle avait déjà été informée du succès de la démarche personnelle de Walter Trentkamp auprès du policier et elle en était soulagée : l'expérience lui avait appris que les décisions prises sous le coup de l'émotion étaient presque toujours mauvaises. La fougue de Carroll faisait partie de son charme, mais Caitlin savait qu'elle risquait à tout moment de l'entraîner dans un sérieux pétrin.

— J'avais obtenu de Michel Chevron qu'il me parle du marché clandestin en Europe…, commença Carroll.

— Arrêtez de ressasser ça.

— Quelqu'un connaît tous nos faits et gestes. Bon sang, qui sait ce que Michel Chevron aurait pu me révéler ?

Carroll se balançait d'un pied sur l'autre. Caitlin pensa à un boxeur agité en train de s'échauffer.

— Comment va votre bras ? s'enquit-elle. Il vous fait souffrir ?

— Seulement quand je repense à Paris.

— Alors, n'y pensez plus.

Elle descendit de son tabouret haut. Elle avait envie de traverser la pièce et, d'une façon ou d'une autre, d'apaiser le malaise et l'embarras de Carroll. Au lieu de ça, elle lui fit un aveu :

— Je suis contente…

— Contente ?

Elle le dévisagea. Carroll avait quelque chose de vulnérable, qui faisait naître en elle un trouble et un attendrissement étranges, mais aussi des angoisses qu'elle ne parvenait pas vraiment à formuler. Il avait quelque chose d'un petit garçon perdu, peut-être était-ce cela.

— Contente que vous ne vous soyez pas fait tuer, ajouta-t-elle avant de lui sourire.

Un silence fébrile tomba sur la pièce.

Caitlin finit par se tourner vers l'un des écrans d'ordinateur et examina la profusion de lettres vertes qui défilaient. Le charme entre eux était de nouveau rompu.

— Un autre membre de l'ex-bande à Baader a été abattu à Munich, annonça-t-elle.

Levant les yeux de l'écran, elle regarda Carroll, s'interrogeant une fois de plus sur la signification du baiser qu'il lui avait donné dans l'avion.

Carroll se contenta de hocher la tête.

— Les Allemands de l'Ouest semblent avoir décidé de se servir de Green Band comme excuse pour régler leurs problèmes de terrorisme intérieurs... Le BND[1] est une organisation des plus pragmatiques. C'est sans doute la force de police la plus implacable d'Europe occidentale.

Caitlin se jucha de nouveau sur le tabouret haut. Elle posa ses mains croisées autour de ses genoux.

Un autre message se mit à émettre des bips sur l'ordinateur le plus proche. Caitlin pivota et le lut attentivement.

Ses pensées se figèrent subitement.

— Venez voir ça, Arch.

---

1. Abréviation de *Bundesnachrichtendienst*, les services secrets allemands.

40

Moscou. Le KGB a appréhendé Piotr Andronov.
Important membre de la pègre spécialisé dans le mar-
ché clandestin, Andronov est en possession de titres
américains vraisemblablement volés. Andronov lie les
titres volés à Green Band. Valeur : un million deux
cent cinquante mille dollars. Désignés sous le nom
« d'échantillons ».

Quelques instants plus tard, un autre message apparaissait sur l'écran de l'ordinateur. En provenance
de Genève.

Interpol. Informateur local fiable a signalé « inonda-
tion » du marché de Genève par des offres d'obligations
volées. Le vendeur cherche un « acheteur sérieux ». Le
montant : entre cinq et dix millions de dollars amé-
ricains. Source très sûre.

— On dirait que le moment de vérité est arrivé,
commenta Carroll, qui, les yeux braqués sur l'écran,
se mordillait la lèvre inférieure.
— Il se passe indubitablement quelque chose. Mais
pourquoi est-ce que tout arrive comme ça, en même
temps ?

Pendant l'heure et demie qui suivit – durant laquelle les différents écrans crachèrent un flot incessant de nouvelles informations –, une bonne dizaine de fonctionnaires de l'armée et de la police se pressèrent dans la salle de la cellule de crise pour lire les messages. À présent, les nouvelles affluaient simultanément du monde entier.

Paradoxalement, il régnait un sentiment général de soulagement : il se produisait enfin *quelque chose*.

Zurich. Rumeurs persistantes de la présence sur notre marché de valeurs américaines volées. En quantités très élevées. Nos sources font état d'un total à sept chiffres.

Londres, Scotland Yard. Découverte de titres américains au cours d'une perquisition de routine à Kensington. Numéros de série suivent. Le suspect est John Hall-Frazier, receleur connu du marché obligataire européen et relation de Michel Chevron.

Beyrouth. Arrestation d'Ahmed Jarrel. Jarrel a essayé de vendre des actions américaines à Beyrouth. Titres de très grande qualité. Également quelques chèques en blanc. Jarrel affirme que la quantité disponible atteindrait les cent millions de dollars !

Une demi-heure plus tard, à l'aide d'une calculatrice, Caitlin additionna les montants communiqués jusque-là. Le total lui coupa le souffle. Il atteignait effectivement les cent millions de dollars.

Des « échantillons »…

Elle imprima ensuite la liste des cinq cents plus grosses entreprises privées des États-Unis établie par le magazine *Fortune 500*, pour la comparer à celle des titres volés dont elle avait connaissance à cette heure.

Presque tous les vols concernaient les cent premières sociétés du pays, conférant un caractère insolite et prestigieux à son inventaire.

Source : *Fortune 500*

	Société	Capital actions ($)
1	Exxon (New York)	29 443 095 000
2	General Motors (Detroit)	20 766 600 000
3	Mobil (New York)	13 952 000 000
5	IBM (Armonk, NY)	23 219 000 000
6	Texaco (Harrison, NY)	14 726 000 000
8	Standard Oil of Illinois (Chicago)	12 440 000 000
9	Standard Oil of California (San Francisco)	14 106 000 000
10	General Electric (Fairfield, Connecticut)	11 270 000 000
15	U.S. Steel (Pittsburgh)	11 270 000 000
17	Sun (Radnor, Pennsylvanie)	5 355 000 000
20	ITT (New York)	6 106 084 000
26	AT & T Technologies (New York)	4 621 300 000
28	Dow Chemicals (Midland, Michigan)	5 047 000 000
34	Westinghouse Electric (Pittsburgh)	3 410 300 000
39	Amerada Hess (New York)	2 525 663 000
42	McDonnell-Douglas (Saint Louis)	2 067 900 000
43	Rockwell International (Pittsburgh)	2 367 300 000
45	Ashland Oil (Russell, Kentucky)	1 084 824 000
50	Lockheed (Burbank, Californie)	826 200 000
52	Monsanto (Saint Louis)	3 667 000 000
55	Anheuser-Busch (Saint Louis)	1 766 500 000
67	Gulf & Western Industries (New York)	1 893 924 000
69	Bethlehem Steel (Pennsylvanie)	1 313 100 000

77	Texas Instruments (Dallas)	1 202 700 000
84	Digital Equipment (Maynard, Mass.)	3 541 282 000
89	Diamond Shamrock (Dallas)	2 743 327 000
92	Deere (Molline, Illinois)	2 275 967 000
97	North American Philips (New York)	883 874 000

À neuf heures et quart, la salle de la cellule de crise grouillait de fonctionnaires de la Maison Blanche et du Pentagone qui, semblables à des joueurs attendant les résultats de leurs paris, scrutaient les écrans. Le secrétaire d'État aux Finances et le vice-président étaient tous deux présents. Phil Berger, le directeur de la CIA, était venu de Washington dans un hélicoptère de l'armée de l'air affrété spécialement.

À onze heures, les rapports urgents continuaient d'arriver en crépitant sur les terminaux. Le Président avait été tenu informé de la situation et une autre réunion du Conseil de sécurité nationale avait déjà été mise sur pied pour plus tard dans la soirée.

Cette fois-ci, néanmoins, ni Arch Carroll ni Caitlin Dillon ne furent invités à se rendre à la capitale fédérale.

Caitlin, fâchée, s'en plaignit à Carroll :

— Mais qu'est-ce j'ai fait, *moi* ?

— Vous ne fréquentez pas les bonnes personnes, répondit-il. Vous êtes reléguée dans le wagon de queue.

— Avec vous ? s'étonna-t-elle.

— Ouais. Avec moi.

41

À quatre heures et demie ce matin-là, trois paires de phares trouèrent un mur de brouillard opaque et gris. Puis les feux de route s'immobilisèrent brusquement, projetant des cercles lumineux sur un portail électrifié de trois mètres cinquante de haut, ruisselant de neige et de glace.

L'oppressante barrière était destinée à protéger l'équivalent russe de Camp David, un pavillon de chasse considérablement fortifié appelé Zavidavo.

— *Prajol !*

Deux miliciens de la Division de sécurité intérieure, auxquels incombait la tâche de vérifier l'identité de tous les visiteurs, sortirent d'une démarche chaloupée dans le froid mordant. Ils étaient emmitouflés dans d'épais manteaux et armés de mitrailleuses.

Quelques secondes plus tard, une Cheka et deux limousines à embrayage non automatique recevaient l'autorisation d'emprunter les allées verglacées menant au pavillon de chasse.

À bord des automobiles aux stores intérieurs baissés se trouvaient six des décideurs les plus influents d'Union soviétique. Les deux gardes retournèrent alors précipitamment dans leur guérite et téléphonèrent afin d'obtenir d'urgence des renforts de sécurité pour la maison de campagne officielle des membres du gouvernement.

Dans la plus grande datcha, le général de division Radomir Raskov, du GRU, était dans un état d'excitation extrême. Raskov avait donné l'ordre qu'un petit-déjeuner solide mais raffiné fût servi dans le solarium, réchauffé par le feu qui flambait dans la cheminée.

Juste après le petit-déjeuner, le général Raskov lâcherait sa petite bombe sur les six dirigeants en visite.

Peu après cinq heures, le comité de direction du Politburo s'attabla devant de copieuses assiettes fumantes d'œufs de canard, de saucisses et de poisson tout juste pêché.

La petite assemblée de convives comprenait Iori Ilitch Belov, le Premier ministre russe ; un général de l'armée Rouge, un Cosaque du nom de Iouri Sergueïevitch Iranov ; le premier secrétaire du Parti communiste ; le général Vassili Kaline ; le directeur du KGB, ainsi que celui du GRU.

Fourchettes et couteaux tintaient et le général Radomir Raskov animait une conversation informelle. Son sourire, qui tenait d'ordinaire du rictus crispé, était étonnamment chaleureux.

— Indépendamment du sujet principal de notre réunion, j'ai le plaisir de vous informer du retour des faisans sur la crête nord.

Le Premier ministre, Iori Belov, battit de ses énormes mains. Affublé d'épaisses lunettes à double foyer, c'était un homme compassé et cérémonieux. Arquant ses sourcils noirs et broussailleux, il sourit pour la première fois depuis son arrivée. Le Premier ministre nourrissait une passion dévorante pour la chasse et la pêche.

Le général Raskov poursuivit, sur un ton plus sérieux :

— Comme vous le savez tous, le 6 décembre j'ai discuté avec notre ami François Monserrat de la situation économique critique et désormais potentiellement incontrôlable aux États-Unis. Ce jour-là, il m'a rapporté avoir été contacté par des individus revendiquant l'attentat de Wall Street... Ces deux derniers jours, des agents de Monserrat ont rencontré des prétendus représentants de cette faction Green Band. À Londres...

Le Premier ministre, se tournant brusquement vers Iouri Demurine, le directeur du KGB, coupa court à cet exposé :

— Camarade directeur, *vos* services ont-ils réussi à recueillir de plus amples informations sur ce groupe d'agents provocateurs ? Comment, entre autres, sont-ils parvenus à entrer en contact avec Monserrat ?

— Nous travaillons en collaboration étroite avec le général Raskov, bien sûr, mentit le général Demurine d'une voix doucereuse. Malheureusement, à ce stade, nous ne sommes pas encore à même de vous soumettre quoi que ce soit de définitif.

Le général Raskov appela un serviteur en claquant sèchement des mains.

Demurine était son seul rival dans le petit monde de la police russe. Demurine était également une ordure de première, un petit bureaucrate, sans la moindre qualité pour racheter ses innombrables défauts. Chaque fois qu'il assistait à une réunion en présence du directeur du KGB, Raskov éprouvait le plus grand mal à se contenir.

Une domestique blonde apparut, s'approchant d'un pas hésitant, l'air tendue. Margarita Kupchuck travaillait à Zavidavo depuis le début des années 1970. Son tempérament réservé avait fait d'elle la chouchoute des hauts fonctionnaires.

— Nous reprendrions volontiers du café ou du thé, ma petite Margarita, fit Raskov. Soyez gentille de nous servir aussi quelques fruits frais ou au sirop. L'un de vous préférerait-il quelque chose de plus fort ?

Un nouveau sourire fendit le visage du Premier ministre, Iori Belov, qui avait posé un paquet de cigarettes autrichiennes devant lui.

— Oui, Margarita, apportez-nous une bonne bouteille, je vous prie. Un tord-boyaux géorgien fera parfaitement l'affaire.

Belov s'esclaffa et son double menton trembla, donnant l'impression à tous que son visage allait s'enfoncer dans les plis de son cou avant de disparaître à l'intérieur de son corps.

Le général Raskov sourit. Il était toujours courtois de sourire, en tout cas lorsque le Premier ministre s'autorisait à rire.

— Nous croyons aujourd'hui connaître le mobile de l'attentat de New York, annonça-t-il alors, lâchant enfin sa bombe sur la petite assemblée.

Raskov parcourut du regard la tablée soudain silencieuse du petit-déjeuner. Les six autres hommes s'étaient arrêtés qui d'allumer sa cigarette, qui de boire son café russe.

— Cette organisation, Green Band, nous a fait une offre inimaginable, reprit-il. Par le biais de la cellule de François Monserrat, en fait. Cette proposition date d'hier soir… C'est pour cela que je vous ai tous convoqués si tôt ce matin… (Le général Raskov laissa

passer quelques secondes avant de poursuivre :)
Camarades, Green Band nous réclame la somme de
cent vingt millions de dollars en lingots d'or. Ils exi-
gent ce montant en échange des obligations et des
titres volés au cours de l'attentat de Wall Street, le
4 décembre. Ces actions auraient apparemment été
subtilisées pendant l'évacuation du quartier, qui a
duré sept heures… Camarades, la valeur nette des
marchandises volées qui nous sont soumises est supérieure à… deux milliards de dollars !

Les représentants de l'élite gouvernant l'Union soviétique gardèrent le silence ; les chiffres exorbitants
qu'ils venaient d'entendre leur donnaient le vertige.

Aucun d'entre eux n'aurait pu être préparé à une
telle nouvelle.

— Ils affirment avoir d'autres acheteurs potentiels.
Le total suffirait à paralyser le système économique
occidental, ajouta Raskov. Ce qui pourrait entraîner
une panique cataclysmique sur le marché financier
américain.

À moins de quinze kilomètres de Zavidavo, un
camion de livraison de farine dérapa sur la chaussée,
mais son conducteur reprit aussitôt le contrôle de son
véhicule. Il descendait à vive allure une petite route
de campagne en pente raide qui ressemblait à un
toboggan verglacé.

Le camion s'arrêta laborieusement devant une chaumière du village de Staritsa. Le chauffeur en sortit
d'un bond et se mit à courir dans la neige fraîche qui
lui montait jusqu'aux genoux et crissait sous ses pas.

La porte de la chaumière s'ouvrit, la manche d'un
peignoir gris terne jaillit et une main de femme se
saisit de l'enveloppe qu'il lui tendait.

Le chauffeur revint alors sur ses pas, remonta dans le camion et repartit précipitamment.

Du village de Staritsa, le contenu de l'enveloppe fut transmis par code téléphonique à une jeune femme employée au grand magasin d'État, à Moscou.

Celle-ci utilisa un autre téléphone et un autre code compliqué pour passer un appel transatlantique urgent aux États-Unis, plus précisément dans la ville de Langley, en Virginie.

Le message d'origine avait été envoyé par Margarita Kupchuck, la gouvernante blonde de Zavidavo. Margarita, l'un des meilleurs agents de la CIA, opérait sur le sol russe depuis onze ans.

Le message fournit à l'équipe américaine leur première piste véritable dans l'enquête sur Green Band.

Il tenait en peu de mots. Seize, exactement : *Hôtel Ritz, Londres, jeudi matin. Deux milliards de dollars. Titres volés doivent être échangés… Green Band.*

42

Il se trouvait dans une pièce inconnue dont les murs touchaient le plafond en formant des angles impossibles, que seule la géométrie des songes peut élaborer. Il voyait une porte à moitié ouverte et une lumière pâle, couleur de perle, qui projetait un faisceau blafard.

Une ombre apparut dans la lumière nacrée et se tint juste derrière l'entrebâillement de la porte. Il savait, sans même avoir besoin de regarder, qu'il s'agissait de Nora.

Il avait envie d'avancer, de sortir de la pièce ; il avait envie de voir Nora, de la prendre dans ses bras, mais quelque chose le retenait, quelque chose le maintenait cloué sur place.

Il hurla son prénom.

Une sonnerie retentit.

Désorienté, en nage, Carroll s'assit droit dans son lit.

Il se frotta les yeux et passa les jambes par-dessus les couvertures en tapon.

La sonnerie était réelle. Quelqu'un sonnait à la porte de chez lui et ce son s'était immiscé dans son rêve.

Il sortit d'un pas traînant de la chambre de cet appartement de Manhattan où il avait jadis vécu avec Nora. Il se rendit jusqu'à la porte d'entrée et regarda à travers le judas.

Là où la veille au soir il y avait eu un couloir, il ne voyait plus qu'obscurité tourbillonnante.

Des années auparavant, il avait dégoté dans le West Side ce grand logement mal conçu et doté de trois chambres avec vue sur le fleuve. Le loyer de l'appartement était toujours plafonné à quatre cent soixante-dix-neuf dollars par mois, un prix d'un autre temps. Après la disparition de Nora, Carroll avait décidé de le conserver pour y passer la nuit quand il travaillait tard le soir.

— Qui est-ce ? Qui est là ?

La personne qui se trouvait derrière la porte ne souhaitait manifestement pas répondre.

Carroll déverrouilla la porte, mais laissa la lourde chaîne attachée. Il entrouvrit le battant d'une dizaine de centimètres.

Caitlin Dillon le regardait par l'ouverture de la porte. Elle semblait terrorisée. Elle avait les yeux creusés et soulignés par de grands cernes noirs.

43

— Je n'arrivais pas à dormir…

— Quelle heure est-il ?

— Je suis désolée, il n'est pas encore cinq heures. Moins vingt, en fait. Vous m'en voulez ?

— Du matin ?

— Oh, bon sang ! Je vais vous laisser…

Elle tourna subitement les talons.

— Attendez. Attendez. Hé ! *Arrêtez-vous !*

Elle pivota à moitié. Ses cheveux étaient tout ébouriffés et elle avait les joues rouges, comme si elle venait de faire une promenade à cheval dans Central Park.

— Entrez… Je vous en prie, entrez, on va discuter. S'il vous plaît.

Une fois dans l'appartement avec elle, Carroll débarrassa en toute hâte la table de la cuisine et prépara du café. Caitlin s'assit, tordant nerveusement ses longues mains. Elle ouvrit un paquet de cigarettes et en alluma une. Lorsqu'elle parla, sa voix était rauque, légèrement différente de son timbre habituel.

— J'ai passé des heures à fumer, ce qui ne me ressemble pas. Je n'arrivais pas à dormir. Je n'arrêtais pas de faire les cent pas dans mon appartement.

Toutes ces informations sur les actions volées me trottaient dans le crâne…

Carroll secoua la tête pour chasser de son esprit les dernières traces de son cauchemar et revenir dans le présent.

— Green Band bouge, fit Carroll. Sauf que nous ne pouvons pas présager de la direction qu'ils prennent.

— C'est l'une des choses qui me tracassent, admit Caitlin. Et puis je voudrais bien savoir combien ils ont volé et quelle est l'étendue des dégâts. Mes derniers calculs atteignent un montant qui avoisine les deux cents millions, mais Dieu seul sait à combien s'élève la totalité des titres qui ont véritablement disparu. (Elle poussa un soupir et écrasa son mégot d'un geste impatient.) D'autre part, je suis encore très contrariée de ne pas avoir été conviée à cette réunion à la Maison-Blanche. Ils pensent sincèrement que je n'ai rien à apporter dans cette enquête ?

Carroll ne l'avait jamais vue dans cet état. Il avait l'impression de la surprendre sous plusieurs jours différents : elle était fâchée, elle était inquiète et elle semblait également perdue. Soudain, Caitlin Dillon n'était plus si intouchable que cela.

Vers cinq heures et demie, ils firent cuire des viennoiseries surgelées – les seules denrées à peu près comestibles que Carroll avait dans sa cuisine.

— Quand j'avais douze, treize ans, j'ai gagné un concours de pâtisserie dans une foire dans l'Ohio, révéla Caitlin en sortant les petits pains du four.

Ils s'installèrent dans un recoin vitré qui donnait sur le fleuve et la ligne de falaises du New Jersey. Un mur entier de la pièce était couvert de photographies trente-cinq millimètres des enfants. Il y avait un seul cliché, aux couleurs passées, de Carroll, en costume de sergent pendant la guerre du Viêtnam. Cela faisait seulement quelques semaines qu'il avait décroché les dernières photos de Nora.

— Hum, délicieux, fit-il en léchant des miettes collées sur son index et son majeur.

Caitlin leva les yeux au ciel.

— Le contenu de vos placards de cuisine ne m'impressionne guère, Arch. Quatre bouteilles de bière et un pot de beurre de cacahuètes à moitié vide. Vous n'êtes pas au courant? Le New-Yorkais d'aujourd'hui est un fin cuisinier.

Carroll songea que les amis de sexe masculin de Caitlin étaient peut-être des cordons-bleus mais que le plat le plus compliqué que les « New-Yorkais d'aujourd'hui » de son entourage à lui savaient préparer était une soupe de tomates.

— Qu'y puis-je? Au fond, je suis un ascète. D'ailleurs, le beurre de cacahuètes qui se trouve dans mon placard est allégé.

Une expression différente passa fugitivement sur le visage de Caitlin. Un sourire? Carroll n'était pas certain de savoir l'interpréter. Se moquait-elle de lui, à présent?

Puis le visage de la jeune femme s'éclaira d'un sourire rassurant, chaleureux et complice.

— Je pense qu'il va nous falloir au moins une heure, déclara-t-elle d'un air mystérieux. Sans interruption. Isolement total, téléphone décroché et tout à l'avenant. Vous n'aviez rien prévu d'important dans la matinée, j'espère?

— Dormir, c'est tout...

— Quel ennui! C'est peut-être vrai, que vous êtes un ascète, après tout...

Carroll haussa ses larges épaules ; ses yeux brûlaient de curiosité.

— Je suis quelqu'un d'ennuyeux, en réalité. Papa, parfois *maman* de quatre enfants ; un boulot sérieux dans la fonction publique ; quelques rares contacts avec des terroristes…

Caitlin et lui désertèrent le recoin vitré dans un silence à couper au couteau. Ils s'éclaircirent la gorge presque en même temps.

La jeune femme tendit le bras vers lui et ils se tinrent délicatement, presque imperceptiblement, par la main.

Carroll prit soudain intensément conscience du parfum de Caitlin, du bruissement de son jean quand elle marchait, de son profil…

— C'est l'un des appartements les plus impressionnants que j'aie jamais vus, ici, à New York. Je ne m'attendais vraiment pas à cela. À ce côté cosy, à ce charme…

— Vous vous attendiez à quoi ? À trouver des fusils de chasse décorant les murs ?… En fait, je couds. Je tricote, aussi. Je fais des transferts au fer à repasser pour mes quatre petits enfants…

Caitlin ne put s'empêcher de lui sourire à nouveau.

Une certaine ironie mais aussi une chaleur bienveillante se lisaient dans ses yeux. Il eut le sentiment qu'une barrière venait de tomber entre eux, qu'un lien un peu plus fort venait de se créer. Il n'était cependant pas sûr d'en connaître la nature.

Ils commencèrent à s'embrasser et à se caresser du bout des doigts dans le couloir étroit. Leurs premiers baisers étaient doux. Puis ils se firent plus fougueux et, de la part de Caitlin, empreints d'une certaine fièvre.

Ils s'embrassèrent jusqu'à la chambre de devant, inondée de lumière matinale. D'immenses fenêtres sans rideaux donnaient sur l'Hudson, qui, ce matin-là, ressemblait à un lac gris ardoise étal.

— Caitlin ?… Est-ce que c'est bien raisonnable ?…

— C'est tout à fait raisonnable. Ce n'est pas la fin du monde, tu sais. C'est juste un matin. Je te promets de ne pas me faire de mal. Si tu me le promets aussi.

Elle posa un doigt sur la bouche de Carroll. Pour adoucir l'impact de ses dernières paroles.

— J'ai une petite faveur à te demander. Ne pense plus à rien pendant une dizaine de minutes. Et pas de blagues sur l'Ohio non plus. Tu veux bien ?

Carroll acquiesça d'un signe de tête. Elle était fine, à ce jeu-là aussi. D'une finesse un peu effrayante. On la sentait aguerrie… *Je ne me ferai pas de mal ; garde-toi de t'en faire.*

— D'accord, consentit-il. C'est toi qui fais les règles.

Ils restèrent quelques instants enlacés, assis sur le grand lit bas recouvert d'un édredon. Puis, très lentement, ils entreprirent de se déshabiller. Un courant d'air glacial s'infiltra dans la chambre par les battants entrouverts de la fenêtre ; l'air froid semblait souffler directement à travers les hautes vitres.

Carroll se sentait totalement transporté, physiquement et spirituellement. Et angoissé. *Cela faisait trois ans qu'il n'était pas sorti avec une femme. Cela faisait si longtemps qu'il n'avait pas vécu cela.* Il éprouvait une légère culpabilité, comparant mécaniquement et involontairement Caitlin à Nora.

Les mains de Caitlin étaient extraordinairement expertes et douces. Il sentit que tout en lui commençait à se détendre.

Le contact des doigts de la jeune femme sur le haut de son dos lui évoquait d'élégantes plumes. L'effleurant. Lui époussetant la nuque. Effectuant des cercles lents. Sur ses tempes. Jouant doucement avec ses mèches brunes.

Il se rappela qu'il était chatouilleux sur les flancs. Il l'était depuis son enfance.

Encore ce toucher duveteux. Les doigts de Caitlin remontant et descendant l'intérieur des jambes de Carroll...

Puis les talons, la plante des pieds, les orteils...

Puis tout s'accéléra, légèrement au début.

Son corps fut subitement pris de spasmes. *Nom de Dieu !*

Caitlin lui faisait des choses insoupçonnées.

Elle souffla doucement sur l'intérieur de ses mains avant de poser ses doigts chauds sur les paupières de Carroll puis sur ses oreilles.

Elle lui dit, d'une voix presque aussi caressante et sensuelle que ses mains :

— Ça s'appelle un massage frisson. Crois-le ou non, c'était très en vogue dans ma petite fac d'Oberlin.

— Ah bon ? Tu fais ça bien, en tout cas.

— Ah... Tu me fais rougir... Ma folle jeunesse dans des champs de maïs depuis longtemps oubliés du Midwest...

Il commençait à bien l'aimer.

Peut-être même à beaucoup l'aimer.

Il ignorait s'il devait se l'autoriser, si c'était véritablement raisonnable.

Elle lui effleura de nouveau les jambes... de nouveau le dos... la nuque, le scrotum.

Carroll se liquéfiait, littéralement.

Elle approcha alors son visage tout près du sien.

— Souris pour la photo, Arch, chuchota-t-elle. Mon cœur est pur, mais j'ai parfois l'esprit très mal placé.

Tout en caressant Carroll, en l'effleurant, en le titillant, Caitlin avait, à un moment ou un autre, ôté son jean et son chemisier. Elle portait encore une culotte rose et des chaussettes en laine qui lui arrivaient aux genoux. Ses seins étaient dotés des plus ravissants mamelons qui soient. Pour l'heure pointés, gonflés par l'excitation.

Elle en frotta un, puis l'autre, sur le bout du pénis de Carroll.

Celui-ci se rappela soudain ce qu'elle lui avait déclaré, un peu plus tôt, dans le recoin vitré. Cela le fit sourire, il faillit rire aux éclats. *Il va nous falloir au moins une heure.*

Le temps était à présent suspendu ; les impératifs de l'enquête sur Green Band n'existaient plus. Carroll songea qu'il avait confiance en Caitlin Dillon et c'était une pensée confortable et merveilleuse… Comment était-ce possible, après si peu de temps ?

— Parle-moi de toi. Ce qui te vient en premier. Sans rien censurer, d'accord, Carroll ?

Porté par le rythme continu de ses doigts, le léger gazouillis des ressorts du lit, les rayons dansants du soleil matinal, Carroll dit la vérité, sa vérité :

— L'histoire de ma vie, alors. Elle tient en trente secondes environ… Quand j'étais gamin, j'ai longtemps voulu jouer dans l'équipe des Yankees, voire peut-être, *peut-être*, dans celle des Giants. Fils de flic. D'un flic honnête et pauvre. Famille catholique irlandaise du West Bronx. Voilà mon enfance. Notre Dame… Études de droit à l'université du Michigan. Puis enrôlé. Quatre gosses absolument géniaux. Un mariage plutôt parfait jusqu'à la disparition de Nora.

Expression de la bourgeoisie signifiant : elle est morte. Je suis très différent quand je suis avec mes enfants. Infantile et libre. Limite arriéré mental… Hum !… Hou… Ça, c'est très agréable. Oui, juste là. Spécialité de l'Ohio, c'est ça ?

— Tu te disperses, là. Tu étais en train de me raconter l'histoire de ta vie. La version condensée pour le *Reader's Digest*.

— Ah, ouais… J'ai un problème récurrent. Un *gros* problème… avec *eux*.

— Qui ça, eux ?

Arch Carroll éprouva soudain un pincement aigu. *Pas maintenant*. Il refoula la tension.

— Juste *eux*… Ceux qui prennent toutes les décisions capitales… Ceux qui volent les gens sans le moindre scrupule. À Wall Street, à Washington. Ceux qui échangent des terroristes assassins contre d'innocents hommes d'affaires kidnappés. Les méchants. Par opposition à… *nous*.

Caitlin embrassa tendrement les boucles brunes de Carroll ; elle embrassa son oreille en chou-fleur. Elle finit par arriver à sa bouche, au goût agréable, pensa-t-elle. Un goût frais et sucré.

— Je ne *les* aime pas non plus. Je pense comme toi. Je crois que je *nous* aime bien. Aime-moi un peu, s'il te plaît.

— Je peux essayer, c'est tout, Caitlin. Tu es belle. Tu es spirituelle. Tu as l'air incroyablement sympa. Je vais *essayer* de bien t'aimer.

— Maintenant, à moi. À ton tour…, murmura-t-elle.

— Qu'est-ce que tu es exigeante !

— Très doucement, Arch… On ne t'a jamais appelé Archie ?

— Ceux qui ont essayé n'ont jamais recommencé.

— Oh le vilain gros dur, roucoula-t-elle.

— Grrrr ! Je suis un flic.

Carroll se souleva lentement, en appui sur les mains puis sur les genoux. Il avait une très forte érection, presque douloureuse.

Dès qu'il posa la main sur elle, Caitlin rentra le ventre. Puis elle se détendit progressivement. Elle contracta ses muscles abdominaux, puis elle les relâcha.

Elle contrôlait sa respiration, retenant son souffle pendant plusieurs secondes. Son pouls était lent, c'était celui d'un coureur...

Elle ferma les yeux. Ses yeux si rieurs. La vie était douce, en sa compagnie.

Le pouls de Carroll battait à tout rompre. Il ne s'était jamais retenu de jouir aussi longtemps de toute sa vie ; il n'avait jamais été excité de la sorte. La tête se mit à lui tourner.

— Attends, s'il te plaît. D'accord ? lui demanda Caitlin à voix basse.

Elle était agitée de légers spasmes.

— J'essaye...

— Attends... un peu... Arch ?

Le cerveau de Carroll était en ébullition, son corps une boule de nerfs à vif – il flottait, flottait, flottait. Il pénétra – enfin – Caitlin.

Elle baissa lentement, très lentement, les paupières.

Sa bouche s'ouvrit. De plus en plus grand.

Elle avait un visage si adorable pendant l'amour. Elle donnait l'impression de sourire continuellement...

Elle ouvrit brusquement les yeux, le regarda, et il se sentit incroyablement bien. Désiré à nouveau. Indispensable à quelqu'un.

— Salut, Arch. Bienvenue à bord !

— Salut, toi-même ! Charmé de cet accueil chaleureux.

Le rythme de leurs mouvements s'accéléra. La chevelure brune de Caitlin dansait d'avant en arrière. Ses boucles s'étalaient sur l'oreiller, le frôlaient, roulaient majestueusement sur son visage, cachaient les yeux de Caitlin.

Carroll se cambra de façon si spectaculaire qu'il manqua de se renverser en arrière.

Il frémit, vibra et hurla son prénom si fort qu'il en fut gêné :

— *Caitlin !*

Il éprouvait une succession de sensations totalement nouvelles...

Il répéta son nom :

— Caitlin.

44

Thomas X. O'Neil, inspecteur en chef de la douane américaine de l'aéroport de Shannon en Irlande, marchait pesamment, le poids de son corps reposant principalement sur ses talons. À chacun de ses pas, ses orteils s'écartaient dans ses bottes, comme s'il portait des chaussons trop grands. De profil, son imposante bedaine saillait monstrueusement, ainsi que son habituel cigare, un barreau de chaise cubain. L'inspecteur O'Neil ressemblait à une caricature peu flatteuse de Churchill, ce dont il se moquait éperdument. Il n'en avait rien à faire, de l'opinion des gens.

À midi, O'Neil traversa d'un pas nonchalant le tarmac gris et verglacé du petit aéroport en direction du bâtiment 3.

Tout en cheminant, il sentit une odeur de tourbe fraîche flotter dans l'air. Y a rien de tel que ce fumet béni, songea-t-il.

Levant les yeux au même moment, il vit, émergeant majestueusement du brouillard, un 727 en provenance des États-Unis. Il avait lui-même effectué le trajet au départ de New York, sept ans plus tôt. Mais il n'avait jamais, au grand jamais, envisagé de retourner dans ce trou de balle de rat syphilitique. Il s'était même efforcé de corriger son accent et ses intonations afin de parler comme un Irlandais. Le résultat sonnait plutôt ridicule, et on avait nettement l'impression d'entendre un comédien cabotin d'une troupe de troisième zone jouant du George Bernard Shaw.

Le bâtiment 3 abritait des centaines de caisses de formats différents identifiées par des logos de sociétés.

Écritoire à pince et feutre rouge à la main, un inspecteur rouquin des douanes irlandaises se tenait à côté d'un bureau, en plein milieu de l'entrepôt encombré de marchandises.

— Tout y est, là, Liam ? demanda O'Neil à l'inspecteur. C'est la cargaison du vol Pan Am 31 de ce matin ?

— Oui, monsieur. Ces caisses-ci, elles viennent du Secours catholique de New York. C'est des vêtements et d'autres trucs du même genre, à expédier là-haut dans le Nord. Ils nous refilent tous leurs vieux Calvin Klein, leurs jeans Jordache. Je suis sûr que ces abrutis de l'IRA provisoire vont être du dernier chic là-dedans…

L'inspecteur en chef O'Neil afficha un grand sourire. Lorsqu'il parcourait le dépôt de marchandises, il entraînait dans son sillage de pompeux nuages de fumée. Décidé à en avoir pour son argent, il ne se contentait pas de tirer sur ses cigares cubains. Il les mâchait, également.

Thomas O'Neil était né et avait grandi dans le quartier de Yorkville, à New York. Il avait travaillé comme inspecteur des douanes à l'aéroport Kennedy pendant près de neuf ans avant d'être fortuitement transféré à Shannon et promu responsable du service américain.

Avant cela, O'Neil s'était illustré au Viêtnam comme adjudant affecté à l'approvisionnement. À l'époque, il ressemblait davantage au général Patton jeune qu'à Churchill.

Accessoirement, O'Neil était Vétéran 28.

— Épatant ! Ça m'a l'air parfait, tout ça, fiston. Que les gars chargent tout ça pour l'expédier dans le Nord. Des vêtements neufs et chic pour les femmes et les enfants. Voilà une très bonne cause !

L'inspecteur en chef O'Neil s'esclaffa, pour une raison connue de lui seul. Il se sentait d'humeur joyeuse, cet après-midi-là.

Et pourquoi en aurait-il été autrement ? Ne venait-il pas de réussir à introduire en Europe occidentale des titres et des valeurs récemment volés pour une valeur d'un milliard quatre cents millions de dollars ?

45

Quatre heures du matin.

Pourquoi est-ce que, d'un seul coup, il est si souvent quatre heures du matin dans ma vie ? s'interrogea Carroll.

Pendant quelques secondes embrouillées, il fut désorienté : il se sentit comme un homme arraché à sa routine et propulsé dans l'espace, là où les fuseaux horaires se diluent et où les pendules n'ont plus la moindre valeur.

Je suis à Londres, se rappela-t-il.

Mais cela n'avait aucune importance, car la vie à quatre heures du matin était généralement la même partout. C'était une heure dure et blême, une heure où les villes dorment et où seuls les flics et les criminels arpentent les rues, suivant un curieux horaire qui leur est propre depuis la nuit des temps.

Carroll se massa doucement les tempes, chaudes et palpitantes, du bout des doigts. Il se leva et alla jeter un coup d'œil à Caitlin, étendue sur le lit, dans leur chambre du Ritz.

Elle dormait d'un sommeil agité depuis plusieurs heures. Elle déglutit et ses lèvres pâles s'entrouvrirent légèrement. Le petit creux à la base de sa gorge lui donnait un air adorable et vulnérable. Ses jambes étaient soigneusement repliées sous elle.

Cela faisait maintenant vingt heures d'affilée qu'ils étaient en état d'alerte. Ils constituaient l'une des équipes dépêchées de toute urgence à Londres à la suite de l'avertissement transmis de Russie par Margarita Kupchuck.

L'atmosphère, tendue et chaotique, n'était pas sans rappeler celle précédant l'heure butoir de l'attentat de Wall Street, le 4 décembre. Et pour cause.

Rien ne s'était passé comme prévu.

Pas le moindre Russe avec cent vingt millions de dollars.

Pas le moindre membre de Green Band avec une cargaison colossale de valeurs et d'actions volées.

— Mais comment ont-ils réussi à entrer en contact avec François Monserrat, bon sang ? Personne ne sait qui est Monserrat. Il n'a pour ainsi dire pas de visage. Ce foutu type est une énigme pour tous les services de renseignements du monde !

Un inspecteur chef du MI6, les services secrets britanniques, était assis dans un fauteuil club en cuir en face de Carroll dans la suite du Ritz. Homme grand et blond, au crâne dégarni, Patrick Frazier arborait une très fine moustache et portait des vêtements froissés. Il s'exprimait d'une voix traînante et distinguée, articulant délibérément chacun de ses mots. Frazier était l'un des spécialistes anglais du terrorisme urbain.

Carroll l'écoutait, grimaçant intérieurement.

Trop de café, trop de stress accumulé ; pas suffisamment de sommeil.

Son bras lui faisait toujours un mal de chien, bien qu'il eût remplacé l'écharpe par un gros bandage.

Plusieurs heures plus tard, le téléphone de la chambre sonna. Frazier décrocha le combiné d'un geste brusque et impatient.

— Ah ! Harris. Comment ça va, vieux ? Ouais, on tient le coup. Je crois que oui... C'est pour vous, Carroll. Scotland Yard.

Carroll prit la communication ; à l'autre bout du fil, Perry Harris parlait d'une voix tonitruante. Harris appartenait à la Brigade de répression du banditisme. Carroll avait déjà travaillé à deux reprises avec lui en Europe et il éprouvait pour lui un profond respect.

— Écoutez un peu ce que nous venons de découvrir. Je parie que vous n'allez pas en croire vos oreilles, lui déclara Harris. La situation a pris une tournure surprenante et imprévue. L'IRA... L'IRA vient de nous contacter... Ils veulent *vous* rencontrer à Belfast. Ils vous veulent *vous*, expressément. Ils sont également de la partie, maintenant.

— Comment ça ? En quoi les membres de l'IRA sont-ils impliqués dans cette affaire ?

Carroll sentit soudain le sang battre dans ses tempes. Green Band chargeait subitement et s'éclipsait tout aussi promptement. Ils attaquaient, puis ils se volatilisaient de nouveau. Au moment même où vous baissiez la garde, *pan !* pile entre les deux yeux.

Allez donc faire un tour en Floride, monsieur Carroll...

Allez donc rendre visite à Michel Chevron...

Et maintenant, les membres de l'IRA provisoire !

— Ils sont entrés en possession de titres américains. À en croire ces types, il y en aurait pour plus d'un milliard de dollars en obligations... Ils nous ont communiqué la liste des noms et des numéros de série afin que nous les fassions vérifier à New York. Ça correspond.

— Attendez une minute. (Carroll se tenait droit comme un piquet dans son fauteuil.) *L'IRA a racheté les valeurs volées ?*

— Il semblerait. Ils détiennent incontestablement des valeurs volées.

— Mais comment ?

— Qui sait ? Ils en disent le moins possible, évidemment.

— Les fils de putes ! Très bien, d'accord. Nous vous contacterons dès que nous nous serons organisés. On vous rappelle, Perry.

Carroll raccrocha violemment le combiné. Il promena un regard furieux sur la pièce, sur Frazier et Caitlin, qui venait de les rejoindre.

— J'ignore de quelle façon mais l'IRA est maintenant impliquée dans cette histoire… Il semblerait qu'ils veuillent négocier pour nous revendre des actions. Ils en possèdent pour plus d'un milliard de dollars. Ils savent que nous nous trouvons à Londres. Comment peuvent-ils le savoir ?

Comment pouvaient-ils tout savoir à l'avance ?

46

Le dénommé François Monserrat, vêtu d'un anorak en nylon noir et d'un béret sombre, boitant de façon prononcée, descendait Portobello Road, une rue de l'Ouest londonien.

Il traversa le marché en plein air, s'arrêtant de temps à autre devant un stand pour examiner un objet d'art ou un meuble ancien. Il y avait quelques pièces remarquables à acquérir. Et des contrefaçons tout aussi flagrantes.

Il fit tourner dans sa paume un petit lynx en jade, enroula ses doigts autour et serra vigoureusement... Monserrat n'était pas homme à laisser libre cours à ses émotions. En réalité, il les affrontait avec circonspection, les abordant par circonvolutions, comme s'il s'agissait de charges de plastic.

Comme à présent.

Monserrat était en proie à un sentiment de colère froide. Si le lynx en jade avait été fait de fourrure et d'os, il serait mort étouffé dans sa main. Monserrat éprouvait de la colère car il n'aimait pas les petits jeux – surtout lorsqu'il fallait se plier aux règles de l'adversaire.

Green Band, par exemple, était devenu une menace.

Ils créaient leurs propres règles, leur propre jeu.

Ils annonçaient une chose.

Ils en faisaient une autre.

Ils proposaient des réunions importantes... qui n'avaient jamais lieu.

Ils étaient semblables à l'air. Aussi impalpables que des volutes, ou des fantômes. Monserrat les admirait à contrecœur.

Il reposa le lynx en jade et ferma les yeux. Pour se protéger de ses émotions, il recourait à une astuce. Il se réfugiait dans un coin retiré, sombre et paisible, de sa tête ; un monastère de silence. Dans ce sanctuaire, il était presque toujours le maître. Il ne laissait rien entrer.

Cette fois-ci, cependant, l'artifice ne fonctionna pas. Il ouvrit les paupières et l'effervescence du marché l'assaillit de nouveau.

Green Band n'était pas loin. Que voulaient-ils, exactement ?

Il saurait bientôt tout de Green Band, il en faisait le serment.

47

Ils durent attendre, une fois de plus.

Dans le tout petit et coquet Regent Hotel, à Belfast.

Carroll s'efforçait de tenir en laisse le sentiment d'impuissance grandissant que lui inspirait leur absence totale de maîtrise de la situation. La stratégie de Green Band – quelle qu'elle fût – semblait fonctionner à la perfection.

Une terreur économique bien orchestrée.

Une impressionnante désorientation psychologique, dans l'intention d'engendrer un désordre extrême et de faire croître encore la terreur.

Patrick Frazier tenait un discours résolument encourageant et enjoué, compte tenu des circonstances. L'agent des renseignements généraux se montrait d'un inlassable optimisme.

— Quand nous les rencontrerons enfin, fit-il en ôtant ses lunettes à monture métallique avant de se frotter énergiquement les yeux, on vous équipera d'un émetteur interne. Le dernier cri absolu. Conçu pour l'armée par Armalite Corporation. Il suffit d'avaler le bidule.

Carroll secoua la tête. Ah ! le boulot de flic… Il se demandait parfois à quoi il avait pensé que cela ressemblerait. C'était il y avait bien longtemps, à l'époque où il avait choisi – ou cru choisir – l'orientation qu'il allait donner à sa vie.

— Si jamais on finit bel et bien par les rencontrer, Caitlin vérifiera l'authenticité des actions, ajouta Frazier.

— Si effectivement on les rencontre.

Six longues heures de plus s'écoulèrent, dans un ennui insoutenable. Le seul changement perceptible fut que, dehors, le matin céda la place à l'après-midi, la lumière du paysage urbain d'Irlande du Nord prenant une nuance bleu métallisé.

Une employée rousse, âgée au plus de seize ou dix-sept ans, leur apporta une théière fumante et du pain irlandais tout chaud. Carroll, Frazier et Caitlin mangèrent, plus par désœuvrement qu'autre chose.

Carroll se souvint qu'il avait promis de tenir le bureau de Walter Trentkamp informé du cours des événements. Il laissa un message explicite à celui-ci : « Rien, zéro, néant, que dalle, *nada...* »

Ils passèrent dix autres heures enfermés dans leur chambre du Regent Hotel.

Il régnait exactement la même tension qu'à New York, lors de la soirée du 4 décembre, une fois que l'heure annoncée de l'attentat avait été dépassée et que les aiguilles des pendules s'étaient mises à avancer avec une lenteur intolérable. Comment mène-t-on une enquête sur une chimère ou un mirage ?

Par la fenêtre de leur chambre d'hôtel, au troisième étage, Carroll vit une vieille bicyclette avancer en cahotant sur la chaussée pavée. Elle supportait un homme d'environ soixante-dix ans, dont le corps fluet semblait ne pas être à même de survivre aux secousses qui agitaient l'engin.

Carroll se rapprocha de la lucarne. Son cerveau lui donnait l'impression d'être une chose informe trempant dans de l'eau tiède.

Le cycliste gara son vélo pratiquement en dessous de la fenêtre de la chambre qu'ils occupaient.

— Est-ce que ça pourrait être notre contact ? demanda Carroll d'une voix rauque.

Patrick Frazier s'avança jusqu'à la fenêtre et observa le vieil homme.

— Il n'a pas franchement l'air d'un terroriste. Ce qui est bon signe. À Belfast, c'est fréquemment le cas.

Le cycliste pénétra en boitillant dans le hall de l'hôtel, disparaissant alors du champ de vision de Carroll.

— Il est entré, maintenant.

— Bon, on verra bien, grommela Frazier dans sa barbe.

Carroll soupira. La tension qui bourdonnait dans son corps lui était devenue familière. Son regard se tourna vers Caitlin ; elle lui sourit. Comment faisait-elle pour rester aussi calme ? Malgré le voyage, la pression, cette attente épouvantable.

Le vieil homme sortit de l'hôtel moins d'une minute et demie après y être entré. Il remonta avec raideur sur sa bicyclette

Pratiquement aussitôt, quelqu'un frappa vigoureusement à la porte en bois de la chambre.

Caitlin se leva et alla ouvrir.

Un inspecteur de police anglais fit irruption dans la pièce et annonça :

— Un vieil homme vient de déposer ce message.

Il se dirigea droit vers son supérieur hiérarchique, sans même un regard pour Caitlin ou Carroll.

Patrick Frazier déchira l'enveloppe sur-le-champ et lut son contenu d'un air impassible. Puis il jeta un coup d'œil à Carroll par-dessus la feuille de papier chiffonnée.

Il lut alors la courte missive à haute voix pour les deux Américains :

— Il n'y a ni date ni formule de début de lettre… Je vous rapporte le message mot pour mot : « Vous devez envoyer votre représentant avec la preuve du transfert de fonds. Votre représentant devra se trouver à Fox Cross Station, à un peu moins de dix kilomètres au nord-ouest de Belfast. C'est une gare. Soyez-y à cinq heures quarante-cinq. Les précieuses actions attendront à proximité… Votre représentant doit impérativement être Caitlin Dillon. »

48

À cinq heures trente, ce matin-là, Belfast s'éveilla dans la brume.

C'était le genre de journée où les objets n'ont pas de contour défini. Le quai de la gare de Fox Cross était silencieux.

Les quelques arbres qui réussissaient à percer la brume avaient perdu leurs feuilles et paraissaient atteints d'arthrite, dans l'absence hivernale de luminosité.

Caitlin fut parcourue d'un léger frisson et croisa les bras devant sa poitrine, qui se soulevait au rythme de sa respiration. Elle entendait les battements de son cœur.

Elle n'avait nullement l'intention de se laisser gagner par la peur. Elle se promit de ne pas avoir le comportement qu'on attendrait d'une femme dans de telles circonstances.

Elle inspira une bouffée d'air vif et froid. Elle se balançait impatiemment d'un pied sur l'autre.

Il n'y avait pas encore âme qui vive sur le quai de la gare érodé par la pluie et le vent.

Est-ce que, après cela, tout serait fini ?

Quel rôle jouaient les Irlandais du Nord ? Et qu'avait-il bien pu se passer entre les Russes et Green Band, à Londres ?

Elle tenait un attaché-case en cuir noir à la main. Celui-ci contenait des codes permettant de débloquer les fonds déposés pour l'heure dans une banque suisse et qui attendaient d'être transférés en bloc ce matin-là.

La rançon du siècle serait échangée dans cette petite gare de Fox Cross, banlieue de Belfast, Irlande.

Caitlin supposa qu'elle avait l'air d'une femme d'affaires prospère, avec sa belle mallette en cuir. Une banlieusarde qui attendait son train pour se rendre à son travail dans le centre de Belfast. Une journée de plus dans ce foutu bureau. Elle se dit qu'elle tenait bien son rôle – de l'extérieur, tout au moins.

Jetant un coup d'œil à sa montre, elle vit que l'heure fixée pour l'échange était venue. Caitlin se rappela que la ponctualité n'était pas leur principale vertu.

Que signifierait leur retard, dans le cas présent ?

Caitlin se raidit. Chaque muscle, chaque fibre de son corps se contracta inconsciemment.

Une camionnette bleu clair venait de surgir d'un épais bosquet de pins au nord et s'approchait de la gare déserte.

Le véhicule à l'allure lente devenait de plus en plus gros. Caitlin vit qu'il y avait trois passagers à bord, tous des hommes.

La camionnette bleue passa devant elle.

Une bourrasque de vent glacé lui balaya les cheveux en arrière et la jeune femme laissa échapper un profond soupir.

Carroll et les inspecteurs britanniques étaient postés à proximité – une présence qu'elle jugeait extrêmement réconfortante. Ils se trouvaient à moins d'un kilomètre et demi de là. Néanmoins, ils ne pourraient rien faire si la situation dégénérait subitement – si quelqu'un paniquait, si quelqu'un faisait une simple erreur, une erreur stupide.

Une voiture, une berline quelconque, apparut sur la route, peu après le passage de la camionnette.

Caitlin tâcha de mémoriser le maximum de détails concernant le véhicule qui s'engageait dans le parking couvert de gravier de la gare. Il était tout à fait possible que ce fût simplement un passager qui se faisait déposer pour le premier train, celui de six heures quatre.

C'était un modèle récent de chez Ford, gris-vert, dont la calandre était légèrement enfoncée. Elle remarqua un minuscule éclat sur le pare-brise. Quatre passagers – deux à l'avant, deux à l'arrière.

Des ouvriers irlandais ? Des gaillards costauds, en tout cas. Peut-être des ouvriers agricoles ? La deuxième voiture la dépassa également.

Caitlin se sentit à la fois soulagée et déçue. Troublée, elle essaya de garder son sang-froid et ce qu'il lui restait de concentration.

La voiture freina alors brusquement. Puis elle recula dans un crissement de pneus.

Deux hommes bondirent de l'arrière du véhicule ; ils portaient tous deux des cagoules noires et étaient armés de pistolets mitrailleurs.

Ils coururent à toutes jambes vers Caitlin, leurs godillots frappant le béton.

— Vous êtes Caitlin Dillon, m'dame ? s'enquit l'un d'eux, son arme braquée sur elle.

— Oui.

Caitlin sentait ses jambes commencer à se dérober sous elle ; ses genoux semblaient soudain montés sur pivots.

— Vous êtes née à Old Lyme, dans le Connecticut ?

— Je suis née à Lima dans l'Ohio.

— Date de naissance : 23 janvier 1950 ?

— 1953, *merci* beaucoup.

La réponse de Caitlin fit rire le terroriste cagoulé. Apparemment, il n'était pas contre un chouïa d'humour.

— D'accord, ma petite chérie. Alors, on va vous mettre une de ces cagoules de bourreau. Y aura pas de trou pour les yeux. Mais vous avez aucune raison d'avoir peur.

— Je n'ai pas peur.

L'autre homme, le complice muet, passa une cagoule sur la tête de Caitlin et la rabattit fermement sur son visage. Il prit soin de ne pas toucher à d'autre partie de son corps. C'est vraiment typique des catholiques irlandais, ne put-elle s'empêcher de penser. Elle savait qu'ils n'hésiteraient pas à lui trouer la peau d'une balle. Mais pas de pensées impures, pas de contact accidentel avec le corps d'une femme.

— Nous allons vous conduire à la voiture, maintenant. Doucement… On y va doucement… Très bien, avancez encore et montez dans la voiture. Allongez-vous sur le sol, maintenant. Là, par terre. Voilà, mettez-vous à l'aise.

Caitlin se sentait totalement ankylosée ; elle avait l'impression que son corps ne lui appartenait plus.

— Votre mère s'appelle bien Margaret ?

Le moment était bien choisi.

— Ma mère se prénomme Anna. Son nom de jeune fille est Reardon.

— Vous n'avez pas de dispositif de pistage sur vous ?

— Non.

Caitlin jugea qu'elle avait répondu un peu trop vite. Sa peau se glaça. Elle eut soudain le souffle coupé.

Elle ne discerna aucune réaction manifeste, aucun sursaut négatif de la part des terroristes irlandais. Elle commença à se détendre.

— Il faut quand même que je vérifie. Je vais passer les mains sur vous. OK, j'y vais.

Des mains d'homme se promenèrent gauchement et timidement sur son corps. Caitlin tendit les jambes avec raideur en sentant une main s'immiscer entre ses cuisses. Le contact de cette main étrangère lui parut brutal et obscène. Mais la journée lui réservait sans doute des épreuves bien plus pénibles.

— Nous avons reçu l'ordre de vous tuer si vous portez un émetteur… *À moins que vous ne nous le disiez tout de suite.* Ne mentez pas, mon ange. Ne mentez pas, ma petite demoiselle. Je parle sérieusement. Alors ? Êtes-vous équipée d'un dispositif de pistage ? Vous aurez droit à un examen minutieux dès qu'on sera sortis d'ici. Dites-moi la vérité, je vous prie.

— Je n'ai aucun dispositif de pistage sur moi.

À l'intérieur, par contre… Est-ce qu'ils seraient à même de s'en rendre compte ?

Il n'y eut plus d'échange de paroles, après cela. La fouille corporelle cessa aussitôt.

Caitlin garda l'oreille tendue, comme si elle était prisonnière dans le vide. Son cœur lui remontait très haut dans la gorge. Le moteur de la voiture toussota et vrombit.

Soudain quelqu'un lui passa un chiffon dégoulinant sur le visage.

— Non, je...

49

— Oh merde. Regardez-moi ce bordel ! s'exclama Patrick Frazier.

Des trombes d'eau martelaient la carrosserie de la Bentley à bord de laquelle Carroll et l'inspecteur britannique se trouvaient. La pluie cinglait le pare-brise embué, s'abattant avec la puissance de jet d'un tuyau d'incendie.

Quelques gouttes s'étaient mises à tomber, à six heures moins cinq. Puis l'averse avait subitement re-doublé, transperçant violemment la brume et rendant la conduite extrêmement pénible.

— Ils sont sur Falls Road, à présent. C'est dans le quartier chaud de Belfast, expliqua Frazier. Le fief de l'Armée républicaine irlandaise provisoire... C'est un ghetto typique, où des embuscades sont régulièrement tendues à nos soldats. Il s'agit surtout d'actions de tireurs isolés. Le summum de la lutte armée en milieu urbain, en quelque sorte !

Carroll et Frazier se tenaient tous deux voûtés à l'avant de la Bentley. Le dispositif de pistage de Caitlin émettait des signaux sonores distincts, qui ressem-blaient un peu à une succession de bips de radar, émanant du fin fond de l'estomac de la jeune femme.

Cela rappelait également à Carroll le son d'un moniteur cardiaque dans une unité de soins intensifs, un appareil permettant de surveiller le fil retenant un être à la vie. Il plaignait Caitlin, mais il n'aurait rien pu faire pour l'empêcher de se soumettre à la volonté des membres de l'IRA ; leurs instructions étant spécifiques et sans appel, il n'aurait pas pu se proposer pour la remplacer.

Les bips se firent plus retentissants et plus persistants.

De toute évidence, la voiture qui transportait Caitlin ralentissait. Peut-être s'était-elle temporairement arrêtée à un feu rouge ? À moins qu'elle ne fût immobilisée dans un embouteillage ? Et maintenant ?

— Nous comblons rapidement l'écart, inspecteur, annonça le chauffeur.

— Ça peut vouloir dire qu'ils sont arrivés, lâcha Frazier d'un ton brusque.

Son chauffeur appuya immédiatement sur l'accélérateur. La Bentley s'élança puissamment vers l'avant.

— Soit ça, soit ils changent de véhicule, suggéra Carroll. (L'idée que Caitlin courait un grave danger ne le lâchait pas. Il éprouvait à la fois de la colère et de la peur.) Rapprochons-nous d'elle. Allez ! Allez, dépêchez-vous ! ordonna-t-il sèchement au chauffeur des services secrets anglais.

À moins de trois kilomètres de là, quelqu'un ôta la cagoule de Caitlin ; puis on lui passa sous le nez des sels à l'odeur âcre, qui lui firent tourner la tête. Ses yeux larmoyants roulèrent dans leurs orbites.

— Hein ?

Fais la mise au point. Plus que des visages, elle discernait des formes aux contours indistincts penchées sur elle. Il y en avait trois.

Ces silhouettes se dressaient devant des lampes éblouissantes, derrière lesquelles elle devinait d'autres figures floues et non identifiables. Green Band ?

Elle ne voyait pas qui étaient les autres... En tout cas, pas encore.

— Content de vous revoir parmi les vivants. Vous êtes courageuse d'avoir accepté notre invitation. Vous avez sûrement un peu peur, dans l'immédiat. C'est bien naturel.

Caitlin ne distinguait toujours pas bien les hommes présents dans la pièce, même ceux qui se tenaient à côté d'elle.

— Vous avez *bien* le pouvoir de procéder au transfert de la somme convenue ? Vous disposez des codes bancaires nécessaires, n'est-ce pas, mademoiselle Dillon ?

Caitlin acquiesça d'un signe de tête. Elle avait la nuque raide, sa gorge était sèche et la piquait.

Lorsqu'elle prit la parole, sa voix lui sembla caverneuse et éteinte et son élocution pâteuse, comme si elle s'exprimait par l'intermédiaire d'un ventriloque.

— Cela vous ennuierait-il de me montrer... quelques titres volés ? Moi aussi, j'ai besoin de garanties. Il me faut voir ce que vous nous donnez en échange.

— Vous êtes à même d'en estimer la vraie valeur, hein ? Et vous savez reconnaître les contrefaçons des originaux ? Vous avez l'œil si exercé que ça ?

— Le toucher est plus parlant que la vue, rétorqua Caitlin. Je peux en savoir beaucoup rien qu'en palpant les titres. Suffisamment pour pouvoir débloquer l'argent à Genève. Puis-je examiner la marchandise ? S'il vous plaît ?

On lui apporta alors les « échantillons » de titres et d'obligations volés. Elle fit appel à toute sa volonté pour réprimer un petit cri de stupeur.

L'authenticité des valeurs se voyait à l'œil nu. Elle releva des noms : IBM, General Motors, AT & T, Digital, Monsanto…

Elle se prêta à un petit calcul mental. Cela équivalait à plusieurs milliers de fois le montant de la grande attaque du train d'or.

— Vous pouvez *toucher* les documents tant qu'il vous plaira, chérie. Ils sont d'origine. On ne vous aurait pas fait faire toute cette route pour rien. Juste pour bavarder et admirer vos jolis petits nichons américains.

50

La Bentley dans laquelle se trouvait Carroll rasa un mur de briques blanc et décrépi des quartiers déshérités et le contourna en ralentissant à peine. Le mur portait par endroits des traînées noires de cocktails Molotov. S'ajoutant à la clameur de la ville, les pneus à carcasse radiale du véhicule crissèrent en prenant le virage.

Un camion à plateau surgit soudain dans la ruelle étroite et sinueuse que venait d'emprunter la Bentley. Le moteur du camion s'emballa et son klaxon mugit.

Des coups de feu en rafale fusèrent de la cabine du véhicule lancé à vive allure et des balles s'abattirent en crépitant des toits des immeubles situés sur la droite de la voie exiguë.

— Une embuscade ! râla Patrick Frazier.

Qui fut aussitôt projeté violemment contre la portière, côté passager, un trou aux bords irréguliers juste au milieu du front.

Carroll ouvrit la portière à la volée et, imitant le chauffeur, se précipita hors de la Bentley, non sans avoir attrapé le récepteur, la dernière chose qui le reliait encore à Caitlin. Il se colla au flanc de la voiture. Levant les yeux, il pointa rageusement le canon de son arme vers le camion à plateau. Il ouvrit un feu nourri et parfaitement silencieux. Des impacts de balles apparurent sur la carrosserie déjà tachetée du camion.

L'un des tireurs partit à la renverse et tomba du toit rouge décoloré du camion, du sang giclant de son visage barbu et de sa gorge.

Le pistolet-mitrailleur de Carroll avait été mis au point par l'armée israélienne. C'était une arme automatique, capable de décharger dans le plus parfait silence deux cent cinquante cartouches en six secondes. Les munitions étaient attirées par la chaleur corporelle. Les Israéliens et leurs ennemis le surnommaient « Mort silencieuse ».

Un robuste homme roux, le front percé d'une balle, esquissa deux pas avant de dégringoler en tournoyant du toit à bardeaux en pente d'une maison.

Carroll prit conscience de mouvements partout autour de lui.

Des gens, principalement des femmes et des enfants, sortaient en masse des immeubles bas et délabrés. Ils affluaient vers lui, au lieu de courir se mettre à l'abri. Leurs visages étaient écarlates – rouges d'une colère qui venait du cœur.

Les deux derniers terroristes du camion s'esquivèrent au milieu de la foule de femmes emmitouflées dans des robes de chambre écossaises et des vestes d'homme en loques. Ils se tapirent au milieu des enfants au minois crasseux, dont la plupart étaient encore en pyjama, ayant été arrachés à un sommeil innocent pour être confrontés, une fois de plus, à l'horreur d'un destin qu'ils n'avaient pas choisi.

Carroll mit son arme en position non automatique pour l'empêcher de se décharger accidentellement dans la foule.

— Espions anglais ! commencèrent à hurler les Irlandais attroupés, couvrant les terroristes, pour certains des parents et pour d'autres des amis.

— Putains d'espions anglais ! Allez au diable !

— Rentrez chez vous, sales British !

Carroll fendit prudemment la cohue, s'ouvrant un chemin au milieu des visages barbares et hargneux et des cris menaçants. Il tenait son pistolet-mitrailleur en évidence, dont l'affreux canon noir semblait suffisamment inquiétant pour les tenir à distance pour un moment.

— Ah ! tu te sens fort avec ton flingue ! le railla une voix.

— T'es qu'un putain de dégonflé, avec ta mitraillette. Connard d'Anglais ! Salaud ! Dégueulasse !

Carroll n'entendait pas les hurlements rageurs. Une unique pensée rythmait sa marche en avant : *Suis l'émetteur, suis les bips du radar. Trouve Caitlin au plus vite.*

Caitlin se couvrit la tête avec les bras. Elle se débattait, se tortillant pour essayer d'échapper à l'emprise des types de l'IRA. L'air dans l'appartement était devenu si suffocant qu'il en était quasi irrespirable.

— Espèce de sale pute ! Salope ! vociféra le chef de toute sa voix.

Il beuglait à quelques centimètres du visage de Caitlin. Une radio de liaison grésillait quelque part dans la planque de l'IRA, braillant les dernières nouvelles de la rue.

— C'était un piège ! Un putain de piège ! Elle porte un émetteur, Dermot ! Il y a des voitures de flics et des soldats anglais plein la rue en bas ! Ça grouille de soldats !

Caitlin éprouva un sentiment d'impuissance extrême. Elle savait ce qu'ils allaient lui faire. Elle savait qu'ils allaient l'abattre. Elle se demanda quand ce moment de calme résigné surviendrait, ce sentiment transcendantal qu'on est censé éprouver lorsqu'on comprend qu'on va mourir.

Le chef des terroristes continuait à s'époumoner, son visage cagoulé presque collé au sien :

— Vous étiez au courant, bordel !

— Non, je ne savais pas. Je vous en prie. Je n'y comprends rien.

L'homme avança d'un bond et se campa devant les projecteurs éblouissants. Il arracha sa cagoule. Caitlin vit une barbe sale d'un blond tirant sur le roux, des fentes noires en guise d'yeux. Elle vit la gueule d'un fusil d'assaut russe SKS en gros plan...

Les larmes lui montèrent aux yeux. Elle voulut demander au terroriste de ne pas tirer, de l'épargner. Elle était submergée de sensations effrayantes. Était-ce ainsi que cela se passait ? Un éclair de folle lucidité et puis la mort ; cet instant de solitude intense était-il la dernière chose qu'on emportait avec soi ?

Elle entendait mugir des sirènes de police et des ambulances et retentir des coups de feu à l'extérieur. Il régnait un désordre indescriptible.

Elle vit la porte de l'appartement s'ouvrir brutalement. Elle vit un inconnu qui brandissait un pistolet se mettre en position de tir...

Le fusil automatique braqué jusque-là sur son visage se détourna, cracha une salve. Dans un bruit qui lui rappela celui, banal, de la roulette du dentiste.

Oh non ! Oh mon Dieu, non...

Caitlin s'efforça de se tortiller et de se retourner. Une unique et impérieuse pensée résonnait dans sa tête : *Enfuis-toi ! Va-t'en ! Pars !*

Elle s'effondra d'un coup.

51

— *Poussez-vous ! Laissez-moi passer, espèces de fumiers !* hurla Carroll à trois jeunes hommes qui se trouvaient en travers de son chemin.

Les malfrats irlandais massés dans le hall d'entrée faiblement éclairé, entre lui et l'escalier de l'immeuble, ne bougèrent pas d'un pouce. Sinon pour lui montrer leurs battes de football gaélique.

— Pourquoi tu nous déloges pas toi-même ? Viens. Fais-nous partir. Essaye donc.

L'émetteur de pistage trillait désespérément – vibrait, plus exactement – dans sa main gauche. Caitlin devait être à l'étage. Elle était dans ce bâtiment.

Des sirènes de voitures de police et des forces d'intervention militaires beuglaient alentour. Des tirs de snipers pleuvaient toujours sur Falls Road. *Bouge ! Maintenant ! Bouge !*

Carroll tira une fois dans le plafond de bois, entre les trois jeunes gens surpris. Ils s'écartèrent aussitôt.

Carroll emprunta un escalier tortueux et plongé dans l'obscurité, gravissant deux ou trois marches à la fois. *Non, je vous en supplie, mon Dieu !*

Il luttait contre la rage et une peur plus terrible encore qui enflait en lui. L'immeuble pullulait de civils.

Des portes d'appartement ne cessaient de s'ouvrir et de se refermer. Carroll sentait les courants d'air sur son visage. Il s'attira des regards hostiles et des insultes.

Lorsqu'il atteignit enfin le dernier palier, au troisième étage, il vit, grande ouverte, la porte jaune et miteuse d'un appartement.

Ses pensées se figèrent et il eut l'impression que son cerveau échauffé était sur le point d'exploser. Il sut soudain ce qu'il allait trouver à l'intérieur de cet appartement.

Il distinguait déjà l'autre côté de la porte. C'est alors qu'il l'aperçut, allongée sur le sol, toujours vêtue de son manteau, son cache-nez rayé nonchalamment repoussé sur le côté. Elle était étendue contre une chaise en bois renversée, sur laquelle elle avait de toute évidence subi un interrogatoire.

Il n'y avait pas la moindre trace des hommes de main de l'IRA, qui s'étaient échappés par le toit. Envolés, disparus.

— Oh ! mon Dieu, non, gémit Carroll, qui réprima un sanglot, une prière désespérée.

Il se voyait à nouveau confronté à ce vide effroyable et à ce tourment sans fin provoqués par la mort d'un être cher. Il éprouvait une souffrance terrible et infinie.

Caitlin roula alors lentement sur elle-même. Elle bougea, de seulement quelques centimètres. Puis elle entreprit laborieusement de s'asseoir et Carroll se précipita vers elle… Le visage de la jeune femme était sans expression, hébété… Mais elle était vivante.

Il la prit dans ses bras. Il la tint délicatement, comme une enfant blessée.

Caitlin détacha subitement les yeux des siens et fixa quelque chose, à l'autre bout de la salle.

Carroll suivit son regard et découvrit une forme inerte. Le corps semblait être celui d'un jeune homme, mais il était impossible d'en être certain : il lui manquait la moitié de la tête. Ses cheveux sombres étaient collés par le sang. Carroll reconnut l'uniforme bleu foncé des policiers de Belfast.

— Qui est-ce ? demanda-t-il.

Caitlin secoua lentement la tête.

— Je l'ignore. Tout ce que je sais, c'est que s'il n'avait pas débarqué ici, je serais morte, à l'heure qu'il est. Il est entré par cette porte et il a commencé à leur tirer dessus…

Carroll ne parvenait pas à détacher son regard du policier abattu. Voilà un héros, pensa-t-il. Un héros sans nom et désormais sans visage. L'incarnation du métier de policier dans toute sa splendeur.

Caitlin sanglotait, presque sans bruit.

— Chut, chut. Tout va bien, lui murmura Carroll.

Ses sanglots devinrent incontrôlables. S'accrochant à Carroll avec ce qui lui restait de force, elle pleura contre son torse.

Ils étaient ainsi, enlacés, quand les équipes des renseignements généraux britanniques et de la police irlandaise firent irruption dans l'appartement.

Une fois de plus, Green Band leur avait fait faux bond.

52

Le matin du 11 décembre, les lettres, contenues dans de grandes enveloppes kraft, étaient enfin arrivées à destination. Plus de trois mille de ces volumineux courriers avaient été envoyés, dans toutes les régions des États-Unis.

Les missives avaient été distribuées dans les endroits les plus étranges et les plus inattendus : à Sedona, dans l'Arizona ; à Dohren, dans l'Alabama ; à Totowa, New Jersey ; à Buena Vista, Californie ; à Iowa City, Iowa ; à Stowe, dans le Vermont ; à Cambridge, dans le Massachusetts ; à Boulder, dans le Colorado ; à Scarborough, État de New York.

Kenny Sherwood, d'Erie, Pennsylvanie, faisait partie des élus.

Cela faisait neuf ans qu'il bossait comme opérateur sur machine pour Hammond Tool & Dye, et il ne se rendit pas au travail ce jour-là, de peur de dire des bêtises et de se faire engueuler.

Il gagnait dans les vingt-neuf mille dollars par an, dont trois mille cinq cents disparaissaient dans des séances de thérapie avec un psy de Pittsburgh, un petit homme arborant un bouc, qui le suivait pour

les cauchemars qui le tourmentaient sans cesse depuis la guerre.

Kenny Sherwood trouva dans l'enveloppe un courrier d'aspect officiel, dactylographié avec soin, ce qui
n'alla pas sans l'inquiéter quelque peu.

Cher Monsieur Sherwood,

*Entre 1968 et 1972, vous avez dignement servi votre
pays, en tant qu'officier technicien de l'armée américaine. Vous avez été prisonnier de guerre du mois
de janvier 1970 au mois de juin 1972. On vous a
décerné un Purple Heart au Viêtnam.*

*Veuillez considérer le document ci-joint comme un
témoignage de notre reconnaissance pour vos services
et comme l'occasion pour votre patrie de vous servir
à son tour.*

Kenny Sherwood sortit précautionneusement un
papier-parchemin de l'enveloppe.

Qu'est-ce que c'était que ce foutu truc ?

En haut de la feuille, il vit une espèce de femme
enchaînée qui tenait un globe terrestre.

Juste en dessous, il était écrit : *Actions ordinaires
de General Motors.*

Et ceci, un peu plus bas : *Ce document certifie
que M. Kenneth H. Sherwood est propriétaire de cinq
mille actions.*

Autour du certificat était noué un ruban vert vif.

DEUXIÈME PARTIE

LE MARCHÉ CLANDESTIN

53

David Hudson se réveilla dans sa chambre de l'hôtel Washington-Jefferson avec un sérieux mal de tête. Il neigeait dehors et un tapis blanc satiné recouvrait uniformément la 51e Rue Ouest.

Hudson s'empara de sa montre sur la table de nuit branlante. Il était tout juste deux heures passées.

Il s'assit droit dans son lit, dans un soudain accès de panique qui ne lui ressemblait pas. Il avait la gorge sèche et les mains moites. Il se sentait fiévreux.

Ce n'était pas Green Band qui l'inquiétait, cette fois-ci.

La mission Green Band suivait son cours, sans le moindre obstacle apparent. L'opération se déroulait à la perfection, engendrant un climat d'insécurité partout où Hudson l'avait décidé.

Il n'était pas non plus tourmenté par les réminiscences de son séjour dans le camp de prisonniers nord-vietnamien. Il n'avait pas rêvé du Lézard, cette nuit-là.

Rien de tout cela ne préoccupait David Hudson, dans l'immédiat. Il s'agissait d'autre chose… D'une chose parfaitement inattendue.

Il s'agissait de Billie Bogan…

Comme la poétesse, Louise.

Il s'en voulait de s'être laissé émouvoir par la jeune femme. Un tel manquement à la discipline en cours de mission n'était pas du tout dans son tempérament, même s'il se sentait capable de gérer la situation, de mener les deux aventures de front...

Il résolut de la voir au moins une fois encore. *Cette nuit même*, si possible. Des images très nettes de Billie flottèrent soudain devant ses yeux.

Hudson se sentit soudain très excité. Il enfila en hâte une vieille chemise et un pantalon. Ne souhaitant pas utiliser le téléphone de sa chambre, il descendit dans le hall de l'hôtel pour appeler l'agence Vintage.

— J'aimerais voir Billie. Maintenant, si possible. C'est David, à l'appareil. Numéro 323.

Il fut mis en attente pendant trois ou quatre minutes qui lui parurent interminables.

— Le bip de Billie ne répond pas. Elle n'est manifestement pas disponible tout de suite, l'informa-t-on. Vous pouvez prendre rendez-vous avec une autre de nos hôtesses. Elles sont toutes très belles. Ce sont des mannequins ou des actrices à temps partiel, David.

David Hudson raccrocha. Il se sentait tenaillé par la déception, l'insatisfaction et une sensation de vide glacé... Était-il réellement capable de gérer la situation, pour le moment ? Ne ferait-il pas mieux de tirer un trait sur Billie ?

L'idée que la mission Green Band pourrait capoter à cause d'une prostituée anglaise le fit presque rire. Ce serait tellement grotesque.

Quoi qu'il en soit, la suite du plan Green Band était imparable. Au point qu'il pouvait dès à présent fonctionner sans lui.

Le mensonge, se dit-il. Le fondement de Green Band.

Le mensonge, la tromperie et l'illusion. Toutes choses qui remontaient au Viêtnam.

54

Prison de La Hoc Noh,
juillet 1971

Le corps squelettique et torturé du capitaine David
Hudson s'abattit en avant. Sa carcasse fragile menaçait de voler en éclats, de tomber d'épuisement – de
s'éteindre, enfin. Une voix dans sa tête lui hurlait de
renoncer à ce combat inutile.

Ce qu'il restait de son corps était au supplice, en
proie à une douleur extrême qu'il n'aurait pu imaginer
avant les onze mois qu'il venait de passer dans ce
camp de prisonniers nord-vietnamien. Il s'évertuait
en vain à s'échapper, au moins mentalement. Il brû-
lait de se trouver hors de cette étouffante cahute en
bambous, de retour dans une époque sécurisante de
son passé, lorsqu'il était enfant, au Kansas.

Hudson avait été formé pour résister aux interrogatoires et au lavage de cerveau. Le programme de
Fort Bragg, en Caroline du Nord, s'intitulait Sisyphe.

Cela lui revenait à la mémoire, maintenant. Sisyphe
l'avait préparé à subir des interrogatoires de l'ennemi
– c'est en tout cas ce que les officiers instructeurs
lui avaient dit.

Vous devez transposer votre esprit dans un tout autre endroit.

Un principe qui lui avait alors semblé d'une simplicité si séduisante et si froidement logique. À présent, il le jugeait absurde et tant son ineptie que son arrogance, typiquement américaine, le faisaient enrager. Sisyphe s'était révélé une supercherie de plus mise au point par l'armée américaine…

Le Lézard – le commandant de La Hoc Noh – leva une pierre blanche.

Pour faire échec à une pierre noire de David Hudson.

Clac ! La pièce émit un son vif en heurtant le plateau de teck.

Les gardiens de la prison nord-vietnamienne, tous vêtus de pyjamas noirs boueux, avalaient à grands traits de l'alcool de riz fait maison, qu'ils buvaient à même le goulot de bouteilles vertes à long col. La différence flagrante de niveau entre les deux joueurs les faisait ricaner bruyamment.

Le commandant du camp se montrait rapide et parfaitement sûr de ses coups.

Suivant les règles du jeu de Go, la partie aurait dû se jouer avec un *okigo*, c'est-à-dire un handicap. *Aurait dû…* Mais le respect rigoureux des règles était un concept vide de sens ici, à La Hoc Noh : dans cet endroit dépassant l'entendement, la décence et la logique n'avaient pas droit de cité.

— Toi jouer ! hurla le Lézard. Toi jouer maintenant !

Les gardiens manifestaient eux aussi de l'impatience, râlant et protestant pour que le jeu s'accélérât.

Clac !

David Hudson déplaça une pièce sur le plateau, tout en gratifiant le Lézard d'un sourire en coin, comme s'il venait soudain de faire basculer la partie à son avantage.

— *Toi* jouer ! lança-t-il sèchement.

Le Lézard fut momentanément déstabilisé.

Puis il partit d'un rire strident, semblable aux trilles d'un oiseau.

Ses soldats riaient également, maintenant, à gorge déployée. Ils se rapprochèrent des deux joueurs, au moment où le commandant jouait un coup étonnamment prudent.

La déception s'inscrivit sur les visages des gardiens. L'incertitude faisait sa première apparition.

— *Toi !* beugla le Lézard. Jouer vite ! Toi jouer to di suite !

— Va te faire foutre, connard… Tiens, regarde plutôt ça.

Un sourire froid passa sur les lèvres couvertes de cloques de l'officier américain, tandis qu'il déplaçait une nouvelle pièce.

— Toi jouer ! murmura-t-il d'une voix à peine audible. Toi aussi jouer *vite*.

Le Lézard plissa les yeux et examina attentivement la surface réfléchissante du plateau de teck. Puis il étudia les yeux injectés de sang du capitaine Hudson avant de baisser de nouveau le regard sur les pièces.

Les gardiens se serrèrent encore plus près des deux joueurs.

Le jeu prenait enfin tournure, devenait même franchement intéressant. Une vraie partie venait de débuter.

Les soldats se mirent à chuchoter entre eux. Ils ressemblaient à ces parieurs professionnels, ces individus paumés et peu recommandables qui se pressent dans les salles de jeu de fan-tan à Saigon.

La partie évoluait de manière curieuse et captivante, à présent. Même le commandant du camp était déconcerté, troublé par les coups atypiques joués par l'Américain.

Pour la première fois, l'un des gardiens proposa de parier sur Hudson. Son chef lui lança un regard noir.

Alors, en douceur, de la même manière qu'il aurait effectué un geste des plus ordinaires – comme allumer une cigarette –, le capitaine Hudson se pencha et s'empara d'un revolver dans le holster d'un des soldats vietnamiens.

Le même imperceptible sourire un peu fou glissa sur ses lèvres boursouflées.

— Enfoiré. Pauvre con.

Le revolver tonna dans la minuscule pièce en bambous, à la façon d'un canon de campagne. Un nuage de fumée blanche nimba la table de jeu.

La tête du Lézard partit en arrière, son couvre-chef fusa à travers la hutte enfumée.

Un trou sombre apparut sur le front de l'officier vietnamien. Sa mâchoire inférieure s'affaissa, dévoilant d'affreuses dents jaunes et cassées. Une langue blanche et couverte d'écume jaillit.

David Hudson tira une deuxième fois.

Puis une troisième fois.

Il se sentait comme un enfant épuisé, affolé et désorienté, jouant avec un pistolet en plastique. *Pan ! Pan ! Pan !*

Il braqua le canon du revolver entre les deux yeux interdits du gardien qui lui avait malgré lui fourni son arme. Le visage de l'homme fut réduit en bouillie. Son crâne, chair et os, éclata.

Il tua un autre gardien d'une balle dans la gorge.

Les deux derniers soldats nord-vietnamiens encore en vie avaient lâché leurs bouteilles d'alcool et s'escrimaient pour sortir leurs armes de leurs étuis.

Deux nouveaux coups de feu mirent fin à cette pathétique agitation. La hutte nauséabonde et étouffante s'était transformée en un sanglant abattoir.

Hudson sortit du poste de commandement en courant. Il boitait bas, s'activant sur des jambes qui lui paraissaient étrangères.

Tout ce qu'il voyait avait l'air de sortir d'un rêve improbable et flou. Où qu'il regardât, il posait les yeux sur une irréalité impitoyable. Un soleil de fin d'après-midi dardait des rayons orange et rouge vif au-dessus du mur de jungle verte. Poussant des cris stridents, des singes détalaient en tous sens, déterminés à fuir l'endroit où les détonations avaient retenti. Des insectes vrombissaient entre les arbres.

David Hudson traversa la cour de la prison en titubant.

Il s'élança dans la jungle dense qui menaçait sans cesse d'avaler le camp et dissuadait naturellement les prisonniers de toute tentative de fuite. Hudson s'y précipita.

Il n'avait pas d'autre choix.

Il n'avait nulle part où aller.

Il était déjà hors d'haleine, se heurtant lourdement aux arbres, trébuchant sur des broussailles touffues et enchevêtrées. Il courait sans s'arrêter, sans un regard en arrière, plus vite qu'il ne l'aurait cru possible.

Il fut pris de vertiges violents. Des couleurs vives défilèrent en tourbillonnant devant ses yeux. Des éclairs grelottants.

Il continua de courir, avançant en zigzaguant, vomissant de la bile comme s'il s'agissait de ses propres gaz d'échappement. À mesure que la végétation s'épaississait, la piste s'assombrissait.

Il courut sur un kilomètre, un kilomètre et demi ; comment savoir ? Il avait à présent perdu toute notion du temps et de l'espace.

Une pensée glaçante s'empara soudain de lui. *Ils ne lui donnaient même pas la chasse... Ils ne prenaient même pas la peine de se lancer à sa poursuite.*

Hudson continua de courir. Tombant, se relevant, tombant, se relevant, tombant, se relevant.

L'obscurité fut alors si pleine qu'il n'y avait plus rien dans ce monde. Hudson continua de courir. Tombant, se relevant.

Tombant, se relevant.

Tombant, tombant, tombant...

Une chanson des Doors tournait en boucle dans sa tête. *Horse Latitudes...*

Puis plus rien...

Hudson se réveilla en sursaut. Il voulut pousser un cri, qui ne sortit jamais de sa gorge sèche et nouée.

Des herbes hautes étaient collées sur un côté de son visage. Des larmes collantes s'étaient formées dans ses yeux mi-clos.

De grosses mouches noires s'étaient posées sur ses lèvres et ses narines. D'autres, par centaines, s'étaient agglutinées sur tout son corps.

Il faillit s'esclaffer. Tout cela correspondait tellement à la vision qu'il avait toujours eue de cette comédie abjecte qu'on appelle la vie : parfaitement injuste et ne rimant à rien, en fin de compte – ne rimant à rien, dès le départ et tout du long.

David Hudson ressombra dans les ténèbres implacables, bercé par la voix de Jim Morrison.

Il se réveilla de nouveau. Perdu. Anormalement alerte.

Il lui fallait à présent rassembler ses maigres forces, faire appel à chaque once d'énergie restante. Il était toujours assailli par des vagues d'images nébuleuses et déformées, des spirales de pensées décousues, de mots obscurs, des formes imaginaires et cauche-mardesques. Il lui semblait vivre une expérience psy-chédélique. Comme s'il avait fumé les sticks thaïs les plus forts, l'héroïne la plus pure...

Tout cela était si épouvantable, si abominable-ment épouvantable – trop épouvantable pour que quiconque pût l'endurer beaucoup plus longtemps.

Hudson se mit à hurler.

Alors, les gardiens du camp de prisonniers appa-rurent.

Soudainement.

Des mains prestes le touchaient à tâtons, le palpaient, le pétrissaient de haut en bas, de bas en haut...

Des mains chaudes l'examinaient, ne cessaient de le palper. Partout. Le sang grondait dans les oreilles de Hudson. D'odieuses sangsues grouillaient sur tout son corps. Il sentait leurs morsures cuisantes.

Des mains robustes le soulevaient.

Puis des chuchotements, presque un chœur chanté. Mais pas de mots intelligibles.

« Laissez-moi ! Laissez-moi, je vous en supplie ! »

Une grande créature couleur jais, un énorme oi-seau battant des ailes, s'agrippa à son visage. Il avait l'odeur du caoutchouc en combustion – non, pire que cela encore. Le volatile se mit à ramper sur sa face.

« Fous le camp ! Fous le camp ! Fous le camp, s'il te plaît ! »

Un faisceau de lumière fusa soudain. Une lueur éclatante, qui éclaira le tunnel sombre et profond de sa terreur.

Un cri pointa, qui paraissait très éloigné… *Non !* C'était son cri *à lui*.

Penchés sur lui, des militaires le dévisageaient…

Les nôtres.

Des soldats de chez nous !

55

— Respirez profondément, capitaine Hudson. Contentez-vous de respirer pour l'instant. Respirez, c'est tout. Comme ça, c'est bien. C'est très bien… C'est parfait, capitaine Hudson. C'est de l'oxygène pur, capitaine. De l'oxygène ! Ne pensez à rien pour le moment. Respirez. Respirez. Respirez profondément.

Il était fermement et douloureusement maintenu par des sangles en tissu blanc. Des tuyaux en plastique rouges et bleus lui entraient dans les narines et en sortaient. D'autres tuyaux étaient reliés à ses bras et à ses jambes. Des fils colorés et des ventouses étaient fixés sur sa poitrine et raccordés à un appareil bleu métallique.

— Capitaine Hudson ? Capitaine, est-ce que vous m'entendez ? Est-ce que vous comprenez ce que je dis ? Vous vous trouvez au Womack Hospital de Fort Bragg, capitaine. Ça va aller, ne vous en faites pas. Est-ce que vous comprenez ce que je vous dis, capitaine ? Comprenez-vous que vous êtes au Womack Hospital ?

— *Oh ! aidez-moi, je vous en supplie.*

Pour la première fois depuis son enfance, il sanglotait, sans pouvoir s'arrêter. Qu'est-ce qui lui arrivait ?

Qu'est-ce qui se passait, nom de Dieu ? Qu'est-ce qui était réel et qu'est-ce qui ne l'était pas ?

— Capitaine, vous êtes au centre JFK, à Fort Bragg. Vous vous trouvez à la base des forces spéciales. Capitaine Hudson ? Capitaine ?… Respirez simplement de l'oxygène ! Capitaine, c'est un ordre. Inspirez… Expirez… C'est *très* bien. Très, très bien. *C'est excellent.*

Allongé sur le dos, fixant silencieusement des silhouettes indistinctes et mouvantes au-dessus de lui, David Hudson se dit qu'il connaissait peut-être cet homme. Comment cela se faisait-il ?

Cette voix ? Cette moustache gauloise, blonde et tombante ? Connaissait-il cette personne ? Cet homme était-il véritablement là ? Hudson voulut tendre le bras pour le toucher et s'en assurer, mais les sangles qui l'immobilisaient l'en empêchèrent.

— Capitaine, vous êtes à la base des forces spéciales de Fort Bragg. Vous venez de subir un test de résistance au stress. Vous vous en souvenez, maintenant ? Capitaine, ce que vous venez de vivre était un test sous hypnotiques. Vous n'avez pas quitté cette chambre d'hôpital. Vous venez de revivre les épreuves que vous avez traversées au Viêtnam.

Rien de tout cela n'était réel ?

Rien de tout cela n'avait eu lieu ?

Non. Le camp de prisonniers viet avait vraiment existé !

Des hallucinations ?

Il y avait véritablement eu un Lézard !

Oh ! faites que tout cela cesse, je vous en prie.

— Capitaine Hudson, vous n'avez rien dévoilé de votre mission. Vous avez réussi votre test de résistance. Haut la main. Vous avez été admirable. Félicitations.

Une mission ?

Un test ?

— Vous commencez à saisir le principe de l'illusion, capitaine. Soumis à un interrogatoire sous l'effet des médicaments, vous n'avez pas cédé. Vous apprenez à être un virtuose de l'illusion. Vous apprenez à maîtriser l'art de la tromperie, capitaine Hudson. L'art de nos pires ennemis…

On entendait *Horse Latitudes*, quelque part dans l'hôpital… *À la base des forces spéciales.* La tromperie.

— Respirez ce bon air, capitaine. Respirez calmement. De l'oxygène pur, très pur. Vous avez réussi, capitaine. Vous êtes le meilleur, à ce jour. Vous êtes le meilleur élément que nous ayons jamais testé.

Des tests de résistance au stress.

Le Womack Hospital de Fort Bragg.

La tromperie.

Il apprenait à être un virtuose de l'illusion.

Vous avez réussi, capitaine Hudson. Haut la main.

Bien sûr que je suis votre meilleur élément !

J'ai toujours été le meilleur – en tout.

C'est bien pour ça que je suis là, non ?

C'est la raison pour laquelle j'ai été choisi pour cette formation.

Hallucination.

Tromperie.

La chose capitale à comprendre.

La clé !

La tromperie était la solution, la réponse à tout !

— Respirez-moi ce bon oxygène, capitaine Hudson.

56

Carroll était tout juste réveillé et à peine opérationnel.

Un cadre de vie familier émergea peu à peu… Des livres sur le dessus de la cheminée… Une peinture à l'huile de son père exécutée par Mary Katherine accrochée à un mur.

Et puis il y avait des enfants.

Des tas d'enfants.

Ils l'observaient d'un œil soupçonneux, attendant qu'il parle, qu'il prononce une des ses phrases désinvoltes et renversantes.

Carroll but lentement un café qui venait d'être fait dans une grande tasse « Retour du Jedi » ébréchée. *Sunrise Semester* passait à la télé, son coupé. L'image horizontale tressautait paresseusement, attirant le regard.

Le clan Carroll était réuni pour un rare conciliabule de famille. Le menu se composait de café, de chocolat chaud et de pains perdus surgelés réchauffés au grille-pain automatique, une recette qui avait beaucoup fait pour la réputation d'Arch Carroll.

— Mmff… Mmff… Lizzie mmff… Lizzie a été une vraie salope, Papa, réussit à articuler Mickey Kevin, entre deux énormes bouchées d'une tartine sirupeuse. Dès que t'as été parti.

Sa bouche s'ouvrit en claquant, formant un cercle poisseux et à moitié rieur.

— Je crois t'avoir déjà dit ce que je pense de ce genre de langage…

— Mmff, mmff. Mais tu parles comme ça, *toi*.

— Ouais, peut-être que mon père à *moi* ne m'a pas suffisamment botté le derrière quand j'étais petit. Je ne vais sûrement pas faire la même erreur que lui, tu me suis ?

— En plus, j'ai même pas été une salope ! protesta soudain Lizzie, en lui lançant un regard furieux au-dessus des reliefs ramollis de son assiette.

— Lizzie ! Tu vas pas t'y mettre aussi ? Surveille ton langage ou je vais te chauffer les oreilles.

Un sourire angélique illumina le visage de la petite fille.

— Tu vas me chauffer les oreilles, Papa ? Est-ce que tu sais mieux les faire chauffer que les pains perdus ? Parce qu'y sont encore drôlement congelés…

Les quatre enfants se mirent à glousser. Clancy et Mary riaient tellement qu'ils faillirent tomber de leurs chaises. Mickey Kevin, lui, chavira bel et bien de son siège, telle une petite marionnette de fête foraine ivre.

Carroll finit par capituler. Il lâcha un sourire endormi et fit un clin d'œil à Mary K., qui l'avait laissé prendre en charge le petit-déjeuner ce matin-là.

Il avait commencé à leur raconter son voyage quasi tragique en Europe. Il s'était efforcé d'être, dans la mesure du possible, un bon papa pour ses quatre enfants… Il se rappelait confusément que son père faisait pareil, jadis, leur relatant le dimanche matin des anecdotes édulcorées du commissariat du 91e District, dans ce même coin-repas.

Il en arrivait à la partie la plus délicate.

Qu'est-ce que tu risques ? Allez, lance-toi.

Il prit un air dégagé...

— Là-bas en Europe, je travaillais avec quelqu'un... qui faisait partie des équipes de policiers spécialisés dans les finances. Les meilleurs. Nous avons travaillé ensemble, à Londres et ensuite à Belfast. Elle a failli se faire tuer là-bas, en fait. En Irlande. Elle s'appelle Caitlin. Caitlin Dillon.

Silence. Grand froid chez les Carroll.

Continue. Ne t'arrête pas maintenant.

— J'aimerais bien que vous fassiez sa connaissance, un de ces quatre. Il n'y a pas de quoi en faire tout un plat, vous savez. Elle est originaire, euh... elle vient de l'Ohio. Elle est assez drôle, en fait. Très gentille. Pour une fille. Ah ! Ah !

Silence de mort.

Finalement, Lizzie laissa échapper sa réponse, d'une petite voix étouffée :

— Non merci.

Les yeux de Carroll passèrent lentement, très lentement, d'un petit visage à l'autre.

Mickey, qui avait l'air tout doux et vulnérable dans son pyjama à fines rayures et ses chaussons-chaussettes, était au bord des larmes.

Clancy, affublé d'un peignoir trop grand pour lui qui le faisait ressembler à E.T. dans la scène où l'extraterrestre se soûle à la bière, gardait le silence. Il tenait son petit corps droit, dans un effort conscient pour se dominer.

Ils étaient fâchés – et blessés. Ils avaient parfaitement compris ce dont il retournait.

— Hé, allez ! Détendez-vous, d'accord ? J'ai juste discuté avec une femme avec laquelle il se trouve que j'ai travaillé. Nous avons seulement *discuté*. Bonjour, bla-bla-bla, au revoir.

Aucun d'eux ne voulait lui répondre. De fait, ils ne voulaient même pas le regarder. Il s'en voulait terriblement ; il se sentait si médiocre, si nul, tout à coup.

Attendez, ça fait trois ans.

Je me flétris à l'intérieur. Je dépéris.

— Allez, les enfants, finit par dire Mary Katherine, volant à son secours. Ne soyez pas injustes avec votre père, hein ? Il a quand même le droit d'avoir des amis lui aussi, non ?

Silence.

Nan, il a pas le droit.

Il a pas le droit d'être ami avec des filles.

Lizzie fondit en larmes. Elle tenta d'étouffer ses halètements et de refouler ses sanglots en portant ses deux petites mains devant sa bouche.

Ils se mirent tous à pleurer, à l'exception de Mickey Kevin, qui fixait maintenant son père d'un œil assassin.

Carroll n'avait pas vécu pire moment avec eux depuis la nuit où Nora était morte, dans un service aseptisé et austère du New York Hospital. Sa poitrine commençait également à se soulever, à présent. Il avait l'impression qu'on lui coupait brutalement et cruellement le cœur en deux.

Ils n'étaient pas prêts à accepter quelqu'un d'autre – *et peut-être que lui-même ne l'était pas non plus.*

Ils détestaient déjà Caitlin. Ils n'allaient pas lui laisser sa chance. Point final. Fin d'une discussion à peine esquissée.

57

Deux heures plus tard, à Manhattan, Carroll sentit qu'il avait besoin d'un whisky irlandais bien tassé.

Plus tard dans la journée, il se rappellerait vaguement avoir erré sans but dans les couloirs du numéro 13 de Wall Street. La lumière des néons était trop vive, les lampes éblouissantes des plafonniers lui blessaient les yeux.

Tout clochait, l'endroit dégageait quelque chose de faux. Il y régnait trop de morosité, tout le monde était ostensiblement dépité, partout où il allait. Les enquêteurs de la police et les chercheurs de Wall Street penchés sur des dossiers énormes ou figés devant des écrans d'ordinateurs ressemblaient à des gens trop longtemps cloîtrés, des hommes et des femmes n'ayant pas vu la lumière du jour depuis de nombreuses semaines.

Vers neuf heures trente, Arch Carroll s'attela à la tâche dans son bureau monacal.

Green Band. Une intuition exaspérante et insaisissable le taraudait. La sensation qu'un élément important, dont l'évidence lui échappait, était là, tout près, comme une savonnette vous glissant des mains dans la baignoire. Comme un nom qu'on a sur le bout de la langue.

Les membres de Green Band étaient si bien renseignés qu'ils jouissaient forcément de complicités dans la place. Un espion au 13 ? C'était ça, sa prémonition ?

Il secoua la tête, agacé.

Transcription d'interrogatoire, 13 Wall Street, salle 312,
lundi 14 décembre

(Personnes présentes : Arch Carroll, Anthony Ferrano, Michael Caruso)

CARROLL : Bonjour, monsieur Ferrano. Je suis Archer Carroll, de la division antiterroriste de la DIA. Voici mon adjoint, M. Caruso. Monsieur Ferrano, j'irai droit au but, afin de ne pas vous faire perdre votre temps, ni le mien. J'ai besoin de certains renseignements…

FERRANO : Je m'en étais comme qui dirait douté.

CARROLL : Ouais. Écoutez, j'ai parcouru la transcription de votre précédent interrogatoire. Je viens de lire la conversation que vous avez eue avec le sergent Caruso. Je suis un peu étonné que vous n'ayez rien entendu dire au sujet de l'attentat de Wall Street…

FERRANO : Ben, pourquoi ? Pourquoi aurais-je dû en entendre parler ?

CARROLL : Eh bien, en premier lieu, parce que vous êtes un trafiquant de gros calibres et d'explosifs, monsieur Ferrano. Ne trouvez-vous pas drôle, disons… curieux, de n'avoir entendu parler de rien ? Il doit bien y avoir des rumeurs qui circulent dans le milieu. Excusez-moi, voulez-vous un peu de whisky ?

FERRANO : Si je veux un whisky, je me le paye. Écoutez, je vous l'ai déjà dit – enfin, je l'ai dit à quelqu'un ; à *lui*, là –, je ne fais pas de trafic d'armes.

Je ne sais pas pourquoi vous me sortez des conneries pareilles. Je suis le propriétaire de Playland Arcade Games Inc., à l'angle de la Dixième Avenue et de la 49e Rue. Quand est-ce que vous allez enfin vous le rentrer dans le crâne ?

CARROLL : O.K., t'arrêtes de te foutre de ma gueule. À qui tu crois t'adresser, là ? À un petit voyou de ta rue ? C'est pour ça que tu me prends, pour un voyou ?

FERRANO : Hé, lâche-moi, tu veux ? Je t'emmerde. J'exige de voir mon avocat immédiatement !... Hé ! tu piges pas l'anglais, bonhomme ? Avocat ! Tout de suite !... Ohhh... Oh, putain !...

(Bruits de bagarre, de mobilier brassé. Grognements.)

CARROLL *(voix essoufflée)* : Monsieur Ferrano, je pense que... Je pense qu'il est indispensable que vous compreniez bien quelque chose. Donc, écoutez attentivement ce que je vais vous dire. Regardez bien mes lèvres... Ferrano, tu viens d'entrer dans la quatrième dimension. Tu es temporairement privé de tous tes droits. Tu n'as plus d'avocat. D'accord ? On peut poursuivre, connard ?

FERRANO : Putain, mec, tu m'as pété une dent. Fous-moi la paix avec... Aïe !... Putain de meeerde...

CARROLL : Je suis prêt à te foutre toute la paix que tu veux. T'as pas encore compris le message ? Ce dont il s'agit, là ? Ce qui se passe ? Quelqu'un a piqué du fric et des gens très importants ont sérieusement les boules. Tu comprendrais mieux si je te dis qu'ici t'es qu'une merde ? Ça t'aiderait ?

FERRANO : Doucement ! J'ai rien fait, moi !

CARROLL : Ah oui ? Tu vends des fusils à pompe et des revolvers à des gosses de quatorze, quinze ans. À des petits Blacks, des Portoricains, des Chinois... Bon, on a assez perdu de temps… Le mieux, crois-moi, ça serait que tu t'allonges, et un peu vite.

FERRANO : Écoutez, je vais vous dire ce que je sais. Je peux pas vous dire ce que je sais pas.

CARROLL : Ça va de soi. On est tout ouïe.

FERRANO : OK, j'ai entendu parler d'un arrivage d'artillerie lourde. En ville. Ça, c'était à peu près début ou peut-être mi-novembre. Ouais, c'est ça, c'était y a cinq semaines.

CARROLL : Ça signifie quoi, « lourde », exactement ?

FERRANO : Genre des M 60. Des lance-roquettes M 79. Des mitrailleuses légères soviétiques. Des fusils d'assaut automatiques SKS. Le genre très *lourd* ! Ce qui me dépasse, c'est qu'est-ce qu'ils vont bien pouvoir foutre avec ce genre de matos, putain ? C'est du matériel de base pour une offensive terrestre. Comme au Viêtnam. C'est ce qu'on utilise pour envahir un pays. C'est tout ce que je sais… Je vous dis la vérité, Carroll… C'est *tout* ce qui s'est dit dans le milieu. Vous en apprendrez pas plus ailleurs… Oh, allez, vous m'croyez pas ?… Hé ! Sérieux ?

CARROLL : Raconte-moi ce que tu sais au sujet de François Monserrat.

FERRANO : C'est pas un nom italien, ça.

CARROLL : Monsieur Ferrano, merci infiniment pour votre aide. Maintenant, tirez-vous de mon bureau. M. Caruso va vous raccompagner.

Transcription d'interrogatoire, 13 Wall Street, salle 312,
lundi 14 décembre
(Personnes présentes : Arch Carroll, Mohammed Saalam)

CARROLL : Bonjour, monsieur Saalam. Je ne vous avais pas revu depuis que vous avez fait descendre Percy Ellis, sur la 103e Rue. Très jolie djellaba. Une gorgée de whisky ?

SAALAM : L'alcool est contraire à mes convictions religieuses.

CARROLL : C'est du whisky irlandais. Il est béni. Bon, eh bien, dans ce cas... Dites-moi, monsieur Saalam, euh... êtes-vous chasseur ?

SAALAM *(rires)* : Pas vraiment, non. Chasseur ?... En fait, si on y réfléchit bien, je suis plutôt un homme chassé. Depuis que je me suis battu pour vous, les Blancs, en Asie du Sud-Est. Par ailleurs, mon nom se prononce Sah-lahm.

CARROLL : Sah-lahm. Je suis désolé... Non, voyez-vous, je me disais que vous deviez être chasseur. Ou quelque chose dans ce goût-là. À cause de tous ces fusils de chasse et toutes ces bombes que nous avons découverts dans votre appartement, là-haut à Yonkers. Des M 23 pour la chasse à l'écureuil. Des fusils pour la chasse à l'opossum – ceux équipés pour la vision de nuit. Des grenades offensives pour chasser le tamia. Des roquettes B-40 pour la chasse au canard...

SAALAM : Vous avez fait une perquisition chez moi ?!

CARROLL : On n'avait pas le choix. Que savez-vous d'un certain François Monserrat ?

SAALAM : Vous aviez un mandat ?

CARROLL : À vrai dire, on n'a pas pu obtenir un mandat officiel du tribunal. Mais on en a touché un mot à titre officieux à un juge de nos amis. Il nous a simplement recommandé de ne pas nous faire gauler. On a suivi son conseil.

SAALAM : Sans mandat de perquisition... ?

CARROLL : Enfin, quoi ? Personne n'a donc lu l'édition du 16 juin de *Time Magazine* ? L'article sur moi ? Le petit encadré en rouge ? Il n'y a donc personne qui comprenne qui je suis ? Je suis un terroriste ! Exactement comme vous, les gars... Je ne suis pas les règles établies par les accords de la Croix-Rouge internationale. Monsieur Saalam, vous avez vendu des M 23 pour la chasse à l'écureuil, ainsi que quelques fusils pour la chasse à la caille, à deux types, il y a de ça environ six semaines. La question est la suivante : qui sont-ils ?... *(Long silence.)* OK, je vois... Monsieur Saalam, permettez-moi de vous expliquer quelque chose. Je vais tenter d'être aussi clair que possible... *Vous* êtes un terroriste intelligent, un gars qui a fait des études dans une université américaine. Vous avez suivi des cours à la Howard University pendant un an ; vous avez purgé une courte peine à Attica. Vous faites partie de l'école Mark Rudd/Eldridge Cleaver/Kathy Boudin... En ce qui me concerne, je suis un terroriste de la mouvance OLP/Brigades rouges/Tire-sur-tout-ce-qui-bouge... Alors, reprenons. Aux environs du 1er novembre, vous avez vendu une caisse pleine de M 23 volés. C'est un fait avéré, que nous connaissons tous les deux. Alors, vous me dites « Oui, en effet » ou je vous brise la main droite. Dites juste : « Oui, en effet. »

SAALAM : Ouais, en effet.

CARROLL : Bien. Merci de votre franchise. Maintenant, à qui avez-vous vendu les M 23 ? Attendez avant de répondre. N'oubliez pas que je suis l'OLP. Ne me révélez rien que vous auriez peur de dire à un policier de Beyrouth enquêtant sur l'OLP.

SAALAM : J'ignore qui ils sont.

CARROLL : Là, on est mal...

SAALAM : Non, attendez une minute. *Eux* savaient qui j'étais. Ils savaient tout sur moi. Mais je n'ai jamais vu qui que ce soit, je le jure. J'ai eu l'impression d'être pris dans un traquenard.

CARROLL : J'adore la sincérité des anciens détenus. Et il se trouve que je vous crois… Parce que c'est aussi ce que votre colocataire actuel, M. Rashad, a déclaré. Maintenant, veuillez foutre le camp d'ici… Oh ! au fait, monsieur Saalam. Nous avons été obligés de louer votre appartement à Yonkers. Il a été attribué à une adorable jeune femme bénéficiant de l'aide sociale et qui vit seule avec trois petits enfants…

SAALAM : Vous avez fait quoi ? !

CARROLL : Nous avons loué l'appartement qui vous servait de repaire pour votre trafic d'armes. Nous l'avons loué à une gentille mère de famille nombreuse. Santé, mon frère !

58

— Ils sont si incroyablement méthodiques. C'est pour cette raison que c'est tellement déconcertant. Ils ne cessent d'échapper à la police en dépit de l'ampleur des moyens déployés.

Caitlin et Anton Birnbaum, tous deux épuisés et les yeux rouges, étaient assis dans des fauteuils Harvard en cuir dans le bureau du vieil homme, à Wall Street. Caitlin faisait presque une tête de plus que le financier au corps d'oiseau, toutefois moins frêle qu'il n'y paraissait. Quelques années plus tôt, à l'époque où elle travaillait pour lui, Birnbaum refusait de se déplacer dans le quartier financier en compagnie de la jeune femme pour cette raison.

— C'est réglé, orchestré avec un soin infini… Quelque chose de parfaitement organisé se produit dans toute l'Europe de l'Ouest en ce moment, déclara Anton Birnbaum en se massant le creux des reins.

Caitlin scruta son visage. Elle attendit la suite. Cela fonctionnait généralement de la sorte avec le vieil homme, qui pensait beaucoup plus vite qu'il ne parlait.

— Je songe à un livre… Il s'intitule *La Véritable Guerre*. La thèse centrale de cet ouvrage est que l'Allemagne et le Japon ont trouvé une voie éminemment judicieuse pour poursuivre leur conquête du monde. Par le biais du commerce. C'est cela, la véritable guerre. Nous, les Américains, nous sommes en train de perdre cette guerre, et de manière spectaculaire. Vous n'êtes pas de cet avis, mon enfant ?

Caitlin se leva et se mit à arpenter le bureau.

— Et *vous*, Anton ? Qu'est-ce que vous pensez de ce qui se passe en Europe ? Nous nous échinons à reconstituer le puzzle, mais il nous manque des données essentielles. Un fil conducteur susceptible de nous éclairer sur l'identité de ces gens.

Elle s'immobilisa, dos à la fenêtre, et examina les photos sur les murs. Elles représentaient toutes Anton Birnbaum, immortalisé aux côtés d'hommes d'État, d'industriels controversés, de personnalités du show business...

Birnbaum se frotta l'arête du nez en réfléchissant avec soin à ce qu'il allait dire. Caitlin venait de lui rappeler qu'elle faisait partie des rares personnes du milieu financier avec lesquelles il pouvait discuter. Lorsqu'il parlait avec elle, il n'avait nul besoin d'expliciter ses théories ou le cheminement de sa pensée.

— Les Européens n'ont tout simplement pas confiance en nous, répondit-il finalement, se penchant en avant dans son fauteuil. C'est précisément pour cela qu'ils ne communiquent plus avec nous. Ils considèrent que nous prenons des positions différentes des leurs et que nous avons des priorités autres.

Anton Birnbaum regarda Caitlin droit dans les yeux. Ses propres yeux larmoyaient continuellement derrière ses épais verres de lunettes. Il rappelait à Caitlin un personnage du *Vent dans les Saules*[1], Monsieur Taupe.

— Mes paroles sonnent alarmiste, non ? poursuivit-il. Mais je sens la vérité intrinsèque de ce que je dis. Je le sens presque *a priori*. Il va y avoir un krach. Je suis convaincu qu'il va y avoir un krach dramatique – peut-être même un deuxième Jeudi noir. Très, très bientôt. (Il se tut, puis reprit :) Je crois qu'il est possible que nous nous trouvions au beau milieu d'une guerre. La guerre de l'argent. Cette Troisième Guerre mondiale que nous redoutons depuis si longtemps. Elle a sans doute déjà éclaté.

---

1. *The Wind in the Willows*, de Kenneth Grahame, est un classique de la littérature enfantine anglo-saxonne.

59

— Nom de Dieu ! Regardez-moi ça ! s'exclama Walter Trentkamp d'une voix rendue aiguë par l'incrédulité. Messieurs, il se passe la même chose partout !

Trentkamp, le directeur du FBI, Philip Berger, celui de la CIA, et le général Frederick House étaient postés devant les terminaux informatiques quand Caitlin Dillon et Arch Carroll débarquèrent. Des informations, textes et graphiques, arrivaient simultanément sur plusieurs écrans.

Voyant Caitlin et Carroll traverser précipitamment la salle allouée à la cellule de crise, Berger fronça les sourcils.

— Des rapports urgents affluent depuis un quart d'heure, vingt minutes, expliqua-t-il. Depuis trois heures et demie, heure d'ici. Ils ont mis quelque chose en branle. Il se passe quelque chose. Dans le monde entier, cette fois-ci.

À une heure, heure de Paris, la Compagnie des agents de change fut fermée sur ordre officiel du président de la République française.

Les transactions furent immédiatement suspendues à la Bourse. L'indice CAC 40 avait perdu plus de trois pour cent en une matinée.

Les gros titres des journaux français du soir étaient les plus sinistres qui aient été composés depuis quarante ans :

LE MARCHÉ AU BORD DE LA PANIQUE !

KRACH BOURSIER !

LA BOURSE SENS DESSUS DESSOUS !

DÉSASTRE FINANCIER !

Pourtant, pour une fois, les quotidiens étaient en dessous de la vérité.

La confusion la plus totale régnait à la Bourse de Francfort, qui parvint néanmoins à rester ouverte jusqu'à la clôture réglementaire de la séance.

L'indice de la Commerzbank était tombé sous la barre des mille pour la première fois depuis 1982.

On comptait la Westdeutsche Landesbank, Bayer, Volkswagen et Philip Holzman au nombre des plus gros perdants de la journée.

Toutefois, aucun des économistes d'Allemagne de l'Ouest n'aurait su dire pourquoi les cours s'effondraient ; ni jusqu'à quel point la chute était susceptible de se poursuivre.

La Bourse de Toronto fut l'une des plus touchées dans le monde.

L'indice composite de trois cents valeurs dégringola de 155 points.

Les volumes de transactions atteignirent de nouveaux records jusqu'à la fermeture officielle de la Bourse canadienne, à treize heures.

À Tokyo, l'index Nikkei-Dow Jones fluctua toute la journée et clôtura finalement à 9 200, ce qui représentait une baisse conséquente de deux et demi pour cent en une séance.

Les sociétés les plus affectées furent celles qui traitaient principalement avec le Moyen-Orient, parmi lesquelles Mitsui Petrochemical, Sumitomo Chemical et Oki Electric.

D'importants dépôts européens et américains firent de la Bourse de Johannesburg la seule gagnante apparente sur l'ensemble du marché mondial. L'encaisse or s'y négocia brusquement à mille dollars l'once. Le rand s'apprécia instantanément à un dollar cinquante.

Des centaines de millions de dollars furent empochés en Afrique du Sud. Des soupçons planèrent, mais aucune réponse satisfaisante n'émergea.

Londres ferma inopinément à midi, soit trois heures et demie avant l'heure de clôture normale.

L'indice des sept cent cinquante sociétés établi par le *Financial Times* avait perdu près de 90 points. Il avait chuté de pratiquement 200 points depuis l'attentat de Green Band à New York.

L'atmosphère dans le quartier financier de Threadneedle, à proximité de la Bank of London, était presque aussi sombre et désespérée qu'à Wall Street, ravagé par les bombes.

Avec ses consoles téléphoniques informatisées dotées de dizaines de touches, la salle de la cellule de crise du numéro 13 de Wall Street, Manhattan, commençait à prendre de faux airs du vaisseau spatial *Enterprise*. Personne, parmi la trentaine d'experts de la police, de l'armée et de la finance réunis dans la pièce, n'avait cependant la moindre idée des mesures à prendre.

Le système économique occidental s'était manifestement interrompu, brutalement et pour une durée indéterminée.

Et Green Band leur opposait toujours un silence assourdissant.

60

Caitlin Dillon et Carroll étaient assis sur un vieux canapé à fleurs dans l'appartement de ce dernier, à Manhattan.

Ils attendaient toujours que Green Band daigne se manifester. Il n'y avait rien d'autre à faire qu'attendre.

— Il faut vraiment que j'aille me coucher, murmura Caitlin d'une voix ensommeillée. (Elle se pencha en avant et embrassa Carroll sur le front.) J'aimerais dormir au moins quelques heures.

Carroll approcha sa montre de son visage.

— Quelle rabat-joie ! T'as vraiment aucun sens de l'aventure. Il n'est même pas onze heures du soir !

— Chez moi dans l'Ohio, les gens se mettent au lit à neuf heures et demie, dix heures. Le restaurant de l'Holiday Inn de Lima est complet à six heures et demie et ferme à huit heures dernier carat.

— Oui, mais tu es une New-Yorkaise confirmée, maintenant. Ici, en semaine, on fait la fête jusqu'à deux ou trois heures du matin...

Caitlin l'embrassa de nouveau, mettant ainsi un terme à ses taquineries. Carroll se sentait incroyablement bien avec elle et il s'en émerveillait. Voir une personne qu'on aime être à deux doigts de se faire tuer devait sans doute accélérer le processus d'attachement.

— Il y a quelque chose qui ne va pas ? Tu as l'air triste. Tu peux m'en parler…, l'invita-t-elle.

Elle scrutait le visage de Carroll, cherchant à deviner ce qu'il ressentait, à comprendre qui il était vraiment.

— Je ne suis pas tout à fait prêt à aller me coucher. C'est sans doute dû au surmenage. Vas-y. Je ne vais pas tarder à te rejoindre.

Caitlin se baissa davantage et lui donna un autre baiser. Elle sentait si bon. Et elle avait les lèvres les plus douces qui soient.

— Tu veux que je reste avec toi ? demanda-t-elle à voix basse.

Carroll secoua la tête.

Elle quitta le salon, emmitouflée dans une couverture.

Carroll se leva du canapé. Il se mit à faire les cent pas devant les baies vitrées. Il éprouvait une étrange sensation. Son corps était comme électrisé, en ébullition.

Il fouilla dans un vieux coffre qu'il avait acheté chez un antiquaire de Pennsylvanie, de nombreuses années auparavant. Son esprit vagabondait dans des endroits étranges, des saisons bizarres…

Il se demanda si Caitlin aimait les enfants…

Il y avait quelque chose qu'il voulait faire. Pas la pire chose qu'il pouvait faire, compte tenu des circonstances. La pire des pires.

C'était *la* date anniversaire.

Nora était morte trois ans plus tôt, jour pour jour.

Un 14 décembre.

Carroll rassembla d'abord de vieilles photos, qu'il trouva pour la plupart sur l'étagère du bas encombrée d'une bibliothèque vitrée.

Ensuite, il plaça un fauteuil en osier juste à côté de l'une des baies donnant sur le fleuve et les lumières de Riverside Drive.

Il regarda fixement le West Side Highway en contre-bas et le Boat Basin, si paisible.

Il laissa le présent se brouiller et devenir flou.

Il se releva.

Il choisit trois cassettes dans les piles disposées de part et d'autre de la chaîne stéréo. La première était l'album *52nd Street*, sur la pochette duquel Billy Joel tenait timidement une trompette. La deuxième s'intitulait *I Believe in Love*, d'un certain Don Williams. De la musique country classique. Et la dernière était *Guilty*, de Barbra Streisand et Barry Gibbs.

Carroll alluma la chaîne et les enceintes se mirent immédiatement à ronfler. Il sentait le courant vibrer jusque dans la plante de ses pieds nus. Il baissa considérablement le volume.

Il n'avait jamais été fan de Barbra Streisand, mais il y avait deux chansons qu'il avait envie d'écouter, sur cet album : *Woman in Love* et *Promises*. Dehors, un camion passa en grondant sur Riverside Drive.

Il gardait une vieille photo de Nora, tout en bas de la bibliothèque.

Il la prit, la posa sur l'accoudoir du canapé.

Pendant un long moment, il regarda pensivement Nora, assise dans un fauteuil roulant de l'hôpital. La douleur que Carroll éprouvait était aussi aiguë que si elle avait disparu la veille.

Il se rappelait *précisément* quand le cliché avait été pris. Après l'opération. Après que les médecins eurent échoué à extraire la tumeur maligne.

Sur cette photo, Nora portait une robe d'été jaune à fleurs toute simple et un gilet bleu. Elle était chaussée d'extravagantes baskets montantes, qui, dans l'esprit de tous ceux qui l'avaient aimée, étaient restées associées à l'époque de son cancer.

Elle avait un sourire radieux, sur la photo. Pour autant qu'il s'en souvînt, elle n'avait jamais complètement craqué pendant sa maladie ; elle ne s'était jamais apitoyée sur son sort. Elle avait trente et un ans lorsque la tumeur avait été décelée. Elle s'était vue perdre ses cheveux blonds au long des séances de chimiothérapie. Puis elle avait dû s'habituer à vivre dans un fauteuil roulant. D'une façon ou d'une autre, Nora avait accepté le fait qu'elle ne verrait pas ses enfants grandir et qu'elle ne vivrait pas non plus tout ce dont ils avaient pu rêver pour eux deux, ni tout ce qui leur avait toujours semblé acquis.

Pourquoi ne réussissait-il pas à accepter enfin sa disparition ?

Pourquoi ne réussissait-il pas à accepter la vie telle qu'elle était supposée être ?

Arch Carroll cessa de réfléchir et s'immergea dans la voix de Barbra Streisand.

La chanson *Promises* lui rappela la période où il rendait chaque soir visite à Nora, au New York Hospital. En sortant de l'hôpital, il dînait au Galahanty's Bar, un peu plus haut sur la Première Avenue. Un hamburger, des frites molles, une bière pression au goût insipide. Cela avait marqué le début de ses abus de boisson.

Les deux chansons de Streisand passaient alors très souvent, sur le juke-box du Galahanty's.

Lorsqu'il était assis au bar, il avait toujours envie de retourner là-haut – à onze heures du soir – pour discuter encore un tout petit peu avec elle ; pour dormir avec elle ; pour la prendre dans ses bras et la protéger de la nuit qui envahissait sa chambre d'hôpital. Pour profiter au maximum de chaque instant qu'ils pouvaient encore passer ensemble…

Des larmes coulaient lentement sur ses joues. La douleur en lui était comme une colonne de pierre s'élevant de sa poitrine jusqu'à son front. Il n'éprouvait pas cette tristesse, ce chagrin inconsolable, pour lui-même mais pour Nora : ce qui lui était arrivé était tellement *injuste*.

Carroll se recroquevilla et serra ardemment ses bras autour de son torse.

Quand ce sentiment s'effacerait-il ? Les trois années qui venaient de s'écouler avaient été insoutenables. Quand cela allait-il enfin s'arrêter ?

Pendant ce temps, Caitlin se tenait, immobile et muette, dans le couloir plongé dans l'obscurité.

Elle ne parvenait pas à respirer, elle ne parvenait même pas à déglutir. Elle était sortie de la chambre parce qu'elle avait entendu du bruit. De lointains accords musicaux…

Elle avait trouvé Carroll ainsi. Si triste à voir.

Elle retourna lentement dans la chambre. Elle se pelotonna sous les couvertures et les draps encore empreints de la chaleur de son corps.

Allongée là, seule, Caitlin se mordit la lèvre inférieure. Elle comprenait à présent tellement mieux Carroll et elle l'en aimait davantage encore – il avait suffi de cet instant. Peut-être comprenait-elle plus de choses qu'elle ne l'aurait toutefois souhaité.

Elle avait envie de le prendre dans ses bras, mais elle avait peur d'aller le lui proposer. Caitlin craignait de l'importuner.

Elle ne savait pas depuis combien de temps elle se trouvait seule dans la grande chambre silencieuse avec vue sur le fleuve quand le téléphone sur la table de nuit sonna.

Trois heures trente.

Carroll ne décrocha pas, dans l'autre pièce. Où était-il passé ?

Caitlin s'empara du combiné.

Avant qu'elle ait pu dire le moindre mot, elle entendit une voix d'homme surexcitée à l'autre bout du fil :

— Navré de te réveiller, Arch. C'est Walter Trentkamp. Je suis au 13. La Bourse de Sydney vient d'ouvrir. C'est la panique totale ! Tu ferais bien de t'amener illico. Tout va s'effondrer !

61

— À mon avis, Arch, ce qui se passe, c'est que le marché est bouleversé, voire complètement déréglé. Tout le monde cherche désespérément à vendre. Sauf que l'offre est bien plus importante que la demande, expliqua Caitlin.

— Ça signifie quoi, exactement ? demanda Carroll.

— Ça signifie que le cours des actions et des obligations va inévitablement s'effondrer de façon spectaculaire… Le krach qui nous tombe apparemment dessus est susceptible de durer quelques heures ou quelques jours, voire de se prolonger pendant plusieurs années.

— Pendant plusieurs années ?

— En 1963, le jour de l'assassinat de Kennedy, les cours se sont écroulés et la Bourse a fermé aussitôt. Le marché s'est redressé dans les heures qui ont suivi, alors qu'il ne s'était remis du krach de 1929 qu'après la Seconde Guerre mondiale !

Carroll et Caitlin traversaient en toute hâte l'immense hall d'entrée en marbre du World Trade Center.

C'était là, au rez-de-chaussée et à l'entresol de l'une des tours, que le siège des banques et des sociétés fiduciaires avait été établi après l'attentat de Wall Street.

Les escalators menant à l'entresol ne fonctionnaient pas. Un panneau improvisé indiquait *Section financière* au-dessus d'une flèche rouge pointant vers les étages.

Carroll et Caitlin montèrent deux à deux les marches des escaliers mécaniques étrangement immobiles. Il était quatre heures du matin tout juste passées.

— Ça a l'air un peu mieux organisé qu'au 13, fit remarquer Carroll. Quoique pas beaucoup plus, en fait.

Des fils d'interphone bleus et rouges étaient suspendus un peu partout au-dessus des escalators et des sorties de secours. Des liaisons radio reliant le centre financier aux bureaux des quartiers chic de la ville grésillaient et braillaient sans discontinuer, malgré l'heure plus que matinale.

Par une rangée de hautes fenêtres, Carroll et Caitlin virent atterrir un hélicoptère Bell noir de l'armée. Des limousines et des véhicules officiels déposaient des hommes à l'expression morose portant des attachés-cases.

Un nouveau Jeudi noir ?

Caitlin se frottait les bras pour se réchauffer en marchant. La température dans le bâtiment était glaciale.

— Aucune des sauvegardes habituelles des systèmes ne fonctionne. On n'a pas conçu suffisamment de dispositifs de sécurité intégrés pour faire face à une situation telle que celle-ci. Cela fait des années que les économistes le signalent à la Bourse de New York. Tous les candidats à un MBA de ce pays savent qu'une telle chose était à même de se produire.

Carroll poussa finalement les lourdes portes en pin d'une gigantesque salle de conférences où régnait une agitation frénétique ; on aurait dit une Bourse miniature. Des courtiers assis devant des consoles téléphoniques complexes et des analystes devant des écrans parlaient tous en même temps.

Autour d'eux gravitaient des individus tout aussi surexcités, la plupart beuglant dans des combinés téléphoniques maintenus entre menton et épaule.

Il se dégageait de ce spectacle une impression de pure folie. Cela aurait pu évoquer, les équipements modernes en moins, un asile d'aliénés à la fin du XIXᵉ siècle.

Grand, les joues flasques, chauve comme un œuf, Jay Fairchild s'excusa auprès d'un groupe d'hommes d'affaires en costumes sombres et s'avança d'un pas pesant pour accueillir Caitlin et Carroll. Sous-secrétaire d'État aux Finances, Fairchild avait pris l'habitude de s'en remettre au jugement de Caitlin et à ses intuitions pour tout ce qui touchait au marché.

— Jay, qu'est-ce qui s'est passé cette nuit, bon sang ? Qui a provoqué ça ? *Où* est-ce que cela a commencé ?

Pour une fois, c'était au tour de Caitlin d'avoir l'air déboussolée.

— À peu près tous les scénarios catastrophes que toi ou moi avons pu imaginer sont devenus réalité durant ces dernières heures, répondit Fairchild. Hier, à la clôture de la séance à Chicago, le cours du métal est monté en flèche. Des marchandises à terme, café, sucre, se sont méchamment effondrées. La Bank of America et la First National ont commencé à demander les remboursements de leurs prêts...

À l'annonce de cette nouvelle, Caitlin ne put réprimer sa colère :

— C'est pas vrai ! Mais quelle bande de connards ! Les abrutis ! Les courtiers de Chicago refusent d'écouter qui que ce soit ! Cela fait belle lurette qu'il y a toutes sortes de débordements spéculatifs sur le marché à options, déjà bien avant tout ça...

— En attendant, dans l'immédiat, le *vrai* problème n'est plus là, observa Fairchild. Les banques sont en train de précipiter le krach !... Elles en portent presque entièrement la responsabilité. Allons dans le hall. Vous verrez ce que je veux dire. C'est pire que tout ce que tu pourrais imaginer.

62

Des agents fédéraux et des officiers de la police de New York à l'air intraitable contrôlaient l'identité de tous les individus cherchant à pénétrer dans la salle de conférences du rez-de-chaussée.

Dans la salle, le vacarme et l'activité étaient deux fois plus importants que ce que Carroll et Caitlin avaient pu voir et entendre à l'étage.

Il était pourtant seulement quatre heures trente du matin, ce mardi 15 décembre, mais la pièce était bondée – et la peur se lisait sur tous les visages.

— Un autre facteur contribue à la catastrophe actuelle, expliqua Fairchild. L'éventualité réelle d'un krach international, pas seulement limité à notre pays. Cette fois-ci, le monde entier est susceptible d'exploser.

Tous les gens qu'ils croisaient dans la salle de conférences affichaient un air désespérément grave. L'ambiance générale évoquait celle d'une alerte dans un sous-marin atomique.

— Sept jours de transactions de courtage sont désormais non résolus, fit Caitlin. Les banquiers rivalisent pour être celui qui tirera le plus gros profit de cette pagaille !

— Et *quid* des petits porteurs ? demanda Carroll. Ils seront les dindons de la farce, non ?

Jay Fairchild hocha la tête.

— À tous les coups. Les grandes banques sont toutes occupées à manœuvrer au plus près pour s'adjuger les milliards des pays producteurs de pétrole. Elles se moquent éperdument des pauvres péquins qui possèdent une centaine d'actions Polaroïd ou AT & T…

— Arch, tout tourne autour de l'argent des pays arabes producteurs de pétrole. L'argent des Arabes est presque toujours géré avec le plus grand soin. Depuis vendredi dernier, ils essayent d'évacuer leurs bons du Trésor américain. Pour de l'or. Pour d'autres métaux précieux. Les banques se ruent sans vergogne sur les fortunes colossales des pays arabes. Les rats quittent le navire et lâchent le dollar pour se jeter sur toutes les devises plus stables – la livre sterling, le yen, le franc suisse… La Chase, Manufacturers, la Bank of America s'en mettent plein les poches en ce moment.

Ils se tenaient là, tous les trois, regardant, impuissants, le krach boursier évoluer et prendre de l'ampleur.

Des comptes rendus en provenance de Londres, de Paris, de Bonn et de Genève arrivaient sans cesse.

Des hommes en bras de chemise, nœud de cravate desserré, se relayaient pour communiquer les informations les plus importantes aux secrétaires débordées, qui les rentraient aussitôt dans un énorme ordinateur central.

À onze heures trente, le matin du 15 décembre, la majorité des banques américaines, y compris les caisses d'épargne, mais aussi les Bourses de Chicago, de Boston, du Pacifique et du Midwest étaient officiellement fermées.

63

À midi, un homme âgé se frayait un chemin vers le cœur de l'action, dans la salle de réunion du World Trade Center où se tenait la cellule de crise.

De nombreux jeunes courtiers et banquiers n'identifièrent pas Anton Birnbaum. Ceux qui le reconnurent lui jetèrent des coups d'œil circonspects.

Birnbaum ressemblait davantage à un prêteur sur gages new-yorkais d'antan qu'à un génie de la finance mondialement reconnu, dont la réputation était restée sans tache tout au long de sa carrière.

Le président Kearney était arrivé par hélicoptère de Washington moins d'une demi-heure auparavant. Il accueillit chaleureusement le financier, auquel il s'adressa avec déférence :

— Je suis sincèrement ravi de vous revoir, Anton. Surtout dans ces circonstances.

Le Président et Birnbaum s'éclipsèrent dans un petit bureau particulier, à la porte duquel se posta un agent des services secrets.

— Monsieur le président, si je peux me permettre de prendre la parole en premier, j'ai eu une idée qu'il vous plaira peut-être de considérer… Je viens d'avoir un entretien téléphonique avec deux messieurs dont vous n'avez probablement jamais entendu parler. Ces deux conversations méritent que je vous les rapporte. L'un de ces deux hommes, un certain Clyde Miller, est de Milwaukee. L'autre réside dans le Tennessee, à Nashville – il s'appelle Louis Lavine. (Anton s'exprimait d'une manière lente et mesurée qui donnait l'impression que chacun de ses mots était d'une importance capitale.) M. Miller est le PDG d'une très grosse société de brasserie. M. Lavine est l'administrateur des finances de l'État du Tennessee... Je viens de convaincre M. Miller d'acheter cinq cent mille actions du capital de General Motors et de continuer à acheter tant que le cours n'est pas revenu à soixante-sept. Il est prêt à investir jusqu'à deux cents millions de dollars. Quant à M. Lavine, du Tennessee, je lui ai demandé d'acheter des actions NCR, dont le cours est actuellement à dix-neuf et de persévérer jusqu'à ce qu'il remonte à trente. Il accepte de s'engager pour cette acquisition à hauteur de soixante-quinze millions de dollars... J'espère seulement que le courage de ces deux messieurs transformera bel et bien le cours de ce désastre, reprit-il. Je prie pour que cela rétablisse un certain optimisme, absolument indispensable. J'ai la conviction que ce sera le cas, monsieur le président... Une fois que les spécialistes du marché auront flairé une demande pour ces deux indicateurs, les choses se mettront à bouger. Les arbitragistes-risque, qui sont capables de repérer une tendance à la hausse dans un déluge et qui disposent de milliards au comptant, commenceront à tâter le terrain. J'ai avisé un petit nombre de mes associés, qui gèrent des fonds communs de placement et des fonds de pension à travers tout le pays, qu'un retournement spectaculaire de la situation de crise était imminent. Je leur ai suggéré d'ouvrir l'œil et de surveiller les bonnes affaires pour pouvoir surfer sur une spirale bénéficiaire très rapide et favorable. Une spirale s'approchant du niveau à l'ouverture du marché ce matin…

La nouvelle du plan de reprise de Birnbaum se propagea instantanément dans la salle de conférences du World Trade Center, déchaînant aussitôt des débats animés sur le bien-fondé de cette stratégie pour le moins audacieuse.

— Clyde Miller est en train de mettre sa propre société en faillite ! s'esclaffa l'un des détracteurs.

Une altercation entre deux banquiers d'un certain âge tourna au combat de boxe à l'ancienne. Un cercle de banquiers et d'analystes financiers se forma autour des deux pugilistes haletants, quelques paris furent même lancés. Lorsque la bagarre s'acheva, les deux banquiers, épuisés, se soutenaient mutuellement, comme si chacun d'eux cherchait à consolider la dignité de l'autre.

Tandis que le matin d'hiver cédait la place à un après-midi gris acier, il apparut cependant clairement que le plan de Birnbaum arrivait trop tard.

Les plus grosses pertes jamais observées sur le marché international en une seule journée avaient déjà été dépassées.

Le 24 octobre 1929, les pertes s'étaient élevées à quatorze milliards de dollars.

Ce 15 décembre, les pertes enregistrées pour la seule journée sur la planète excédaient les deux cents milliards.

64

Tard cette nuit-là, Caitlin Dillon sirotait un soda faible en calories, face à un écran de télévision géant juste à l'extérieur de la salle où siégeait la cellule de crise.

Les antennes des plus grandes chaînes nationales étant situées sur le toit du World Trade Center, l'image du récepteur était parfaitement nette.

— Ça y est, chuchota-t-elle à Carroll. La Bourse de Hong-Kong sera la première des Bourses importantes à ouvrir dans le monde. Celles de Sydney et Tokyo restent toutes les deux fermées jusqu'à midi. Hier, l'indice Hang Seng a perdu 80 points. Ça va être décisif…

Caitlin et Carroll étaient assis au milieu d'un groupe compact de banquiers de Wall Street – des hommes et des femmes harassés, qui ressemblaient aux spectateurs d'un improbable événement sportif se déroulant sur plusieurs jours. Une émission de télévision en circuit fermé était retransmise par satellite, de l'Asie à New York.

Sur l'écran, on voyait des cameramen et des journalistes couvrir l'événement en direct derrière des cordons de policiers hong-kongais.

Puis, dans une rue pleine de monde, des dizaines de milliers d'habitants de Hong-Kong scandant des chants à tue-tête et brandissant des pancartes affichant des revendications politiques. Ensuite apparurent des agents de change en costume sombre, commençant à franchir solennellement le seuil de la Bourse.

— On dirait un cortège funèbre, souffla Carroll à Caitlin.

— Pas très folichon, hein ? C'est vrai que ça ressemble à des funérailles nationales...

Le correspondant d'une chaîne de télévision américaine s'approcha d'une caméra postée dans la rue bondée. Il portait un costume en coton gaufré froissé et s'exprimait avec un accent britannique heurté.

— Nous n'avons jamais vu dans le passé une démonstration aussi imagée de la polarisation entre les espoirs du tiers-monde et les rêves de l'Occident. Ici à Hong-Kong, nous sommes, à mon sens, témoins d'une représentation à petite échelle de ce qui va se jouer dans un avenir proche partout dans le monde. Nous sommes au lendemain de l'effondrement des cours sur tous les marchés internationaux... Le marché obligataire est ravagé ; les Français et les Arabes liquident leurs portefeuilles au rythme de plusieurs milliards par jour... Et ce matin, à Hong-Kong, beaucoup de gens sont inquiets, abattus... Mais la majorité, une quantité de gens contre toute attente considérable – pour la plupart des étudiants et des jeunes, ainsi que des chômeurs –, scandent des slogans antiaméricains et appellent même de leurs vœux un krach boursier dévastateur... Les gens acclament la perspective d'un effondrement économique mondial généralisé. Ils escomptent le pire et se réjouissent de cette issue désastreuse... La chute longtemps attendue de l'Occident.

65

Et soudain tout changea !

Presque comme si tout ceci avait été arrangé à l'avance.

Moins de trois quarts d'heure après l'ouverture de la séance à la Bourse de Hong-Kong, les cours de l'indice Hang Seng commencèrent à se stabiliser ; puis ils se mirent à monter – une reprise à la hausse massive.

À la grande déception des nombreux étudiants et travailleurs massés dans les rues, une spirale ascendante de près de soixante-quinze points s'ensuivit en l'espace d'une heure.

La Bourse de Sydney ouvrit dans des conditions similaires : des courtiers pessimistes et épuisés, des rassemblements parfaitement organisés d'ouvriers et d'étudiants manifestant contre le capitalisme – et plus particulièrement contre les États-Unis –, puis une explosion effrénée du marché acheteur.

Le même scénario se répéta à l'ouverture tardive de la séance à Tokyo.

Puis en Malaisie, une heure plus tard.

Et partout.

Un désordre orchestré avec soin.

Une manœuvre boursière savamment calculée – mais à quelles fins ?

À huit heures et demie du matin, heure de New York, avec l'air de sortir du box le plus poussiéreux de la Public Library[1], Anton Birnbaum passa la tête dans la salle de la cellule de crise du World Trade Center. Cette fois-ci, en revanche, une troupe tapageuse se précipita vers le financier et l'escorta jusqu'au centre de la pièce où régnait une fièvre indescriptible.

Le président Kearney affichait un air détendu, presque euphorique, en accueillant le génie vieillissant. Thomas Elliot, le vice-président, se tenait à ses côtés, très maître de soi et réservé. Genre « Regardez bien, vous avez devant vous le plus pondéré de tous les dirigeants politiques de Washington »...

Birnbaum lui-même paraissait étonné du tohu-bohu général, de cette étrange fête célébrée à une heure aussi matinale. Il était également stupéfait par la vigueur avec laquelle le marché avait repris, comme s'il s'agissait d'un événement assujetti non pas aux règles de l'argent mais aux caprices du vent.

— Monsieur Birnbaum. Bonjour.

— Oui, bonjour, monsieur le président. Monsieur le vice-président. Il apparaît que c'est en effet un très *bon* jour.

— Grâce à Dieu, vous avez réussi !

— Grâce à Dieu. Ou malgré Lui, monsieur le président.

— C'est fabuleux. C'est même émouvant. Tu vois ?... De vraies larmes...

---

1. La prestigieuse bibliothèque de la ville de New York.

Caitlin tenait Carroll par le bras. Elle se tamponnait les yeux et n'était pas la seule dans la pièce.

Ils étaient au cœur de la célébration improvisée au World Trade Center. Dans un coin de la salle, le président Kearney étreignait le secrétaire général de la Maison Blanche avec émotion. Tels des enfants, les secrétaires d'État aux Finances, aux Affaires étrangères et à la Défense poussaient des cris tonitruants et applaudissaient à tout rompre. Le président de la Federal Reserve Bank, en costume gris, esquissa un bref pas de danse avec l'irascible patron des états-majors des trois armées.

— Je ne crois pas avoir jamais vu de banquiers aussi gais, dit Caitlin.

— Remarque, ils dansent quand même comme des banquiers, plaisanta Carroll, que ces manifestations de soulagement étranges mais touchantes faisaient sourire.

Il ne pouvait s'empêcher de jubiler, au milieu de cette ambiance folle, quasi débridée. Le mystère Green Band n'était évidemment pas résolu, loin de là, mais il s'était tout de même passé quelque chose et c'était comme un éclat de joie dans la grisaille des événements récents, une brèche dans la frustration accumulée depuis des jours.

Caitlin frôla la joue de Carroll avec les lèvres.

— Je recommence déjà à m'inquiéter. J'espère seulement que...

— Qu'est-ce que tu espères ? demanda Carroll, qui lui prit doucement le bras.

Il se sentait tellement proche d'elle. Ils avaient déjà partagé plus de moments forts que certains couples au cours de toute une vie ensemble.

— J'espère que ça va durer, que ça ne va pas s'écrouler d'un coup.

Carroll garda le silence, observant la scène curieuse-
ment réconfortante qui s'offrait à ses yeux. Quelqu'un
avait dégoté un lecteur de cassettes et on entendait un
air de cornemuses écossaises par-dessus le brouhaha.
Une autre personne venait d'apporter deux caisses de
champagne. Il y avait quelque chose d'un peu forcé
dans cette liesse – mais quelle importance ? Tous ces
gens avaient vu leur monde sur le point de basculer
et, bien que la situation restât hasardeuse, ils avaient
momentanément retrouvé un certain aplomb.

Pourtant...

Carroll buvait son champagne, tracassé par quelque
chose qui le retenait d'être trop optimiste. Tout ceci
semble prématuré, songeait-il au beau milieu de la
liesse.

Où est Green Band ? Est-ce qu'ils nous regardent ?

Qu'en pensent-ils ? Que nous réservent-ils, après
ça ? Que célèbrent-ils aujourd'hui ?

66

Carroll avait décidé de tout reprendre au début. Retour à la case départ. Il passa minutieusement en revue l'ensemble des pistes initiales de l'enquête sur Green Band ainsi que toutes les intuitions qu'il avait pu avoir. Il savait que cette besogne lui prendrait d'innombrables heures et requerrait des recherches, informatiques entre autres, des plus fastidieuses.

Ah, le boulot de flic !

Il sollicita auprès de la CIA et du FBI une autorisation d'accès à leurs fichiers informatiques. Les deux services y consentirent, mais Phil Berger imposa néanmoins certaines restrictions.

Presque onze heures plus tard, Carroll se tenait devant une douzaine d'ordinateurs dans la salle de la cellule de crise, au numéro 13 de Wall Street. Il avait mal aux yeux à force de scruter les écrans.

Il jeta un bref regard à Caitlin, qui, assise devant un PC, avait les mains levées au-dessus d'un clavier, prête à entrer un mot de passe lui permettant d'accéder à d'autres fichiers du FBI.

Quand celui-ci fut validé, elle tapa une demande de liste des vétérans du Viêtnam toujours au service de l'armée ou non et qui, pour une raison ou pour une autre, avaient fait l'objet d'une surveillance de la police au cours des deux dernières années – une période déterminée par Carroll et elle.

Elle entra les paramètres suivants : *Experts en explosifs. Région de New York. Eventuelles tendances subversives.*

Carroll avait déjà exploré cette piste, si ce n'est qu'alors il n'avait pas bénéficié de l'équipement perfectionné de la cellule de crise, ni de la collaboration de Caitlin. S'il existait des groupuscules américains dans la mouvance terroriste, aucun d'eux n'était considéré comme influent ni bien organisé. Phil Berger avait personnellement enquêté sur les organisations paramilitaires et dissuadé Carroll de persévérer dans cette voie.

— Est-ce que tu peux imprimer un listing des cas les plus sérieux ? demanda-t-il à Caitlin.

— Ceci est un ordinateur. Il peut faire n'importe quoi tant que tu le demandes gentiment.

L'imprimante matricielle se remit obligeamment en marche. Sur la sortie papier, ils relevèrent un total de quatre-vingt-dix noms de militaires et d'anciens combattants ayant une connaissance approfondie des explosifs et une expérience dans ce domaine au Viêtnam ; des hommes que le FBI jugeait opportun de tenir à l'œil. Carroll arracha la liste de l'imprimante et l'étala sur le dessus d'un bureau.

Adamski, Stanley. Caporal. Séjour de trois ans à l'hôpital pour anciens combattants de Prescott, Arizona. Membre des Rams, un soi-disant club de motards qui est en réalité une organisation gauchiste de vétérans.

Carroll se demanda dans quelle mesure ces informations avaient été polluées par la paranoïa du FBI.

Il s'aperçut vite que la liste était pleine de renvois vertigineux. Un nom se rapportait à un autre, créant une impression d'enchevêtrement. On pouvait passer des mois à débrouiller toutes les correspondances.

Keresty, John. Sergent. Spécialiste des munitions. Rendu à la vie civile en 1974 à sa sortie de l'hôpital pour anciens combattants de Scranton, Pennsylvanie. Profession : gardien dans une société de fabrication d'explosifs. Membre du Parti socialiste américain. Ridgewood, New Jersey. Cf. : Rhinehart, Jay T. ; Jones, James.

Le catalogue se poursuivait ainsi sur des pages.

Carroll se massa les paupières. Il sortit chercher deux cafés et revint s'installer devant le bureau et l'interminable liste.

— N'importe lequel de ces hommes, voire deux ou trois d'entre eux agissant en collaboration, aurait tout à fait pu participer à l'attentat du quartier financier, constata-t-il.

Caitlin examina la liste par-dessus l'épaule de Carroll.

— Alors, on commence par quoi ?

Il secoua la tête. Il était à nouveau en proie à de sérieux doutes. Il leur faudrait enquêter sur chacun des noms répertoriés, voire rendre visite à tous ces hommes. Ils n'en avaient pas le temps.

Scully, Richard P. Sergent. Expert en explosifs. Hospitalisé pour alcoolisme en 1974. Sympathisant de l'extrême droite. Profession : chauffeur de taxi. New York City.

Downey, Marc. « Nettoyeur » militaire. Hospitalisé entre 1971 et 1973. Profession : barman. Worcester, Massachusetts.

Carroll étudiait cet inventaire sans fin quand il lui vint une autre idée. Un officier, peut-être ? Un officier mécontent, avec une dent contre l'armée ou défendant une cause ? Quelqu'un de supérieurement intelligent qui aurait accumulé de la rancœur au fil des ans ?

Il posa les mains sur l'ordinateur chaud. Il aurait aimé pouvoir lui soutirer tous ses secrets, toutes les analogies que celui-ci était capable de former électroniquement.

Il fixa la sortie papier déjà bien longue.

— Un officier, suggéra-t-il. Essaye ça.

Caitlin retourna à son clavier. Il regarda le mouvement de ses doigts experts sur les touches. Elle entra une demande concernant des « éléments subversifs connus ou présumés ayant été officiers au Viêtnam ». La rubrique générale « éléments subversifs » incluait toutes sortes de gens.

D'autres noms s'affichèrent sur l'écran. Des colonels, des capitaines, des commandants. Certains d'entre eux étaient officiellement enregistrés comme schizophrènes. D'autres étaient prétendument détruits par l'usage de stupéfiants. D'autres encore étaient devenus évangélistes, clochards ou minables braqueurs de banques ou de magasins de vins et spiritueux. Dans la catégorie des purs et durs, vingt-neuf ex-officiers vivaient à New York ou dans les environs.

L'écran clignota à nouveau, faisant à présent défiler les noms de divers officiers de la région recensés par le FBI. Carroll parcourut la liste.

Bradshaw, Michael. Capitaine. Rendu à la vie civile en 1971 à sa sortie de l'hôpital pour anciens combattants de Dallas, Texas. Profession : vendeur dans une agence immobilière de Hempstead, Long Island. Souffre du syndrome de stress post-traumatique.

Babbershill, Terrance. Commandant. Exclu de l'armée pour conduite déshonorante en 1969. Sympathisant notoire du Vietcong. Profession :

professeur d'anglais particulier de plusieurs familles vietnamiennes. Brooklyn, New York.

Carroll cligna des yeux et s'efforça de voir net. Ses yeux commençaient à pleurer. Il éprouvait le besoin de sentir l'air froid de la nuit sur son visage. Mais il ne bougea pas : il continua à lire rapidement la liste de noms.

Rydebolm, Ralph. Colonel.
O'Donnell, Joseph. Colonel.
Schweitzer, Peter. Lieutenant-colonel.
Shaw, Robert. Capitaine.
Norsworthy, Robert. Colonel.
Boudreau, Dan. Capitaine.
Kaplan, Lin. Capitaine.
Weinshanker, Greg. Capitaine.
Dwyer, James. Colonel.
Beauregard, Bo. Capitaine.
Arnold, Tim. Capitaine.
Morrissey, Jack. Colonel.

Il y a trop de noms, songea Carroll.

Trop de victimes du gâchis qu'avait été cette guerre.

— Tu peux m'établir des rapprochements, Caitlin ? Trouver des correspondances et des liens entre ces hommes ? Parmi les officiers vraiment coriaces qui ont fait le Viêtnam ?

— Je vais voir.

Elle appuya sur quelques touches de son clavier. Sans résultat, cette fois-ci.

Elle fixa l'écran d'un air pensif, puis tapa autre chose.

Il ne se passa rien.

Elle entra une autre demande.

Toujours rien.

— Il y a un truc qui cloche ? s'inquiéta Carroll.

— Je ne peux pas faire mieux, Arch. Et merde !

Le message qui s'affichait sur l'écran disait : POUR DE PLUS AMPLES INFORMATIONS, CONSULTER LES ARCHIVES.

— Les archives ? s'exclama Carroll.

— Apparemment, les archives du FBI contiennent d'autres dossiers qui, *eux*, ne sont pas informatisés. On peut les compulser à Washington. Et seulement à Washington. Mais pourquoi donc, bon Dieu ?

67

À dix heures du soir, ce 15 décembre, le sergent Harry Stemkowsky ne parvenait toujours pas à y croire.

Il venait d'acheter une nouvelle Ford Bronco, ainsi qu'un luxueux manteau en fourrure de castor pour Mary. Pour la première fois depuis leur mariage, quatre ans plus tôt, ils vivaient enfin décemment.

Qui donc serait capable, se répétait-il, de s'accoutumer du jour au lendemain à posséder un million et demi de dollars sur son compte en banque ?

Harry Stemkowsky se faisait un peu l'impression d'être un de ces gars qui, ayant gagné la grosse somme au Loto, conservaient fébrilement leur emploi de concierge ou de postier. Cela faisait trop d'un coup et c'était trop brutal.

À dix heures vingt, Stemkowsky, au volant de son taxi, s'éloigna prudemment du bruit de la circulation et des éclairages jaunes éblouissants du centre de Manhattan, au niveau de la 60e Rue Est. Il avait fini son habituelle journée de travail de dix heures, suivant à la lettre le schéma directeur des taxis Vétérans, le plan dicté par le colonel Hudson avant leur réussite finale.

Son taxi s'engagea en cahotant avec un bruit de ferraille sur le Queensboro Bridge.

Quelques minutes plus tard, Stemkowsky emprunta une avenue animée de Jackson Heights, puis se dirigea vers la 85e Rue, où Mary et lui habitaient.

En descendant sa rue, Harry se passa distraitement la langue sur les lèvres. Il savourait déjà le bœuf bourguignon que Mary lui avait promis lorsqu'il était parti travailler ce matin-là.

La perspective de la viande, des échalotes et des petites pommes de terre dodues qu'elle faisait généralement en accompagnement le ravissait. Il songea que Mary et lui devraient peut-être se retirer dans le sud de la France quand toute cette affaire serait réglée. Ils étaient assez riches pour pouvoir y vivre comme des princes. Ils pourraient s'empiffrer de succulente cuisine française jusqu'à l'écœurement. Ensuite, pourquoi ne pas descendre en Italie ? Et puis après, peut-être la Grèce ? La Grèce était supposée être bon marché. Pfou ! Quelle importance que cela fût bon marché ou non ?

Harry Stemkowsky accéléra sur la dernière portion du trajet avant d'arriver chez lui.

— Putain de merde, mec ! brailla-t-il en pilant.

Un homme grand et chauve à l'air totalement bouleversé avait déboulé devant le taxi. Il agitait frénétiquement les bras au-dessus de sa tête en criant. Stemkowsky ne l'entendait pas parce que les vitres de sa voiture étaient remontées.

Mais l'expression de l'homme lui rappela le Viêtnam et les redoutables patrouilles de nettoyage dans les villages après les dévastateurs bombardements à faible altitude des avions Phantom. Et il sut qu'il s'était passé quelque chose de terrible et d'imprévu – une chose affreuse avait eu lieu dans son quartier.

L'homme hagard se tenait à présent de l'autre côté de sa portière. Il hurlait toujours :

— Aidez-moi, s'il vous plaît ! Aidez-moi ! Je vous en prie !

Stemkowsky finit par baisser sa vitre. Il s'était emparé du micro de sa radio, prêt à appeler les secours.

— Qu'est-ce qui se passe ? Qu'est-ce qui s'est passé, monsieur ?

Subitement un petit Beretta noir apparut, que l'homme braqua violemment contre la tempe de Stemkowsky.

— *Voilà* ce qui se passe ! Ne bouge pas. Repose ce micro.

Un deuxième homme émergea alors de l'obscurité. Il ouvrit la portière grinçante côté passager d'un geste brusque.

— Fais demi-tour, Stemkowsky. Il n'est pas encore tout à fait l'heure de rentrer chez toi.

Plus tard – plusieurs minutes ? plusieurs jours ? Stemkowsky n'aurait su le dire avec précision car il avait perdu toute notion du temps –, il sentit des mains l'agripper brutalement sous les aisselles et le soulever sans ménagement.

Les mains le lâchèrent sur une chaise en bois qui craquait.

Il devina un visage d'homme – une vision rose et floue – qui se baissait sur lui et s'immobilisait à deux doigts de son propre visage. L'homme était désagréablement près.

C'est alors que l'esprit du sergent Harry Stemkowsky se figea sous l'effet du choc ! Ses yeux larmoyants se mirent à cligner rapidement.

Ce visage, il l'avait déjà vu. Récemment, à la télé, dans les quotidiens…

Non, il se gourait. La drogue qu'on lui avait injectée avait dû lui bousiller les neurones…

Que se passait-il ? Cette personne ne pouvait quand même pas être…

L'homme eut un horrible sourire.

— Je m'appelle François Monserrat. Mais vous me connaissez sous un autre nom, lui confirma-t-il. C'est un très gros choc pour vous, je le sais.

Harry Stemkowsky ferma les yeux un instant. *Tout ça n'est qu'un mauvais rêve. Fais-le partir !*

Il rouvrit les yeux et secoua la tête.

Il ne parvenait tout simplement pas à y croire. Cet homme était si près du pouvoir. Le traître suprême…

Lorsque Stemkowsky ouvrit enfin la bouche, ses paroles n'étaient pas loin d'être incohérentes. Ses lèvres enflées et poisseuses bavaient des mots incompréhensibles. Sa langue semblait avoir doublé de volume.

— 'liez v-v-vu fairrr enc'ler. En-f-f-fo-aré !

— Oh ! je vous en prie. Il est beaucoup trop tard pour vous indigner… Bon, alors… Regardez-moi ce que nous avons là. Jetez donc un coup d'œil à ça.

Concentre-toi, s'ordonna farouchement Stemkowsky. *Concentre-toi.*

Monserrat tenait dans les mains un sac en papier marron. Tout près du visage de son prisonnier.

Il en sortit un objet.

— Un fait-tout bleu. Ça vous dit quelque chose ? s'enquit-il en gratifiant Stemkowsky d'un autre sourire terrifiant.

Harry Stemkowsky poussa un hurlement. Il se débattit comme un forcené pour se libérer de ses liens, à tel point que ceux-ci lui lacérèrent la peau.

Juste devant ses yeux, une fourchette plongea lentement dans la marmite et y piqua un morceau de bœuf bourguignon dégoulinant de sauce.

Stemkowsky rugit à nouveau. Sans pouvoir s'arrêter.

— Vous m'avez tout l'air d'avoir deviné mon secret. Vous en déduisez sans doute aisément que cet interrogatoire est on ne peut plus important. D'une importance capitale pour moi. (Monserrat se tourna vers ses hommes de main.) Faites entrer notre amie cuisinière.

Mary n'était plus que l'ombre pitoyable d'elle-même. Son visage était tuméfié, violacé et à vif à de nombreux endroits. Elle grimaça en découvrant Harry. Il lui manquait des dents sur le devant et elle avait les gencives en sang.

— J-j-je vouzen p-prie ! (Stemkowsky se démena, soulevant du sol les pieds de la chaise à la force phénoménale de ses bras.) E' sait 'ien.

— Je suis au courant de cela. Mary ignore de quelle manière vous êtes entré en possession d'obligations boursières volées à Beyrouth puis à Tel-Aviv. Mais, *vous*, vous le savez.

— Ne hui f-f-faites pas 'e mal, sivou p-p-plaît…

— Je n'en ai aucunement l'intention. Si vous me dites ce que vous savez, sergent. Tout ce que vous savez. Et si vous me le dites tout de suite. Comment avez-vous obtenu les titres volés ?

Nouveau sourire, tout aussi affreux.

Stemkowsky hocha la tête.

Il livra des informations sur les obligations et les titres volés à Wall Street ; et sur l'attentat du 4 décembre. Mais rien sur l'endroit où se trouvait le colonel Hudson. Il ne donna d'ailleurs aucun détail précis concernant l'identité de l'homme à la tête du groupe d'anciens combattants. Mais c'était déjà beaucoup plus que ce à quoi Monserrat avait été habitué ces derniers temps.

Le terroriste baissa les yeux sur l'invalide et sa femme. Stemkowsky eut l'impression que Monserrat ne les voyait pas, comme s'ils avaient été immatériels.

— Alors, ne trouvez-vous pas que tous vos tourments et tout ce qu'a subi Mary étaient bien inutiles ? Nous aurions pu régler cela tous les deux en discutant calmement cinq minutes, grand maximum. Bien. Le moment de nous quitter est venu…

Un Beretta jaillit. Monserrat marqua un temps d'arrêt, pour permettre aux Stemkowsky de comprendre ce qui leur arrivait, puis il fit feu. Deux fois.

L'ultime pensée du sergent Harry Stemkowsky fut que Mary et lui n'auraient pas eu le temps de profiter de leur argent. Plus d'un million de dollars. Ce n'était pas juste. Mais la vie n'est-elle pas toujours injuste ?

68

Ce soir-là, Carroll réintégra sa maison du Bronx.

Il grimpa les marches grinçantes du perron. Il éprouvait de violents remords. Il avait négligé ses enfants trop longtemps, cette fois-ci.

À l'intérieur de la maison, la veilleuse était allumée mais il n'y avait pas d'autre lumière au rez-de-chaussée. On percevait le bourdonnement des appareils électroménagers dans la cuisine. Il enleva ses chaussures et monta à l'étage sur la pointe des pieds.

Il s'arrêta pour jeter un œil dans la chambre du devant, qu'Elizabeth, alias Lizzie, partageait avec Mickey Kevin. Leurs petits corps potelés étaient délicatement affalés en travers des lits jumeaux.

Il se rappelait avoir acheté ces lits, de nombreuses années plus tôt, chez Klein's sur la 14e Rue. *Regarde-moi ces deux petits voyous qui dorment comme des bienheureux. C'est pas les soucis qui les étouffent. C'est comme ça que la vie devrait toujours être.*

On entendait le léger tic-tac d'une vieille pendule Buster Brown qui appartenait déjà à Carroll lorsqu'il était enfant et qui luisait dans l'obscurité sur le mur du fond de la chambre. Elle était accrochée à côté de posters de Def Leppard et de Police. Drôle d'univers pour un petit enfant.

Drôle d'univers pour les grands enfants aussi.

— Coucou, les nains. (Il chuchotait, parlant d'une voix trop basse pour pouvoir être entendu.) Papa est rentré de la mine de sel…

— Ils sont tous en pleine forme, Archer.

Mary K. était arrivée par-derrière, lui faisant une frousse bleue.

— Ils comprennent les problèmes que tu rencontres. On regarde les infos tous ensemble.

La jeune femme serra son frère dans ses bras. Elle avait dix-neuf ans quand leurs parents étaient morts, en Floride. Après leur disparition, Carroll s'était occupé d'elle. Nora et lui avaient toujours été là, pour discuter de ses petits copains ou de son désir de devenir peintre, même si la peinture ne lui permettrait pas de vivre décemment. Ils avaient été là quand elle avait eu besoin d'eux, et à présent elle lui rendait la pareille.

— Peut-être que ce qui concerne mon boulot passe à peu près. Mais le reste ? Caitlin ?

Carroll tourna lentement la tête vers sa sœur.

Mary K. lui prit un bras et le passa autour de sa propre épaule. C'était une jeune femme si tendre, si douce, si délicate et si humaine. Carroll pensait souvent qu'il était grand temps qu'elle trouve un homme aussi bien qu'elle. Il fallait toutefois admettre que vivre avec lui et les enfants ne devait pas lui faciliter la tâche.

— Ils ont confiance en ton jugement. Dans la limite du raisonnable, évidemment.

— C'est nouveau, ça.

— Oh ! tout ce que tu dis est parole d'évangile et tu le sais très bien. Si tu leur assures qu'ils aimeront bien Caitlin, ils le croient instinctivement – parce que tu l'as dit, Arch.

— Eh ben, dis donc, ils l'ont bien caché, l'autre matin. Mais c'est vrai, je crois qu'ils l'aimeront bien. C'est une personne formidable.

— Je n'en doute pas un instant. Tu sens bien les gens. Tu as toujours su reconnaître ceux de mes petits copains qui en valaient la peine. Les gens pleins de vie et généreux te font craquer. Je suis sûre que Caitlin est comme ça, hein ?

Arch Carroll baissa les yeux sur sa sœur et secoua doucement la tête. Puis il sourit. Mary K. était si fine. En dépit de sa sensibilité d'artiste, elle avait les pieds bien sur terre. À ses yeux, c'était une combinaison étrange mais irrésistible.

Carroll étira les deux bras. Sa blessure, ce souvenir d'un matin en France, le faisait toujours souffrir.

— Je vais prendre une semaine de congé sous peu. Je le jure. Il faut que je passe du temps avec les gamins.

— Et ton amie, Caitlin ? Est-ce qu'elle aussi pourrait prendre une semaine de congé ?

Carroll ne répondit pas. Il n'était pas certain que ce soit une bonne idée.

Il alla se coucher. Il resta allongé, épuisé mais dans l'incapacité de sombrer dans le sommeil. Des images nébuleuses des écrans d'ordinateurs de Wall Street se succédaient dans sa tête. S'il y avait une piste à suivre pour retrouver Green Band, elle mènerait inévitablement à Washington et aux dossiers confidentiels du FBI.

Arch Carroll finit par sombrer dans un sommeil sans rêves. Lorsque le réveil sonna sur sa table de nuit, le jour n'était pas encore levé.

69

Carroll avait toujours pensé que Washington D.C. était le décor parfait pour un film de Hitchcock. C'était une ville si chic, au charme tranquille, mais où régnait pourtant une vraie paranoïa.

Sur le coup de neuf heures du matin, il s'extirpa d'un taxi bleu avec une aile cabossée sur la 10e Rue. Un crachin et un froid vif lui cinglèrent le visage. Carroll remonta le col de sa veste. Il plissa les yeux pour y voir plus clair dans l'épais brouillard matinal qui masquait la boîte de béton qu'était le bâtiment J. Edgar Hoover.

Une fois à l'intérieur, il trouva la procédure de sécurité à l'accueil inutilement lente et procédurière. L'esprit bureaucratique irritait Carroll au plus haut point. Les célèbres règles du Bureau fédéral et l'inefficacité qu'elles engendraient relevaient à ses yeux d'un sketch digne de l'émission *Saturday Night Live*.

Après plusieurs vérifications téléphoniques, on lui remit un badge électronique bleu arborant l'emblème officiel du FBI. Il passa la carte dans un portillon métallique et pénétra dans les locaux de l'institution sacrée.

Un agent fédéral du sexe féminin, une séduisante chercheuse du service d'analyse des données, l'attendait devant l'ascenseur, au quatrième étage. Elle était vêtue d'un tailleur pantalon et portait ses cheveux châtains en un chignon sévère.

— Bonjour, je suis Arch Carroll.

— Samantha Hawes. On ne m'appelle pas Sam. Ravie de faire votre connaissance. Si vous voulez bien me suivre. (Charmante mais efficace, elle commença à s'éloigner.) J'ai déjà rassemblé pas mal de dossiers pour vous. Quand vous m'avez dit ce que vous cherchiez, j'ai fait quelques heures supplémentaires. Ce que je vous ai mis de côté est issu du Pentagone et de nos dossiers classés secrets. Dans le court laps de temps dont je disposais, j'ai récupéré tout ce que je pouvais, concernant les hommes figurant sur vos listes. Je dois avouer que cela n'a pas été facile. J'ai retranscrit certaines informations à partir de fichiers déjà informatisés. Le reste, comme vous le confirme cette bonne odeur de renfermé, provient de *très* vieux dossiers.

Samantha Hawes fit entrer Carroll dans un box situé à côté d'une rangée silencieuse de photocopieuses en métal gris. Le bureau était entièrement couvert de piles de rapports.

Carroll contempla les gigantesques monceaux de dossiers et son cœur faillit s'arrêter. Tous les dossiers se ressemblaient. Comment était-il supposé découvrir une singularité dans ce colossal tas de paperasses ?

Il contourna le bureau et évalua la tâche qui l'attendait. Des analogies entre des hommes se cachaient dans ces chemises – les empreintes, les traces qu'ils laissaient ; les événements qu'ils avaient vécus pendant et après la guerre du Viêtnam. Ces traces se

recoupaient forcément quelque part, des rapprochements avaient été faits et des relations établies.

— J'en ai d'autres. Vous voulez les voir maintenant ?
Ou est-ce que vous avez de quoi vous occuper avec
ça pendant un moment ? demanda Samantha Hawes.

— Oh ! je crois que ça va largement me suffire
pour l'instant. Pour l'année à venir, en fait. J'ignorais
qu'on recueillait autant d'infos sur les gens, par ici.

Elle lui décocha un sourire et dit :

— Si vous voyiez votre dossier…

— Vous l'avez vu ?

— Vous me trouverez là-bas, dans les rayonnages.
Vous n'avez qu'à beugler si vous avez besoin de plus
de littérature divertissante, monsieur Carroll.

L'agent fédéral Hawes commença à pivoter sur elle-
même, puis se retourna subitement. Une jeune femme
du Sud moderne, jolie, sûre d'elle, à l'élégance et aux
manières typiquement… sudistes. Carroll ne put s'empêcher de penser qu'à une autre époque elle aurait
été la jeune mère de deux ou trois enfants et aurait
vécu enfermée chez elle, au fin fond de la Virginie.
Elle se serait fait appeler Sam.

— Il y a autre chose, fit-elle. (Son expression était
soudain sérieuse, perplexe même.) Je ne sais pas
exactement ce que cela signifie. C'est peut-être juste
moi qui… Bref, quand j'ai parcouru ces dossiers hier
soir… j'ai eu le sentiment très net que quelqu'un avait
farfouillé dans plusieurs d'entre eux…

Une alarme déplaisante retentit dans la tête de
Carroll.

— Qui serait susceptible d'avoir fait ça ?

Samantha Hawes secoua la tête.

— Pas mal de gens ont accès à ces dossiers. Je
l'ignore.

— Qu'est-ce que vous entendez exactement par « farfouiller », Samantha ?

L'agent Hawes regarda Carroll droit dans les yeux.

— À mon avis, il manque des pièces dans certaines chemises.

Carroll tendit le bras et lui saisit délicatement le poignet. Cette révélation le stimulait parce qu'elle impliquait que certains dossiers différaient déjà des autres et se détachaient du lot.

Quelqu'un les avait consultés.

Quelqu'un avait vraisemblablement escamoté des documents dans ces dossiers.

Dans lesquels ? Et pour quelle raison ?

Il vit naître une étrange expression sur le visage de Samantha Hawes, comme si elle se posait soudain des questions sur la personnalité de l'homme peu conventionnel qui se dressait devant elle.

— Est-ce que vous vous rappelez les dossiers concernés ?

— Absolument. Je vous les ai mis de côté.

Elle se rendit jusqu'au bureau et saisit une petite pile qu'elle revint déposer devant Carroll.

Il jeta un rapide coup d'œil aux noms sur les couvertures.

Barreiro, Joseph.
Doud, Michael.
Freedman, Harold Lee.
Melindez, Pauly.
Hudson, David.

— Ils ont quelque chose d'autre en commun ? demanda-t-il.

— D'après les fichiers, ils ont servi ensemble au Viêtnam. Ce qui constitue déjà une bonne raison de s'y intéresser, non ?

Carroll s'assit. Il s'attendait tout de même encore à repartir de Washington les mains vides, prévoyant que l'espoir qu'il éprouvait dans l'immédiat se révélerait n'être rien d'autre qu'une fausse alerte. Cinq hommes étaient répertoriés par le FBI comme « éléments subversifs » – une formule plus ou moins dénuée de sens, tout au moins sur la base des critères du FBI.

Il compara leurs noms avec ceux inscrits sur ses propres listes et il sentit son cœur cogner dans sa poitrine.

Barreiro et Doud avaient été des experts en explosifs de l'armée.

David Hudson était un ancien colonel qui, selon le bref topo imprimé par Caitlin, s'était spécialisé dans l'organisation d'associations d'anciens combattants et avait milité pour leurs droits après la guerre du Viêtnam.

Cinq hommes qui avaient servi ensemble pendant la guerre.

Cinq hommes qui méritaient de figurer dans les dossiers du FBI.

Il retira sa veste ainsi que la cravate qu'il avait mise spécialement pour ce déplacement à Washington.

Il commença à lire le dossier du colonel Hudson.

70

Quand il eut terminé sa lecture, Carroll recula sa chaise puis secoua la tête.

Le volumineux rapport sur le colonel David Hudson était étalé devant lui.

L'enquête sur Green Band venait de prendre une tournure inattendue.

Le colonel David Hudson en constituait assurément l'énigme finale.

Les débuts de David Hudson dans la carrière militaire avaient été extrêmement prometteurs. Il était sorti de l'académie militaire de West Point, avec les honneurs, en 1966. Pendant quatre ans, il y avait été membre de l'équipe de tennis, dont il avait fini par être le capitaine. À en croire tous les comptes rendus, il avait été un élève officier très apprécié.

À partir de là, les choses s'amélioraient – ou empiraient. Hudson s'était par la suite porté volontaire pour suivre la formation des forces spéciales et il avait enchaîné avec une instruction spécifique chez les Rangers. Au premier abord, l'armée n'aurait pas pu espérer jeune soldat plus motivé et plus appliqué.

L'incarnation du jeune homme cent pour cent américain.

Tous les rapports que Carroll avait lus étaient émaillés d'éloges tels que « l'un de nos meilleurs éléments », « le genre d'officier qui devrait faire notre fierté à tous », « un soldat exemplaire à tous égards », « fait preuve d'un enthousiasme extraordinaire et tout à fait contagieux », « sans aucun doute l'un de nos futurs commandants », « a l'étoffe de ceux autour desquels nous devons construire l'armée d'aujourd'hui »…

Au Viêtnam, le capitaine Hudson avait reçu la Médaille d'Honneur et la DSC pendant sa première période de service. Capturé et emmené au Nord pour y subir des interrogatoires, il avait passé sept mois dans un camp de prisonniers vietcong.

Bien qu'ayant failli y mourir, Hudson s'était engagé pour une deuxième tournée et avait à plusieurs occasions fait preuve « d'une bravoure et d'une audace remarquables ».

C'est alors que, trois mois avant l'évacuation de Saigon, il avait été gravement blessé dans l'explosion d'une grenade et avait perdu son bras gauche. Hudson avait réagi avec un courage caractéristique.

Un rapport d'hôpital disait : « David Hudson est un don du ciel. Il aide les autres patients et ne donne jamais l'impression de s'apitoyer sur son sort… C'est, en tout point, un jeune homme foncièrement idéaliste. »

Cependant, assez brutalement, peu après son retour aux États-Unis, tant la carrière de David Hudson que sa vie paraissaient s'être gâtées de façon alarmante. Il était indiqué dans son dossier que la transformation avait déconcerté sa famille et ses amis.

Son père était cité plusieurs fois : « On aurait presque dit que c'était un autre homme qui était revenu de la guerre », « Cette flamme qui l'animait, cette ferveur communicative, avait disparu de son regard »…

Hudson fut discrètement sanctionné pour « activités préjudiciables à l'armée », tout d'abord à Fort Sam Houston, au Texas, puis à Fort Still, dans l'Oklahoma...

Un autre rapport signalait qu'il avait été muté deux fois en l'espace de quelques mois, en raison d'actes d'insubordination qui, à première vue, semblaient sans importance...

Son mariage avec Betsy Hinson, son amour de jeunesse, prit fin abruptement en 1973. La jeune femme avait déclaré : « Je ne reconnais plus David. Je ne connais pas cet homme dont je suis soi-disant l'épouse. David est devenu un étranger pour tous ses proches. »

Au cours des années suivant la guerre, Hudson avait manifesté une volonté presque obsessionnelle d'œuvrer au sein d'un petit nombre d'associations de vétérans du Viêtnam. En tant que porte-parole de ces comités et organisateur de meetings dans tout le pays, il avait rencontré des stars hollywoodiennes progressistes, de charitables dirigeants de grosses entreprises et des politiciens en vue, en compagnie desquels il avait été à maintes reprises photographié.

À un moment donné dans la matinée, Carroll avait étalé méticuleusement devant lui des photocopies de tous les clichés de David Hudson dont il disposait.

Il avait alors remarqué une tache de café, ou de Coca, sur l'une des photos. La trace avait l'air récente. Samantha Hawes ? Quelqu'un d'autre ?

Sur les photos tout au moins, le colonel Hudson correspondait à l'image idéalisée du militaire d'antan. Avec son physique sain à la James Stewart, il était conforme à la représentation que les gens se faisaient des soldats américains *avant* la guerre du Viêtnam. Sur presque tous les clichés pris pendant le conflit, il portait ses cheveux blonds en brosse, il avait quelque chose de résolu et d'héroïque dans la mâchoire et il affichait un sourire pincé et un peu emprunté mais assurément désarmant. Le colonel Hudson était de toute évidence très sûr de lui et de ce qu'il faisait. Il était incontestablement fier, profondément fier, d'être un soldat américain.

Carroll se leva et, s'arrachant au monceau de documents officiels, se mit à déambuler dans la bibliothèque.

Très bien – qu'est-ce qu'il avait, là ?

Un meneur, un soldat-né, qui, à un moment de son parcours, avait merdé en beauté.

À moins qu'on ne l'eût fait merder ?

Il devait exister des centaines, peut-être même des milliers d'hommes tels que David Hudson à travers les États-Unis. Certains d'entre eux devenaient fous et finissaient internés dans les services psychiatriques des hôpitaux pour anciens combattants. D'autres restaient tranquillement assis, seuls dans des piaules crasseuses, attendant, telles des bombes à retardement, le moment d'exploser.

Le colonel David Hudson ?... Était-ce lui, Green Band ?

Samantha Hawes réapparut, chargée d'un plateau avec une cafetière, des sandwiches et des salades composées.

— Je vois que tout ça vous inspire…

— Oui, c'est vraiment quelque chose. C'est curieux et totalement fascinant. Mais difficile à interpréter.

Carroll effectua des mouvements circulaires avec les paumes sur ses paupières afin de soulager ses yeux rouges.

— Merci pour la nourriture et tout particulièrement pour le café. Tous ces dossiers sont captivants.
Notamment celui du colonel Hudson. C'est un homme
très complexe, vraiment singulier. Il était si parfait.
Le soldat modèle. Et ensuite ? Qu'est-ce qui lui est
arrivé après son retour aux États-Unis ?

Samantha Hawes s'assit au bureau à côté de Carroll.
Elle mordit à pleines dents dans un énorme sandwich.

— Comme je vous l'ai dit, il y a des blancs vraiment étranges dans son dossier militaire. Dans leurs
dossiers à tous. J'en compulse suffisamment pour être
à même de m'en rendre compte, croyez-moi.

— Quel genre de blancs ? Qu'est-ce qui devrait s'y
trouver qui n'y est pas ?

— Eh bien, il n'y a aucun rapport écrit sur la formation des forces spéciales qu'il a suivie à Fort Bragg,
par exemple. Rien non plus sur celle effectuée chez
les Rangers. Presque rien ne figure dans le dossier,
concernant sa détention comme prisonnier de guerre.
Tout ça devrait y être. Estampillé « hautement confidentiel » au besoin, mais ces documents devraient
indéniablement faire partie du dossier.

— Il manque quoi d'autre ? Est-il possible qu'il y
ait des photocopies ou des originaux ailleurs ?

— Il devrait y avoir davantage de profils psycholo-
giques. Plus de rapports consécutifs à l'amputation de
son bras. Il y a très peu d'éléments là-dessus. Il a été
torturé par les Viets. Il souffre apparemment toujours
de flashs, de réminiscences. Comme par hasard, il
manque toutes les autres données sur sa captivité en
camp de prisonniers. Par ailleurs, je n'ai jamais vu un
dossier de ce style exempt d'un rapport psy complet.

Carroll s'empara d'un deuxième gros sandwich au
rosbif.

— Peut-être que c'est Hudson lui-même qui les a extraits de son dossier ? souffla-t-il.

— Je ne vois pas très bien comment il pourrait s'introduire ici, mais ça ne serait pas plus extravagant que certaines des choses que j'ai lues hier...

— Comme quoi ? Continuez, Samantha, je vous en prie.

— Comme la façon dont il a été mis sur la touche juste après le Viêtnam. Il avait obtenu des résultats exemplaires en tant qu'officier de renseignements en Asie du Sud-Est. Il avait été un chef de section ir-réductible au Viêtnam. Comment se fait-il qu'on lui ait donné un poste aussi insignifiant quand il est rentré ici ? Était-ce à cause de son bras ? Dans ce cas, pourquoi est-ce que cela n'est explicitement écrit nulle part ?

— Il est possible que ce soit la raison pour laquelle il ait quitté l'armée, suggéra Carroll. À cause de la médiocrité de ses missions après son retour.

— Peut-être. C'est même sans doute pour ça, oui. Malgré tout, qu'est-ce qui, en premier lieu, a poussé les autorités militaires à le lâcher ?... Elles couvaient littéralement David Hudson avant qu'il ne revienne. Je peux vous assurer qu'elles avaient de sérieuses ambitions pour lui. Tous ces rapports prouvent qu'il avait un parcours tout tracé pour la gloire. Les pre-mières années, du moins. Hudson était une vraie star.

Carroll en prit note mentalement.

— Quel genre d'affectation aurait-il pu espérer ? Une fois revenu aux États-Unis ? S'il avait continué sur sa prometteuse lancée ?

— Il aurait dû, au minimum, décrocher un poste au Pentagone. D'après son dossier, il gravissait les échelons *extrêmement* rapidement. En tout cas jusqu'à ses ennuis disciplinaires. Or on lui a collé toutes ces missions minables avant même qu'il ait fait quoi que ce soit pour les mériter…

— Ça me paraît complètement illogique, effectivement. Pour le moment, en tout cas. On pourra peut-être m'éclairer sur ce point au Pentagone. C'est là-bas que je vais maintenant…

Samantha Hawes se leva en même temps que Carroll.

— Mes sincères condoléances. À côté du Pentagone, cet endroit franchement sinistre passerait pour une communauté hippie…

— Oui, j'ai entendu dire que c'était une bande de joyeux lurons, répondit Carroll, en rendant son sourire à l'agent Hawes.

— Écoutez, fit celle-ci, il faut que je vous confie autre chose. Une autre personne a consulté ces dossiers. Au moins une personne, au cours de ces deux dernières semaines. Le 5 décembre, si vous voyez ce que je veux dire.

Carroll, qui rangeait ses affaires, s'immobilisa et dévisagea la jeune femme.

— Qui ça ? demanda-t-il.

— Le 5 décembre, la Maison Blanche a réclamé certains de ces dossiers. Le vice-président Elliot voulait les voir. Il les a gardés pendant plus de six heures.

71

Le petit Carroll avait sa feuille de route et il devait rigoureusement s'y tenir.

Un mois après la rentrée scolaire, Mickey Kevin Carroll, six ans, avait été autorisé à parcourir à pied les trois pâtés de maisons séparant le terrain de basket de la CYO[1] de son domicile.

On lui avait donné des instructions très précises, que Tatie Mary lui avait même fait noter dans son cahier de rédaction noir et blanc. Ces consignes étaient les suivantes :

Regarde des deux côtés avant de traverser Churchill Avenue.
Regarde des deux côtés avant de traverser Grand Street.
Ne parle en aucun cas à des étrangers.
Ne t'arrête pas à la boutique Fieldstone avant le dîner.
Si tu désobéis, tu mourras sous la torture.

---

1. Abréviation de *Catholic Youth Organization*. Il s'agit d'une association de jeunes catholiques.

Sur le long parcours du double pâté de maisons entre Riverdale Avenue et Churchill Street, Mickey Kevin réfléchissait à la technique énigmatique du panier de basket. Quand Frère Alexander Joseph le leur avait montré, cela avait eu l'air assez facile. Mais quand Mickey Kevin avait essayé à son tour, il y avait eu trop de choses à se rappeler et à faire pratiquement simultanément. Il fallait lever la jambe et le bras du même côté ; puis il fallait lancer le ballon parfaitement au milieu de l'anneau, qui était très, très haut. Tout ça en même temps.

Tandis qu'il ressassait le mouvement de base du basket-ball, le petit garçon prit insensiblement conscience de bruits de pas de plus en plus sonores derrière lui.

Il finit par se retourner et vit un homme. Qui venait vers lui. Et qui marchait vite.

Mickey Kevin se raidit. Quand on était tout seul, on pensait aux films et aux trucs comme ça, et ça faisait peur. Il y avait toujours un méchant qui coinçait les enfants ou la baby-sitter à la maison. Ça vous filait la chair de poule. Il y avait des gens sur la terre qui vous fichaient vraiment la frousse.

Mickey se dit que l'homme qui marchait derrière lui avait l'air plutôt normal, mais il décida quand même d'allonger un peu le pas.

Il se mit mine de rien à faire des foulées plus grandes et plus rapides, marchant comme il le faisait lorsqu'il s'efforçait d'avancer à la même allure que son père.

Il n'y avait pas de voitures à l'angle de Grand Street. Mickey suivit cependant ses instructions à la lettre : il s'arrêta et regarda des deux côtés de la rue.

Puis il jeta un coup d'œil derrière lui. L'homme était vraiment près. Vraiment *tout* près.

Mickey Kevin traversa Grand Street en courant. Tatie Mary l'aurait tué sur place. Son cœur battait fort, à présent. En fait, il battait à tout rompre. Il le sentait battre jusque dans ses chaussures.

C'est alors que Mickey Kevin fit une chose vraiment, vraiment idiote.

Il le sut au moment même où il la fit. Aussitôt !

Il coupa brusquement par le parc désert de la Riverdale Day School.

Il y avait plein de buissons piquants et des tonnes d'obstacles. Tout le monde y jetait des canettes de bière vides et des bouteilles de vin ou d'alcool. Mary K. avait oublié d'ajouter cela à la liste : *Ne coupe pas par le parc de la Riverdale Day School*. Parce que cela allait de soi. Croyait-elle.

Mickey se fraya un chemin parmi les arbustes épineux et il crut entendre l'homme le suivre dans le parc.

Il n'en était pas totalement certain. Mais, pour s'en assurer, il lui aurait fallu s'arrêter de marcher et tendre l'oreille. Il décida plutôt de détaler.

Il courait à toutes jambes, maintenant. Il courait aussi vite que le lui permettaient les ronces, les pierres et les racines cachées qui s'entêtaient à le faire trébucher.

Mickey Kevin vacilla vers l'avant, son pied droit pris dans un trou dans la terre.

Il dérapa sur des feuilles d'arbres glissantes.

Il percuta un rocher et faillit basculer sur le côté.

Il haletait. Sa respiration lui paraissait trop bruyante et ses pas retentissaient comme des coups de fusil.

La façade arrière de sa maison émergea soudain de l'obscurité : les lampes orangées du porche, la silhouette grise familière se détachant sur le fond plus sombre de la nuit.

Il ne s'était jamais senti aussi heureux de la voir.

Des doigts lui touchèrent la joue et Mickey poussa un hurlement.

Une stupide branche d'arbre !

Son cœur avait failli s'arrêter pour de bon. Mickey redoubla de vitesse et traversa la pelouse verglacée derrière chez lui, cavalant comme un demi de mêlée lilliputien.

À mi-chemin de l'entrée, la boîte dans laquelle il transportait son déjeuner s'ouvrit à la volée. Elle explosa littéralement, crachant une orange, des papiers d'emballage et une thermos.

Mickey Kevin la lâcha.

Il escalada quatre à quatre les marches du perron et posa la main sur la double porte métallique et froide.

Et alors…

Alors, Mickey Kevin se retourna. Il était *obligé* de regarder derrière lui.

Son cœur cognait frénétiquement dans sa poitrine. *Boum ! Boum ! Boum !* Comme si une énorme machine trépidait à l'intérieur. Mais il était *obligé* de regarder derrière lui.

Personne !

Personne n'était à ses trousses.

Oh, là là, dis donc !

Personne ne le suivait.

Personne !

Le jardin derrière la maison était complètement silencieux. Rien ne bougeait. Sa boîte à déjeuner gisait, renversée, dans la neige de l'allée. Elle luisait un peu, dans l'obscurité.

Mickey plissa désespérément les yeux.

Il se sentait plutôt bête, à présent. Il s'était imaginé tout ça ; pourtant, il était presque sûr que… En tout cas, il n'allait pas revenir sur ses pas pour ramasser sa boîte à déjeuner. Il irait peut-être la récupérer le lendemain matin. Ou peut-être au printemps.

Quel bébé ! Il avait peur du noir ! Finalement, il disparut à l'intérieur de la maison.

Dans la cuisine, Mary K. coupait des légumes avec un grand couteau sur le billot de boucher en suivant l'émission de Mary Tyler Moore à la télé.

— Comment s'est passé ton entraînement, Mickey Mouse ? T'as l'air crevé. T'es lessivé, hein ? Le dîner est presque prêt. Je t'ai demandé comment s'était passé ton entraînement de basket, bonhomme ?

— Oh, euh… J'arrive même pas à mettre un panier. Quel jeu à la noix ! Sinon, c'était bien.

Mickey Kevin s'éclipsa et, telle une ombre, se glissa dans la salle de bains du rez-de-chaussée.

Mais il ne s'y lava ni les mains ni le visage. Et il n'alluma pas non plus le plafonnier.

Il souleva très lentement le bas du rideau en dentelle de la fenêtre et, plissant à nouveau vigoureusement les yeux, scruta le jardin plongé dans une obscurité effrayante.

Il ne voyait toujours personne.

Le crétin de chat – leur crétin de chat, Mortimer – jouait avec sa boîte à déjeuner. En dehors de lui, il n'y avait pas âme qui vive. Mickey Kevin fut soudain certain que personne ne l'avait poursuivi. Il ne voyait personne, après tout…

Il ne voyait pas le monstre humain qui, tapi dans le jardin des Carroll, sous le couvert de la nuit, surveillait leur maison.

72

Cinq heures venaient de sonner lorsqu'un colonel de l'armée du nom de Duriel Williamson pénétra à grands pas dans un bureau aveugle, au fin fond du Pentagone.

Carroll patientait déjà dans la pièce verte spartiate et fonctionnelle.

Tout comme le capitaine Pete Hawkins, qui, depuis le bureau d'accueil des visiteurs, avait escorté le policier new-yorkais à travers un vertigineux labyrinthe de couloirs.

Le colonel Williamson arborait l'uniforme complet des forces spéciales américaines – y compris le béret rouge sang, enfoncé de côté sur le crâne de façon désinvolte. Le colonel Williamson portait les cheveux ras, une brosse poivre et sel qui lui donnait un air sévère tout à fait approprié. Il s'exprimait également de manière compassée, mais non sans de nombreuses intonations ironiques.

Tout chez lui disait : « Ne jouez pas au con avec moi. Veuillez me faire connaître sans tarder l'objet de votre visite, monsieur. »

Le capitaine Hawkins fit poliment, quoique de façon strictement militaire, les présentations. C'était clairement un bureaucrate de carrière, un survivant.

— M. Carroll, de la DIA, en mission spéciale sur ordre du Président... Le colonel Duriel Williamson, des forces spéciales. Le colonel Williamson est stationné à Fort Bragg, en Caroline du Nord. Le colonel Williamson était le supérieur direct de David Hudson pendant les deux étapes de sa formation au sein des forces spéciales. Colonel, M. Carroll est ici pour vous poser quelques questions.

L'officier tendit la main à Arch Carroll. Il le gratifia d'un sourire amical, faisant de la sorte s'envoler en grande partie la tension initiale et la solennité de la rencontre.

— Je suis ravi de faire votre connaissance, monsieur Carroll. Je m'assois, si vous le permettez.

— Je vous en prie, colonel, répondit Carroll.

Les deux hommes s'assirent, imité par le capitaine Hawkins qui, ainsi que le voulait le protocole, resterait dans la pièce durant tout leur entretien.

— Que souhaitez-vous donc savoir au sujet de David ?

Carroll, qui examinait la courte liste de questions qu'il avait préparées, leva la tête en écarquillant les yeux.

— Vous vous appeliez respectivement par vos prénoms ? demanda-t-il au colonel Williamson.

— En effet. Je connaissais assez bien David Hudson. Pour être aussi précis que possible, je devrais ajouter que j'ai passé pas mal de temps avec lui. Pas exclusivement dans le cadre de l'école des forces spéciales. Après la guerre, également. Nous nous sommes croisés par hasard à plusieurs reprises. Lors de réunions d'anciens combattants, principalement. Il était encore dans l'armée, à l'époque. Nous avons bu quelques bières ensemble à deux ou trois occasions.

— Parlez-moi de cela, colonel Williamson. Comment était Hudson ? Comment était-ce de boire une bière en sa compagnie ?

Carroll se retenait de pousser les feux. Il en mourait d'envie mais, bien qu'ayant toujours l'esprit obscurci par sa longue matinée au quartier général du FBI, il ne savait que trop qu'il ne devait en aucun cas brusquer un officier supérieur des forces spéciales !

— Dans un premier temps, David était plutôt coincé. Même s'il faisait des efforts terribles pour ne pas l'être. Ensuite, ça a été mieux. Il était très calé sur des tonnes de sujets. C'était un homme réfléchi et d'une intelligence exceptionnelle.

— La carrière militaire du colonel Hudson semble s'être dégradée à son retour du Viêtnam. Pour quelle raison, selon vous ?

Duriel Williamson haussa les épaules. La question parut le rendre légèrement perplexe.

— C'est une chose qui m'a toujours tracassé. Tout ce que je peux dire, c'est que David Hudson était un homme qui ne mâchait pas ses mots.

— Pourriez-vous préciser votre pensée, colonel ? insista Carroll, prudemment.

— En fait, il était tout à fait capable de se faire des ennemis puissants au sein de l'armée… D'autre part, il était extrêmement déçu. *Amer* serait sans doute le mot juste.

Amer, se répéta Carroll. Quelle était l'ampleur exacte de son amertume ? Il étudia le colonel Williamson en silence.

— La manière dont nos hommes ont été traités après le Viêtnam avait rendu David Hudson très aigri, reprit celui-ci. Je crois que cela l'a déçu plus que la majorité d'entre nous. Il considérait que c'était une honte nationale. Il l'a tout d'abord reproché au président Nixon. Il lui a d'ailleurs écrit plusieurs lettres, ainsi qu'au chef d'état-major.

— Rien que des lettres ? Il s'est borné à écrire des lettres pour s'insurger contre le sort réservé aux anciens combattants ?

Je cherche quelqu'un que son amertume pousserait à faire bien plus qu'écrire de simples courriers, songea Carroll. N'importe qui est foutu de s'asseoir à un bureau et d'écrire une lettre…

— À vrai dire, non. Il a participé à certaines des manifestations les plus… animées…

— Colonel, n'hésitez surtout pas à développer vos réponses. Tous les détails me seront utiles. J'ai tout mon temps pour vous écouter.

— Eh bien, il souhaitait attirer l'attention sur la longue liste des promesses faites à nos vétérans et non tenues par Washington. Sur toutes les trahisons. Il aimait employer l'expression « les G.I. jetables » quand il en parlait… Permettez-moi de vous dire, monsieur Carroll, que ce genre d'activité tapageuse est propre à entraîner un exil immédiat dans un trou perdu. Et que cela a en outre indéniablement valu à David d'être fiché au Pentagone. Hudson était très impliqué auprès des anciens combattants radicaux.

— Que pouvez-vous me dire de sa formation à l'école des forces spéciales de Fort Bragg ? s'enquit alors Carroll.

Pendant près d'une heure, le colonel Williamson s'appliqua avec soin à se remémorer cette époque lointaine. Il décrivit David Hudson comme un jeune officier brillant, doté d'une énergie apparemment sans limites et animé d'une ferveur typique de l'Amérique profonde : un soldat modèle. Carroll entendit dans la bouche de Duriel Williamson nombre des épithètes élogieuses qu'il avait lues dans le dossier de Hudson.

— Mais le souvenir le plus marquant que je garde de lui encore aujourd'hui, confia le colonel, c'est son séjour à Fort Bragg. Nous avions pour ordre de le pousser, de l'éperonner. Jusqu'à la limite de ses forces physiques et émotionnelles. À Bragg, nous l'avons boosté au maximum de ses capacités.

— Davantage que les autres officiers qui suivaient la formation ?

— Oh ! Absolument. Nous l'avons sans conteste poussé beaucoup plus loin. Nous ne l'avons pas du tout ménagé. Son expérience de prisonnier de guerre a été utilisée pour attiser sa haine de l'ennemi. On a programmé Hudson pour la vengeance, pour la haine.

— Qui vous en avait donné l'ordre, colonel ? Qui a exigé que vous poussiez ainsi le capitaine Hudson ? Quelqu'un qui l'avait de toute évidence repéré et lui portait une attention bien particulière ?

Le colonel Williamson ne répondit pas d'emblée. Ses yeux noirs ne quittaient pas ceux de Carroll, mais ce dernier remarqua un changement perceptible dans l'expression sévère de l'officier, qu'il ne parvint pas à interpréter sur-le-champ.

— Probablement. Cependant, aujourd'hui, après tant d'années… je ne suis pas certain de pouvoir vous dire précisément *qui*… Je me rappelle que nous étions d'une intransigeance inouïe avec David. Et qu'en règle générale il se montrait à la hauteur de nos exigences. Il ne manquait assurément pas de caractère.

— Mais la formation que vous lui dispensiez était atypique ? Elle différait quelque peu de celle des autres élèves officiers ?

— En effet. La formation de David Hudson à Fort Bragg était plus rigoureuse que le programme normal, bien que la barre fût déjà très haute.

— Donnez-m'en un aperçu, colonel. *Emmenez-moi* au camp d'instruction. En quoi consistait la formation en elle-même ?

— D'accord. Quoique je pense qu'on ne peut se l'imaginer que si on l'a vécue… Levé à deux heures et demie du matin. Sévices physiques. Cauchemars provoqués par des substances hypnotiques. Interrogatoires menés par des professionnels. Malmené ainsi jusqu'à vingt heures. Puis de nouveau levé à deux heures et demie, et ça repartait pour un tour. On les pressait jusqu'à l'épuisement. Chaque journée plus impitoyable que la précédente. Tant sur le plan physique qu'émotionnel… Les hommes sélectionnés pour aller à Fort Bragg étaient tous considérés comme étant du plus haut niveau. Hudson était non seulement issu de West Point, mais il avait également une expérience considérable du combat sur le terrain. Il avait été un chef de section émérite au Viêtnam… Et, euh… le capitaine Hudson avait aussi été un « nettoyeur », là-bas. Il était très solide. Il avait une excellente réputation.

En entendant le mot « nettoyeur », Carroll eut le sentiment de faire un pas supplémentaire dans l'interminable dédale du mystère Green Band. Il se remémora l'apparence irréprochable de Hudson sur les photos de lui qu'il avait vues : le visage irradiant de détermination, la brosse impeccable, la franchise du regard.

— Qu'est-ce que cela signifie exactement, colonel ? Qu'est-ce que ça veut dire, « avoir une bonne réputation » en tant que « nettoyeur » ?

— Cela signifie qu'il ne tuait pas par plaisir – ce qui était le cas de certains des meilleurs… Ces gars-là posent du reste un sérieux problème, car on ne sait que faire d'eux une fois qu'ils quittent l'armée. Quoi qu'il en soit, si les généraux avaient décidé de descendre Hô Chi Minh, on aurait vraisemblablement envisagé de confier cette mission capitale et très délicate à Hudson.

— On a l'impression qu'il vous inspire une certaine admiration…

Williamson sourit et un petit gloussement étouffé agita les médailles qui lui couvraient la poitrine.

— Ce n'est pas le terme que j'emploierais. En revanche, il est vrai que j'éprouve un indéniable respect pour lui.

— Pourquoi, colonel ?

— C'est l'un des meilleurs soldats que j'aie jamais formés. Il avait une grande endurance physique et toutes les connaissances techniques. Il avait de la force et une intelligence remarquable. Il avait aussi autre chose : de la dignité.

— Alors, qu'est-ce qui s'est passé ? Qu'est-il arrivé à Hudson, après la guerre ? Pour quelle raison a-t-il fini par quitter l'armée en 1976 ?

Le colonel Williamson frotta son menton rasé de près.

— Comme je vous l'ai dit, le vrai problème, c'était son comportement. Il pouvait porter des jugements excessivement catégoriques… D'autre part, il croyait avoir les réponses à certaines questions militaires controversées. Il se peut que quelques officiers de carrière n'aient pas apprécié l'opinion qu'il avait d'eux et de leurs actions. Et puis, il y a eu l'amputation de son bras. David Hudson était très, très ambitieux. Et vous connaissez beaucoup de généraux manchots, vous ?

Carroll garda le silence. En dépit de l'esprit de collaboration apparent du colonel Williamson, le policier ne pouvait s'empêcher de penser que l'officier lui taisait quelque chose. Pour avoir fréquemment eu affaire aux gens du Pentagone, Carroll savait que c'était typique des militaires. Tout devait être un grand secret, partagé exclusivement au sein de la communauté sacrée des frères de sang de l'armée, partagé exclusivement avec les autres *guerriers*.

— Colonel Williamson, je vous pose les questions suivantes avec l'autorisation du commandant en chef. Ce qui implique que j'ai besoin de réponses exhaustives.

— C'est ce que j'ai fait, jusqu'à présent.

— Colonel Williamson, étiez-vous informé de l'objectif officiel de la formation de David Hudson dans les forces spéciales à Fort Bragg ? Pourquoi était-il à l'école militaire JFK ? Si ces renseignements faisaient partie des instructions que vous aviez reçues ou si vous en avez eu connaissance par un autre biais, j'ai besoin de le savoir, colonel.

Le colonel Duriel Williamson regarda longuement Carroll dans les yeux.

Lorsqu'il s'exprima, sa voix était plus douce mais semblait être descendue d'une octave.

— Rien n'a jamais été écrit, dans nos instructions… Je vous l'ai dit, je ne me rappelle pas qui nous donnait les ordres quotidiens. En revanche, je sais pour quelle raison Hudson était censé être là…

— Continuez, colonel. Je vous en prie.

— On nous en a avisés lors du premier briefing sur David Hudson. *Verbalement*. Entre parenthèses, ce briefing ressemblait à un programme à la con de la CIA. C'est en tout cas l'impression qu'on en a eu jusqu'à ce que nous rencontrions Hudson… Vous voyez… On nous a expliqué qu'il avait été sélectionné pour devenir notre équivalent du superterroriste des pays en voie de développement. David Hudson avait été choisi et était formé pour devenir la version américaine du terroriste Carlos.

L'estomac de Carroll se retourna subitement. Il se pencha en avant dans son fauteuil.

— C'est pour cette raison qu'il suivait cette formation à Fort Bragg ? Qu'il avait droit à une instruction plus poussée que les autres élèves officiers ?

— C'est ce que nous avons contribué à lui apprendre à être… Et, monsieur Carroll, le capitaine Hudson y excellait. Je suis certain que c'est toujours le cas. Il savait mettre sur pied une attaque terroriste, planifier un assassinat si nécessaire, il était aussi bon que Carlos. L'armée a formé Hudson pour qu'il soit le meilleur… et à mon sens il l'était. C'est peut-être pour ça qu'elle n'a pas réussi à le récupérer en temps de paix.

Carroll se taisait – pour la simple raison qu'il était incapable de parler. Il avait le plus grand mal à accepter l'idée que l'armée eût secrètement façonné son propre Carlos et que celui-ci se fût peut-être retourné contre son pays.

— À votre avis, colonel, Hudson pourrait-il avoir été impliqué dans l'affaire Green Band ? Pourrait-il, d'un point de vue technique, avoir monté et dirigé une opération telle que celle-ci ?

— Ça ne fait pas l'ombre d'un doute, monsieur Carroll. Il a toutes les compétences requises pour cela. (Williamson marqua une pause, soupira.) Je tiens à préciser autre chose, à son sujet. À l'époque où je le connaissais – et je crois que je le connaissais assez bien –, il aimait infiniment son pays. Il adorait les États-Unis. Ne vous y trompez pas, David Hudson est un patriote.

73

Très tard ce soir-là, à Washington, le président Kearney se sentait faible, vieux même, infiniment plus vieux que ses quarante-deux ans. La sueur froide qui lui baignait la nuque lui donnait la sensation d'être malade.

Il était plus d'une heure et demie du matin et la Maison Blanche était parfaitement silencieuse.

Le président des États-Unis arpentait les couloirs du pouvoir, un document confidentiel sous le bras. Maintenu fermement contre son flanc par son coude droit, le volumineux document lui semblait être incandescent et traverser le tissu de son costume et de sa chemise pour lui brûler la peau.

Comme tous les présidents avant lui, Kearney avait appris, au cours du premier mois de son mandat, que le politicien, quel que soit le niveau de pouvoir qu'il incarnait, n'était guère plus qu'un rouage, un appendice du système. Une concession à la forme, un inconvénient, nécessaire à bien des égards.

Il existait un ordre supérieur dont l'influence dépassait celle du gouvernement américain et qui opérait au sein de celui-ci. Cet ordre supérieur dirigeait le pays depuis des années. C'était, à vrai dire, une réalité

d'une évidence saisissante et qui expliquait pratique-
ment tout ce qui s'était passé au cours des quarante
dernières années.

Un comité de douze hommes attendait le président
Kearney dans l'imposante et solennelle salle de réunion du Conseil de sécurité nationale, en dépit de
l'heure tardive.

Manches de chemise retroussées et nœud de cravate desserré, ces hommes étaient somme toute d'allure banale.

Ils se levèrent d'un bloc lorsque le président des
États-Unis apparut.

Le quarante et unième président américain prit alors
sa place habituelle, au bout de la table en chêne
cirée. Des stylos et plusieurs bloc-notes avaient été
soigneusement disposés devant lui.

— Avez-vous lu le rapport, monsieur le président ?
s'enquit l'un des douze membres du comité.

— Oui, dans mon bureau, répondit gravement
Kearney, son beau visage pâle, presque exsangue.

Il posa alors sur la table l'épais compte rendu confidentiel qu'il avait apporté – un document broché,
cent soixante pages dactylographiées, dont il n'existait qu'un exemplaire unique qui ne serait jamais
dupliqué.

Une inscription en lettres dorées se détachait sur
le fond bleu foncé de la couverture : *Green Band.*
Hautement confidentiel et classé secret.

La page de titre était datée du 16 mai.

Soit sept mois avant l'attentat à la bombe de Wall
Street.

TROISIÈME PARTIE

ARCH CARROLL

74

Le vendredi matin, lorsque le jour se leva, des nuages de pluie défilaient dans un ciel presque incolore. Un vent humide soufflait du Maryland en rafales glaciales.

Carroll attendait impatiemment sur la banquette avant d'une voiture de location garée à McLean, dans la banlieue de Washington.

La carrosserie sombre du véhicule se fondait dans un rempart de sapins encore plus sombres surplombant Fort Myers Road.

Le boulot de flic, songea Carroll, le regard perdu dans le vide. L'éternelle attente.

Pour passer le temps, Carroll s'attaqua à son petit-déjeuner, acheté chez Dunkin' Donuts. Les beignets étaient moins chauds que l'emballage en carton qui les contenait. Ils n'avaient de surcroît aucun goût. Quant au café, il était à température ambiante…

Carroll lut ensuite plusieurs pages de *The Soul of a New Machine*, de Tracy Kidder. À plusieurs reprises, il se surprit à penser au colonel Hudson.

Le jeune homme cent pour cent américain ? L'élève officier émérite de West Point… devenu le chacal de l'Amérique ? Le François Monserrat des États-Unis ?

Il mourait d'envie de faire la connaissance de Hudson. De le rencontrer seul à seul, en tête à tête. De préférence dans la salle d'interrogatoire, au numéro 13 de Wall Street, sur son territoire à lui. *Dites-moi, colonel Hudson, que savez-vous de l'attentat de Green Band ? Et des actions volées à Wall Street ? Expliquez-moi pour quelle raison vous avez quitté l'armée, colonel..*

Il se demanda ce qu'il tirerait de quelqu'un comme David Hudson, saboteur américain formé pour résister aux pires interrogatoires.

Vers sept heures trente, une lampe s'alluma enfin au premier étage de la maison coloniale blanche, de l'autre côté de la route. Une deuxième pièce s'éclaira, quelques instants plus tard. La chambre puis la salle de bains, sans doute.

Peu après, la lumière se fit au rez-de-chaussée. La cuisine ? L'applique du porche s'éteignit.

Juste après huit heures – heure que Carroll jugea décente –, il remonta d'un pas traînant l'allée dallée devant la maison et appuya sur la sonnette, dont le son lui rappela le carillon des vieux magasins.

Un homme grand, d'une soixantaine d'années, apparut dans l'encadrement de la porte. Il portait un pantalon écossais, des mules et un cardigan bleu pastel. Son crâne, qui avait la forme d'une torpille, était surmonté de cheveux ras d'un gris presque blanc.

Le général Lucas Thompson, ex-commandant en chef des forces américaines d'évacuation au Viêtnam, possédait un visage taillé à la serpe et une présence toujours imposante. Il donnait l'impression d'être encore parfaitement capable d'assumer les contraintes du service commandé. Il y avait quelque chose de dur et d'alerte dans son regard.

— Général Thompson, je suis Arch Carroll, de la DIA. Désolé de vous déranger à une heure aussi matinale. Je viens vous voir dans le cadre de l'enquête sur Green Band.

Comme il se doit, le général Thompson se montra soupçonneux. Ses yeux s'étrécirent, semblèrent s'enfoncer dans les plis de peau flasque qui les cernaient.

— De quoi s'agit-il, monsieur ? Je suis levé depuis un moment, mais, ainsi que vous l'avez dit, il est encore bien tôt…

— En temps normal, je vous aurais téléphoné pour vous avertir de ma visite, général. Mais j'ai quitté le Pentagone tard hier soir. J'ai pensé que vous appeler au-delà d'une certaine heure aurait été un manquement à la bienséance pire que de me présenter à l'improviste chez vous ce matin.

L'expression de perplexité qui se lisait sur le visage du général Thompson se dissipa. On aurait dit que le seul mot « Pentagone » l'avait rassuré ; ses traits se détendirent.

— Certes, acquiesça-t-il. Arch Carroll. J'ai lu des choses, sur vous…

— Général Thompson, j'ai seulement quelques questions à vous poser. Elles concernent votre commandement en Asie du Sud-Est. Cela ne devrait pas nous prendre plus de… d'une vingtaine de minutes.

— Ce qui signifie une heure, rétorqua Lucas Thompson avec un rire nasillard. (Il n'en ouvrit pas moins en grand la porte d'entrée de sa maison.) Ce n'est pas grave. J'ai le temps. Le temps n'est pas ce qui me manque actuellement, monsieur Carroll.

Le général Thompson précéda Carroll à l'intérieur de la maison et lui fit traverser une salle à manger années 1930 solennelle avant de pénétrer dans une impressionnante bibliothèque. Il y avait là une cheminée en bouleau blanc pourvue d'un écran en cuivre et de lourds chenets, en cuivre également. Les murs étaient tous tapissés de livres serrés dans de hauts rayonnages en chêne. Une double baie vitrée donnait sur un jardin, avec une piscine couverte et des cabines rayées jaune et vert.

Le général Thompson s'assit dans une confortable bergère à oreilles.

— Loin des yeux à Washington et pour ainsi dire loin du cœur. Depuis que j'ai pris ma retraite, j'ai reçu très peu de visites officielles. À l'exception de mes deux petites-filles, qui, par bonheur, habitent au bout de l'allée et qui adorent les gâteaux et les caramels confectionnés par leur grand-mère.

Le général secoua la tête et sourit. Il abordait cette entrevue de manière beaucoup plus détendue que Carroll ne l'avait escompté.

Carroll avait entendu dire que Thompson se montrait au Viêtnam excessivement rigide en matière de discipline. À présent, à la retraite, il ressemblait à n'importe quel paisible grand-père.

— Je cherche – à l'aveuglette, devrais-je préciser – des renseignements utiles sur un certain colonel David Hudson. Hudson était sous votre commandement à Saigon, n'est-ce pas ?

Le général Thompson hocha la tête.

— C'est exact. Le capitaine Hudson a servi sous mes ordres pendant environ quinze mois. Si ma mémoire me fait moins défaut que le reste.

— Votre mémoire et mes notes concordent parfaitement, dit Carroll. Que pouvez-vous me dire de Hudson ?

— Eh bien, je ne sais pas vraiment où vous voulez que je commence. C'est relativement compliqué. David Hudson était un soldat extrêmement discipliné et efficace. C'était aussi un meneur d'hommes charismatique, quand on lui a eu confié son commandement là-bas… La première fois que je l'ai vu, il était à la tête d'une section de techniciens spécialistes en explosifs, je crois. Il avait également été formé pour éliminer des cibles humaines. Il a éliminé des ordures, Carroll. Des gens tirant profit de la guerre, deux ou trois agents infiltrés de haut niveau… Des traîtres.

— Pourquoi avait-il été choisi pour être un « nettoyeur » ?

— Oh, je crois connaître la réponse à cela. Il avait été choisi parce qu'il n'aimait pas tuer. Parce qu'il n'était pas un détraqué. Je pense que la philosophie de Hudson, c'était que, une fois qu'on s'engageait à se battre dans une guerre juste, on allait jusqu'au bout. Il se trouve que, personnellement, j'adhère à cette conception des choses.

Pendant la demi-heure qui suivit, le général Lucas Thompson décrivit en détail sa collaboration avec David Hudson. Ce fut un compte rendu dithyrambique d'un bout à l'autre, quelque chose comme un vingt sur vingt pour Hudson – qualités de chef au combat, courage, charisme.

Arch Carroll continuait d'avoir le désagréable sentiment de courir après un foutu héros de guerre américain. Une fois de plus, quelque chose dans cette histoire échappait à la simple logique.

Il se pencha très en avant dans son fauteuil en cuir rouge. Le général Thompson commençait légèrement à se répéter. Ses propos paraissaient glisser vers un gentil verbiage.

En temps normal, Carroll aurait pu trouver cela attristant. Il pensa à son propre père, qui avait pris sa retraite à Sarasota, Floride, après avoir quitté la police de New York, et qui avait succombé à une crise cardiaque – à moins que ce ne fût à l'ennui – moins de neuf mois après.

Si ce n'est que Carroll ne crut pas un instant au petit numéro du général Thompson.

Il avait procédé à une enquête minutieuse : le général Thompson avait reçu de nombreuses visites officielles dans sa demeure de McLean – des hauts fonctionnaires du Pentagone, et même des pontes de la Maison Blanche. Le général Lucas Thompson était *toujours* un conseiller influent du Conseil de sécurité nationale.

— Il y a encore une ou deux choses qui me tracassent, général…

— Quoi donc ? Allez-y !

— Premièrement… comment se fait-il que personne ne soit capable de me dire où se trouve le colonel Hudson actuellement ?… Deuxièmement, comment se fait-il que personne ne soit capable d'expliquer les circonstances mystérieuses dans lesquelles il a quitté l'armée au milieu des années 1970 ? Troisièmement, général Thompson, j'aimerais savoir pourquoi on a farfouillé dans son dossier militaire au Pentagone et au FBI avant que j'y aie accès.

— Monsieur Carroll, à en juger par votre ton, je crains que vous ne commenciez à faire preuve d'une certaine irrévérence, fit le général Thompson d'une voix égale et parfaitement calme.

— Vous avez raison, ça m'arrive parfois. Quatrièmement – c'est le dernier point qui me chiffonne… qui m'indispose vraiment… Pourquoi ai-je été suivi lorsque j'ai quitté le Pentagone hier soir, général ?… Pourquoi m'a-t-on suivi jusqu'à chez vous ce matin, général ? Qui en a donné l'ordre ? Qu'est-ce qui se manigance à Washington, nom de Dieu ?

Les joues rasées de près du général Thompson et son cou plissé s'empourprèrent d'un coup.

— Monsieur Carroll, m'est avis que vous devriez partir. Je crois que cela vaudrait mieux pour tout le monde…

— Vous savez quoi ? Vous avez sans doute raison. Je crois que je perds mon temps ici… Je pense toutefois que vous en savez beaucoup plus sur le colonel Hudson, général. Voilà ce que je pense.

Le général Thompson eut un sourire condescendant, juste une infime contraction de la lèvre supérieure.

— C'est là toute la beauté mésestimée de notre pays, monsieur Carroll. C'est un pays libre. Vous avez le droit de penser tout ce qu'il vous plaît… Venez, je vous raccompagne.

75

Le matin du 17 décembre, à New York, David Hudson se sentait plus gêné par son handicap que cela n'avait été le cas depuis des années.

Il tenait fermement Billie Bogan enlacée avec son bras valide, la guidant de manière protectrice dans une marée humaine sur la Cinquième Avenue. Il ne voulait pas songer à la reprise des opérations de Green Band – en tout cas pas pendant quelques heures encore.

Billie et lui formaient un couple saisissant. Ils semblaient avoir été peints à coups de pinceaux appuyés au milieu de silhouettes esquissées au crayon.

Billie Bogan observait David Hudson du coin de l'œil. Il leur frayait un chemin dans la cohue avec un tel sérieux. Elle éprouvait pour lui une fascination étrange… et croissante. Le fait qu'il fût manifestement épris d'elle y était sûrement pour quelque chose. Elle s'autorisait à se laisser emporter…

Emporter vers ce qui se dessinait confusément.

— Est-ce que tu aimes Noël ? lui demanda-t-elle tandis qu'ils fendaient le froid mordant de cette journée d'hiver.

— Eh bien, ça dépend des années. Ce Noël-ci, je me sens bizarrement fou de la période des fêtes… Je n'ai pas envie de perdre une miette des sapins, des couronnes, des vitrines scintillantes des boutiques, des Pères Noël, des églises, des chorales…

— Tu me donnes vraiment l'impression de toujours vivre les choses à fond, le taquina-t-elle.

— Ou pas du tout. Regarde un peu *cette* folie ! Cette monstruosité féerique !

Il poussa un cri de joie et un grand sourire fendit son visage. Cela ne lui ressemblait pas vraiment – cela ne ressemblait en tout cas pas au peu que Billie connaissait de lui.

Ils se trouvaient au pied de l'éblouissant sapin de Noël du Rockefeller Center. Une multitude de gens – principalement des couples d'amoureux de tous âges – se pressaient sur la patinoire et dans le restaurant adjacent. Tout près d'eux, un chœur de petits garçons, ravissants dans leurs soutanes et leurs surplis, interprétait des chants de Noël.

Le colonel Hudson se sentait détendu, et relativement à l'aise, pour une fois. Un plaisir excessivement rare. À savourer.

Par instants, il éprouvait des remords au sujet de sa mission, s'en voulait de se disperser, mais il savait aussi que relâcher la tension pouvait lui être bénéfique.

— Est-ce que ta famille te manque ? Tu ne regrettes pas de ne pas passer les fêtes chez toi, en Angleterre ? demanda-t-il à la jeune femme.

Leurs regards se rencontrèrent et ne se quittèrent pas pendant de longues secondes. Comme souvent depuis le début de leur relation, ils se sentaient seuls au monde. En dépit des mouvements de la foule qui avait envahi la place.

— Certains détails du passé me manquent… Et ma sœur, ma mère. Sinon, l'Angleterre ne me manque pas beaucoup, non. La vie dans les Midlands… Birmingham fait partie de ces endroits dont tous les jeunes, tous les jeunes à peu près sensés, veulent s'échapper… Si tu restes à Birmingham, tu travailles pour British Steel, ou éventuellement pour le nouveau centre d'expositions. Une fois que tu es mariée, tu restes à la maison avec ta progéniture. Tu regardes les nouveaux programmes du matin de la BBC. Tu t'empâtes, ton cerveau se ramollit. Au bout de quelques années, on a du mal à s'imaginer que les femmes ont pu être de jolis brins de filles dans leur jeunesse. Passé quarante ans, de toute façon, personne n'a l'air d'avoir été jeune, là-bas.

— Alors, tu t'es enfuie ? À Londres ? À Paris ?

— Je suis partie pour Londres dès que j'ai eu dix-huit ans. J'étais mal dégrossie, pas bien finaude, tant dans mon apparence que dans ma manière d'envisager le monde. Je voulais être actrice, mannequin, tout ce qui me permettrait de ne jamais retourner à Birmingham. *Jamais.*

Billie sourit ; elle était d'une pudeur touchante.

— J'ai fait quelques erreurs sans grande importance à Londres, reprit-elle avec un rire malicieux.

— Et ensuite ?

— Après cinq ans – plus ou moins – passés là-bas, j'ai décidé de partir pour New York. Et me voilà. J'espère réussir en tant que mannequin. Je suis en train de me constituer un book pour la pub… les magazines, les journaux. Je sais que je suis attirante – physiquement, tout du moins.

Elle avait raconté pratiquement toute son histoire d'une voix timide, les yeux baissés ou se posant partout sauf sur David Hudson. Des rougeurs lui étaient montées dans la nuque, avaient progressivement gagné tout son visage.

— Moi aussi, j'ai fait quelques toutes petites erreurs. Juste quelques-unes, précisa Hudson en s'esclaffant.

Tant d'émotions accumulées se libéraient en lui, à présent. Cela faisait si longtemps qu'il ne s'était pas autorisé cela.

Billie se mit à rire, elle aussi.

— Oh! Au diable le passé! s'exclama-t-elle, avec cependant une lueur un peu triste, ironique, dans les yeux.

Les mots leur manquèrent à tous les deux, exactement au même moment. L'instant semblait particulièrement poignant, confus, chargé de beaucoup trop de contre-courants émotionnels. Ils levèrent tous deux les yeux vers le sapin.

Billie finit par se détourner, pour de nouveau faire face à Hudson. Elle parla, d'une voix très douce, son souffle lui caressant l'oreille avec la douceur de plumes chaudes :

— Embrasse-moi, David, s'il te plaît. Ça n'a peut-être l'air de rien… mais je ne crois pas l'avoir demandé à quiconque, en tout cas pas sincèrement, depuis l'âge de seize ou dix-sept ans.

Ils s'embrassèrent dans les ombres du majestueux arbre de Noël du Rockefeller Center, le corps mince et souple de Billie contre celui de Hudson, puissant et comme au garde-à-vous.

L'espace d'un instant indicible, Hudson oublia tous les desseins qu'il avait formés pour le monde.

La justice, pour le genre humain.

La revanche, pour certains en particulier.

76

Caitlin Dillon courait vers la salle de conférences bondée du 13.

Elle passa devant des ouvriers occupés à boucher des fissures dans le ciment. À l'autre bout du couloir, trois femmes de ménage tiraient à grand-peine des seaux qui cliquetaient à chacun de leurs pas. Caitlin s'arrêta à l'entrée de la salle de conférences en effervescence et porta la main à ses cheveux.

Elle songeait à quel point Carroll lui manquait. Celui-ci devait revenir de Washington d'un moment à l'autre. Il l'avait appelée mais elle lui avait trouvé une voix tendue, lointaine.

Dépassant une armada de policiers et de militaires, elle pénétra dans la salle de réunion.

La nouvelle s'était déjà répandue dans tout l'immeuble : un pas avait enfin été franchi dans l'enquête Green Band.

Walter Trentkamp, le chef du FBI, se tenait debout, silencieux, face à une assistance fiévreuse. Il était de toute évidence nerveux. De légers filets de transpiration luisaient sur son visage et son col de chemise était humide.

Trentkamp s'éclaircit la voix. La scène rappela à Caitlin les conférences de presse de la plus haute importance données à Washington, les réunions d'urgence organisées à la dernière minute.

— Vous avez sûrement entendu cette rumeur selon laquelle un pas décisif a été accompli dans l'affaire Green Band… Nous le devons aux recherches acharnées du capitaine Francis Nicolo et du sergent Rizzo, du service de la balistique de la police de New York.

Frank Nicolo, « le gominé », surgit de la foule, flanqué de Joe Rizzo. Les deux hommes rayonnaient et firent un imperceptible salut de la tête.

— Ces messieurs travaillent d'arrache-pied depuis l'attentat du 4 décembre. Leurs efforts semblent avoir été grandement récompensés.

Quelques murmures élogieux se firent entendre à travers la salle. Nicolo et Rizzo se dandinaient comme des écoliers lors d'une remise de prix.

— Sergent ? appela Trentkamp. Si vous voulez bien me rejoindre…

Rizzo s'avança, l'air emprunté, hissant sur l'estrade un panneau en polystyrène expansé, sur lequel étaient dessinés, en noir et blanc, les principaux immeubles du quartier financier. Les bâtiments qui avaient été plastiqués étaient coloriés en rouge vif et parsemés de cercles violets. Caitlin remarqua que ces cercles apparaissaient à des niveaux très différents des quatorze immeubles concernés.

— Les bâtiments en rouge ont tous explosé à la même heure le 4 décembre, commença Rizzo. Les dispositifs explosifs ont incontestablement été activés à distance. Entre treize et seize kilomètres. (Rizzo marqua une pause avant de poursuivre :) Les ronds violets entourant les immeubles indiquent l'endroit exact où les explosions ont eu lieu. C'est-à-dire là où les charges de plastic avaient été placées. Ici, ici, ici, etc. Comme vous pouvez le constater, les bombes avaient été posées à un étage différent de chacun des quatorze bâtiments. Au premier étage du numéro 22, sur Broad Street. Au quinzième étage, pour Manufacturers Hanover. Et ainsi de suite. Cela se voit clairement…

Rizzo promena son regard sur les visages des spectateurs comme s'il défiait quiconque de le contredire.

— À première vue, reprit-il enfin, cette répartition ne procède d'aucune logique spécifique. C'est du moins ce que nous pensions jusqu'à hier soir. Quand nous avons mis le doigt sur un point qui nous avait échappé… Regardez ! À chacun des étages entourés sont situés les bureaux où les coursiers viennent déposer ou prendre des plis et des paquets. Ce qui nous avait jusque-là masqué cette évidence, c'est le fait que, dans tous ces bâtiments, les services d'accueil des coursiers ne se trouvent pas systématiquement au même étage. Vous voyez où je veux en venir ?

Le sergent Rizzo se tut pour ménager son petit effet.

— Messieurs, les bombes ont été livrées, lâcha-t-il d'un coup. Probablement par un des coursiers habituels, qui est donc passé inaperçu. (Il parcourut de nouveau des yeux l'assistance muette.) Il existe plus de deux cents sociétés de courses, à Wall Street et aux alentours. Jimmy Split, Speedo, Fireball, Bullet, pour n'en citer que quelques-unes. Vous-mêmes les connaissez, pour la plupart. Il y a de grandes chances que l'une d'entre elles ait été contactée par nos amis de Green Band. Voire qu'elles aient été plusieurs à être utilisées pour porter les charges de plastic dans les immeubles, le 4 décembre. Quoi qu'il en soit, nous allons mettre le paquet et résoudre enfin cette affaire !

Caitlin perçut l'énergie extraordinaire animant soudain les membres de l'assistance, qui commençaient à se disperser. Après avoir passé des jours à se heurter inexorablement à des murs, dans une enquête qui ne menait absolument nulle part, ceux-ci se sentaient revivre. Elle fut presque entraînée par le flot de policiers et d'enquêteurs qui se ruaient vers la porte.

Une boîte de coursiers de Wall Street.

Un frisson la parcourut soudain.

Une société de courses...

Caitlin tourna les talons et quitta la salle de conférences, reprenant le chemin de son bureau. Elle venait de se rappeler un détail et voulait s'assurer au plus tôt que sa mémoire ne lui jouait pas des tours.

Elle partit en courant dans le couloir.

77

Carroll était convaincu d'avoir été suivi depuis Washington. Une voiture noire filait son taxi Checker depuis l'aéroport Kennedy.

Lorsqu'il se fit déposer devant le numéro 13 de Wall Street, le véhicule en question contourna son taxi avant de disparaître.

Il distingua deux ou trois silhouettes d'hommes à l'intérieur mais ne réussit pas à voir leurs visages.

Pourquoi le suivaient-ils ? Qui les avait envoyés ? Qui donc traquait le traqueur ?

Il s'engouffra sous le porche et se rendit directement dans le bureau de Caitlin, au premier étage. Il se dépêchait car il éprouvait le plus grand besoin de la voir, de parler à quelqu'un en qui il avait toute confiance.

Elle se leva derrière son bureau, interrompant son examen d'une liste de noms d'anciens combattants américains qu'ils avaient déjà imprimée auparavant. Elle s'approcha de lui et ils s'enlacèrent. Carroll semblait ne plus avoir envie de la lâcher. Leurs corps se pressaient fermement l'un contre l'autre.

Caitlin s'arracha finalement à leur étreinte.

— Comment ça s'est passé, à Washington ?

Il lui décrivit le dossier du FBI de David Hudson et lui relata sa visite au général Lucas Thompson.

Caitlin le mit ensuite au courant des derniers développements de l'affaire présentés par le sergent Rizzo. Elle désigna alors le listing qu'elle était en train d'étudier lorsque Carroll était arrivé.

— Peut-être que c'est une coïncidence. Peut-être que ça ne veut rien dire du tout. Mais sur cette liste de vétérans, il y a un expert en explosifs qui est actuellement chauffeur de taxi et coursier. Et qui habite New York.

— Comment s'appelle-t-il ? demanda Carroll, qui examinait déjà le long document.

— C'est un dénommé Michael Doud... qui a justement servi sous les ordres de David Hudson au Viêtnam.

— Il est indiqué pour quelle société de courses il travaille ?

Caitlin secoua la tête.

— Non, mais ça ne devrait pas être trop difficile à trouver. Renseignons-nous.

Caitlin attrapa son téléphone. Carroll sortit de sa veste son carnet de notes et feuilleta nerveusement les pages désormais familières sur lesquelles étaient inventoriées depuis le début toutes les fausses pistes et impasses de l'affaire Green Band.

Au bout de quelques secondes, énervé, il referma son carnet.

Qu'est-ce que je sais que je ne sais pas que je sais ?

Qu'est-ce que j'ai vu de crucial qui m'aurait échappé ?

À Washington ? Le général Lucas Thompson ?

Il vit Caitlin reposer le combiné téléphonique.

— Taxis et coursiers Vétérans, annonça-t-elle avec un brusque sourire. Ils ont un dépôt à deux pas d'ici, dans le Village.

Carroll se leva.

— Appelle Philip Berger. Ensuite, pourrais-tu téléphoner à Trentkamp ? Dis-leur de m'envoyer des hommes au…

— Ce n'est pas tout, Arch, le coupa Caitlin. David Hudson est aussi employé là-bas. Cela fait plus d'un an qu'il y travaille.

78

Peu après minuit, le 18 décembre, le colonel Hudson s'adressa avec émotion aux vingt-quatre vétérans réunis dans le dépôt de Jane Street :

— Cette mission a été longue et particulièrement éprouvante. Je le sais. Mais, à chaque étape importante, vous avez fait scrupuleusement ce qu'on attendait de vous… (Il s'interrompit et observa les visages immobiles tournés vers lui.) Maintenant que nous approchons des phases ultimes de l'opération Green Band, j'aimerais insister sur un point : je tiens à ce que personne ne prenne de risques inutiles. Est-ce bien compris ? Ne laissez rien au hasard. Notre objectif final à partir de maintenant est le suivant : zéro tué au combat. (Hudson marqua une autre pause. Quand il reprit enfin la parole, sa voix était empreinte d'une émotion palpable :) Ce sera notre dernière mission ensemble. Encore une fois merci. Merci à tous.

Les portes sales du dépôt des taxis et coursiers Vétérans s'ouvrirent dans un vacarme métallique. La lueur orange diffuse des phares illumina soudain l'obscurité.

Vétéran 5, Harold Freedman, sortit en courant dans la rue. Il regarda à droite puis à gauche dans Jane Street et se mit à aboyer des ordres à la manière du sergent instructeur qu'il avait jadis été.

Il était tout juste minuit et demi passé.

Si quelqu'un dans ce quartier du West Village vit trois camions de transport de troupes de l'armée sortir du garage, il ne s'en vanta jamais – l'indifférence typique des New-Yorkais.

Les camions remontèrent en trombe la Dixième Avenue.

Installé du côté passager dans le véhicule de tête, Hudson se pencha en avant. Il était en contact permanent par talkie-walkie avec les deux autres camions.

Ils retournaient au combat. Aucun d'entre eux n'avait réalisé à quel point cela leur manquait. Même Hudson avait été surpris de retrouver cette lucidité que l'on éprouvait avant une bataille capitale. Il n'y avait rien d'équivalent dans la vie ; rien n'était comparable à cela.

— Contact. Ici Vétéran 1. Vous devez continuer tout droit sur la Dixième Avenue jusqu'à l'entrée de Holland Tunnel. Nous nous conformerons en ville strictement aux limites de vitesse militaires. Alors installez-vous confortablement et profitez du trajet pour vous détendre. Terminé.

Deux heures s'étaient écoulées lorsque le camion à la tête du convoi s'arrêta en trépidant devant un poste de garde de l'armée, à moins de soixante mètres de la sortie de la Route 34, dans le New Jersey.

Au-dessus de la guérite, un panneau indiquait : FORT MONMOUTH, ARMÉE AMÉRICAINE.

Le soldat de garde était manifestement à deux doigts de s'endormir. Il avait les yeux vitreux, derrière ses lunettes à monture d'écaille, et ses mouvements, quand il s'approcha du premier véhicule, étaient plutôt raides.

— Vos papiers, colonel.

Le soldat s'éclaircit la gorge. Hudson lui donnait à peine plus de dix-huit ans. Réminiscences du Viêtnam, fantômes de jeunes garçons au combat.

Il lui tendit deux cartes d'identité en plastique, qui l'identifiaient comme étant le colonel Roger McAfee, de l'arsenal de la 68e Rue, Manhattan. Le jeune factionnaire procéda alors à une inspection dans les règles, puis il leur débita le speech ordinaire du soldat de garde :

— Vous pouvez passer, colonel. Pendant votre visite à Fort Monmouth, je vous prie de respecter toutes les règles de circulation et de stationnement indiquées. Les véhicules qui vous suivent vous accompagnent-ils, colonel ?

— Oui, nous partons bivouaquer. Nous venons nous approvisionner. En armes légères et en munitions, pour notre week-end à la campagne. Deux hélicoptères ont également été réquisitionnés. Ils sont au courant, au ravitaillement. Je dois voir le capitaine Harney.

— Alors, vous pouvez passer, colonel.

La jeune sentinelle s'écarta et fit un petit geste sec autorisant le court convoi de réservistes à avancer.

Dès qu'ils eurent passé la barrière, le colonel Hudson reprit sa radio.

— Contact. Ici Vétéran 1. Nous sommes désormais à moins de douze heures de l'aboutissement de l'opération connue sous le nom de code Green Band.

Chacun doit faire preuve d'une prudence extrême, *je répète*, une prudence extrême. Notre mission touche à sa fin, messieurs.

79

Morne et discret, le dépôt des taxis Vétérans n'était pas le genre d'endroit que l'on remarquait. Il était situé au milieu d'un pâté de maisons du West Village, et ses grandes portes en métal, rouillées, couvertes de taches de graisse, ne payaient pas de mine.

L'accès à Jane Street avait été interdit de part et d'autre de la rue déserte. Des voitures de patrouille de la police de New York étaient garées partout autour du dépôt. Carroll en compta dix-sept.

Il repéra des voitures banalisées du FBI et une trentaine d'agents armés jusqu'aux dents à couvert dans une station-service Shell.

Les policiers et les agents fédéraux étaient équipés de fusils d'assaut M16 automatiques, de fusils anti-émeutes de calibre 12, de Magnum 357. Carroll n'avait jamais vu une telle force d'assaut, un arsenal aussi stupéfiant.

Il s'adossa à sa voiture et, tapotant sur le capot, observa les portes métalliques et l'enseigne tordue et décolorée, sur laquelle on pouvait lire TAXIS ET COURSIERS VÉTÉRANS.

Quelque chose le tracassait. Il y avait encore un truc qui clochait, dans cette histoire.

Carroll plissa les yeux et regarda attentivement en direction de la station Shell. Les types du FBI se tenaient parfaitement immobiles, attendant le signal qui leur enjoindrait de passer à l'action.

Walter Trentkamp se tenait à ses côtés.

Carroll sortit son Browning. Il regarda l'arme dans sa main et réalisa, non sans surprise, qu'une voix intérieure lui soufflait de faire attention. *Faire attention ?* Il n'avait jamais fait attention, auparavant – alors, pourquoi s'y mettre maintenant ? En fait, il pensait tout de même savoir pourquoi.

— Archer.

Walter Trentkamp lui donna un petit coup de coude. Une limousine descendait lentement la rue triste et silencieuse.

Le commissaire divisionnaire Michael Kane en sortit, avec solennité. Le nouvel arrivant, dont l'expérience du terrain était limitée et qui était plus politicien que flic, serrait un porte-voix dans sa main.

— Oh putain, non..., marmonna Carroll.

La voix du divisionnaire Kane retentit dans la petite artère du West Village :

— Ici le commissaire divisionnaire Kane... Vous avez une minute pour sortir du dépôt. Dans soixante secondes, nous ouvrirons le feu.

Carroll scrutait le dépôt de briques rouges. Son corps était contracté, il avait la nuque et le front moites. Il leva lentement son pistolet pour le placer en position de tir.

Il n'y avait pas le moindre mouvement dans le garage.

— Vingt-cinq secondes... Sortez du dépôt, les mains au-dessus de la tête...

Trentkamp se pencha pour chuchoter quelque chose à l'oreille de Carroll. L'une des choses que ce dernier appréciait chez lui, c'était qu'il était resté un homme de terrain. Il ressentait encore le besoin de se trouver en personne au cœur de l'action.

— Imagine qu'on soit totalement en train de se planter ? Imagine qu'on se soit trompé de mecs, que ce ne soit pas la bonne boîte de coursiers ? Il y a un truc qui me chiffonne dans tout ça, Arch.

Carroll ne répondit rien. Il observait et réfléchissait.

— Vingt secondes…

— Viens, Walter… Suis-moi.

Carroll se dirigea vers les portes du dépôt, talonné par Trentkamp, qui lui avait emboîté le pas avec une certaine réticence. Le commissaire divisionnaire avait arrêté son décompte.

Soudain, il y eut des policiers et des agents du FBI partout autour d'eux, se forçant un passage entre les bords déchiquetés des portes fracassées, pénétrant en force dans le dépôt plongé dans l'obscurité.

Quelqu'un alluma une lumière, qui révéla un immense garage, quelconque et sinistre.

Carroll se figea, Browning au poing.

Il cligna plusieurs fois des yeux. Il sentait des relents d'huile et de graisse, ces odeurs âpres laissées par les vieilles voitures en mauvais état. Des flaques d'huile couvraient le sol en béton. Des outils de mécanicien traînaient par terre en désordre.

En dehors de cela, il ne restait plus rien dans le garage des taxis et coursiers Vétérans.

Pas le moindre taxi, pas le plus petit vétéran.

Et nulle trace du colonel Hudson.

Armes pointées, Carroll et Trentkamp entreprirent d'explorer les locaux. Un étroit escalier en colimaçon menait à l'étage.

C'est alors qu'ils le virent… le message laissé à leur intention.

Scotché à un mur couvert de taches de graisse, il les narguait, se moquait d'eux. Il se riait de tous ces enquêteurs de police incapables – un ricanement discordant, un croassement strident d'oiseau de la jungle.

Un ruban vert, méticuleusement noué, avait été accroché sur un mur nu, tel un reste d'emballage de cadeau de Noël.

C'est ça, songea Carroll.

Rigolez.

Les membres de Green Band s'étaient volatilisés. Purement et simplement. Et, comme d'habitude, ils avaient une exaspérante longueur d'avance.

Ils avaient mis les bouts… mais pour aller où ?

80

Caitlin remontait le couloir sombre d'un immeuble de l'Upper West Side, chargée d'un porte-documents plein à craquer de notes. Elle trouva la porte de l'appartement 12B à moitié ouverte.

Anton Birnbaum l'attendait. Caitlin se demandait pourquoi il l'avait appelée si tard. Qu'est-ce qu'Anton attendait d'elle, maintenant ?

Il la fit entrer et ils se rendirent dans la bibliothèque du financier, une pièce remplie jusqu'au plafond de vieux livres et de revues.

— Merci d'être venue sans tarder, lui dit-il.

Il lui parut incroyablement soulagé.

— Café ? Thé ? Ces derniers temps, j'abuse de ces breuvages nocifs, expliqua-t-il en faisant un geste en direction d'une cafetière à expresso ternie, non loin de l'âtre rougeoyant de la cheminée.

Caitlin déclina sa proposition.

Les mains de Birnbaum tremblaient légèrement. La quantité de papiers en fouillis dans la pièce indiquait une véritable débauche d'énergie.

— Laissez-moi commencer en remontant jusqu'à Dallas, Caitlin. (Le vieil homme, dont le petit visage ressemblait à une lune flétrie, finit par s'asseoir à côté de la jeune femme.) Jusqu'à l'assassinat tragique du président Kennedy... qui constitue un bon point de départ, me semble-t-il. Comme tout le monde le sait, cet assassinat a vraisemblablement été organisé de façon à avoir le maximum de portée, de retentissement. Vint ensuite le Watergate, en 1973. Je crois fermement qu'on a *délibérément* fait en sorte que cette affaire prenne une telle ampleur. Le feu a été attisé... afin d'écarter Richard Nixon de la présidence. Ceci, ma chère, appartient à l'histoire. À l'histoire des États-Unis. (La tasse de Birnbaum trembla sur sa soucoupe.) Ces deux événements ont clairement été orchestrés. Ces deux événements ont été ourdis à la fois au sein et en dehors du gouvernement américain. Par une élite, Caitlin. Une élite composée d'anciens membres de l'OSS, notre réseau de services secrets pendant la Seconde Guerre mondiale. J'ai entendu parler d'eux sous le nom des Sages. On les appelle aussi le Comité des Douze. Ils existent, vraiment. Permettez-moi de poursuivre avant de vous laisser faire des commentaires. En 1945, les dirigeants de l'OSS réalisèrent qu'ils étaient sur le point de perdre les responsabilités dont ils avaient été investis pendant la guerre. Ils allaient être contraints de restituer leur énorme pouvoir à ces mêmes politiciens qui avaient conduit le genre humain au bord du gouffre, quelques années auparavant... Ils n'en avaient nulle envie, Caitlin. À bien des égards, on pourrait presque les comprendre...

Birnbaum but quelques gorgées de café.

— Certains de ces officiels haut placés de l'OSS cédèrent seulement en partie leurs prérogatives au président Truman, et restèrent dans les coulisses du pouvoir, à Washington. Ils se mirent à manœuvrer une série de pantins sur la scène politique. Ces hommes et leurs protégés, qui forment l'actuel Comité des Douze, sont allés jusqu'à sélectionner les candidats à la présidentielle pour les partis politiques. Pour les deux partis, Caitlin, et dans la même élection.

Caitlin dévisageait le vieil homme. Les Sages ? Le Comité des Douze ? Un club doté de pouvoirs illimités ? Elle connaissait déjà beaucoup d'histoires de conspirations, réelles ou imaginaires, au sein du gouvernement. Celles-ci paraissaient tissées à même la tapisserie de l'histoire des États-Unis, et ce depuis les origines.

— Qui sont ces hommes, Anton ?

— Ma chère, ce ne sont pas précisément des visages que l'on voit dans *Newsweek* ou dans *Time Magazine*. Mais ce n'est pas ce qui nous intéresse, dans l'immédiat. Ce que j'essaye de vous dire, c'est que j'ai la certitude que cette clique est impliquée dans l'affaire Green Band. Ces hommes ont, d'une façon ou d'une autre, appuyé ou provoqué l'attentat du 4 décembre à Wall Street. Ils sont derrière ce qui se trame actuellement.

Caitlin ne trouvait pas les mots pour répondre aux allégations de Birnbaum. Venant de la bouche de n'importe qui d'autre, elle les aurait sans doute rejetées en bloc. En pouffant de rire. Mais elle savait que le financier ne lui aurait pas fait part de ses craintes s'il n'avait pas été convaincu de leur bien-fondé.

Ce dernier fixait Caitlin, qui lut un abattement inhabituel dans ses yeux.

— Ce groupe d'anciens combattants…, reprit-il.

— Vous êtes déjà au courant ? s'étonna-t-elle, lui coupant la parole.

Une alarme retentit dans sa tête.

Birnbaum sourit. Un mince sillon fendit son petit visage.

— Être bien renseigné a toujours été la clé de ma réussite, ma chère. Bien sûr que j'ai déjà entendu parler de cette organisation de vétérans ! J'ai mes sources au 13. Ce que j'ignore, en revanche, c'est si le Comité des Douze a manipulé ces marginaux ou si ce sont des espions rétribués… Je crois véritablement savoir pourquoi cette opération a été montée… À mon avis, on peut remonter jusqu'à un agent provocateur à la solde des Soviétiques, un certain François Monserrat. Un vrai boucher. Une machine à tuer, qu'il faut absolument détruire.

— Mais, Anton, quel est le lien entre Monserrat et le Comité des Douze ? Et qu'est-ce qui va se passer, maintenant ? Vous pouvez me le dire ?

Anton Birnbaum sourit, mais son expression resta crispée.

— Je crois que oui, ma chère.

81

Tôt le dimanche matin, David Hudson arpentait les couloirs faiblement éclairés du gigantesque hôpital pour anciens combattants de Queens. *Le foyer des valeureux*, pensa-t-il amèrement.

L'hôpital faisait l'angle de Linden Boulevard et de la 179ᵉ Rue. C'était un complexe de briques rouges lugubre, qui n'attirait pas l'attention. Onze ans auparavant, Hudson y avait été suivi en consultation externe, à l'instar de dizaines de milliers d'hommes dépendant après la guerre des établissements hospitaliers gérés par le Bureau des anciens combattants.

Tandis qu'il s'enfonçait plus avant dans les profondeurs de l'hôpital, ses pas résonnaient comme dans un gymnase désert.

Des voix lui parvenaient en bourdonnant mais il ne voyait personne. Des fantômes, songea-t-il. Des voix venues d'une autre dimension et s'efforçant de se faire entendre. Des voix qui parlaient de souffrance inhumaine et de folie.

Il tourna à l'angle d'un couloir et tomba subitement sur un groupe de vétérans. Décharnés pour la plupart, mais certains d'entre eux monstrueusement gras. L'odeur flottant dans l'air stagnant et confiné prenait à la gorge : un mélange de désinfectant industriel, d'urine et d'excréments. Un sapin de Noël synthétique clignotait convulsivement, appuyé contre un mur.

Au moins la moitié des patients semblaient avoir de minuscules radios en métal collées autour de la tête, comme des compresses froides. Un hussard noir vêtu d'un caleçon long à fines rayures, déchiré, dansait le disco près d'un amputé qui semblait avoir été jeté plutôt que posé dans son fauteuil roulant. Hudson remarqua des membres brisés, difformes, sanglés dans des appareils orthopédiques en acier et en cuir.

Il éprouvait une telle rage à présent, une telle haine pour tout ce qui était américain, pour ce pays qu'il avait autrefois adoré, auquel il s'était offert, corps et âme.

Il n'y avait pas le moindre personnel soignant en vue.

David Hudson continua son chemin – d'un pas plus rapide.

Il emprunta un couloir jaune vif, d'une gaieté factice.

Il se souvenait du cadre avec précision, maintenant. Il se sentit en proie à une fureur quasi incontrôlable.

À l'automne 1973, il avait été admis dans cet établissement, officiellement pour y subir des tests et une expertise psychiatrique. Un médecin arrogant l'avait entretenu deux fois de son affliction, de la regrettable amputation de son bras. Le médecin militaire avait également montré de l'intérêt pour son expérience de prisonnier de guerre. Avait-il vraiment tué le commandant du camp vietcong quand il s'était échappé ? Oui, lui avait assuré Hudson. Son évasion était du reste ce qui avait attiré l'attention des renseignements de l'armée sur son cas. On l'avait mis à l'épreuve au

Viêtnam, puis on l'avait envoyé à Fort Bragg pour une formation plus poussée… Aucun des deux entretiens n'avait dépassé cinquante minutes. Hudson avait ensuite dû remplir d'interminables questionnaires et formulaires numérotés. On lui avait attribué un travailleur social du Bureau des anciens combattants, un homme obèse qui avait une tache de naissance sur la joue et qu'il n'avait jamais revu après leur première entrevue d'une demi-heure.

Le couloir jaune aboutissait à une porte vitrée à deux battants qui donnait sur l'extérieur. À travers les portes, Hudson aperçut des pelouses séparées de la rue par des palissades.

Il savait que les palissades ne visaient pas à empêcher les vétérans de sortir. Elles avaient été érigées afin d'empêcher les gens à l'extérieur de l'hôpital de voir ce qui se trouvait à l'intérieur : l'affreuse et terrifiante déchéance des anciens combattants de leur pays.

David Hudson poussa brutalement les portes vitrées d'un coup d'épaule. Il fut instantanément assailli par le froid mordant de l'hiver et par une humidité pénétrante.

Juste derrière le bâtiment principal de l'hôpital, une pelouse en pente couverte de givre descendait jusqu'à des arbustes rabougris. Hudson la traversa promptement. *Concentre-toi*, se somma-t-il. *Ne pense à rien d'autre qu'au présent. À rien d'autre qu'à ce qui se passe maintenant.*

Deux hommes émergèrent soudain de derrière une rangée de sapins couverts de neige.

82

L'un des deux hommes avait la prestance sérieuse d'un diplomate des Nations unies. Quant à l'autre, il avait tout d'une petite frappe ordinaire, au visage endurci et inexpressif.

L'individu à l'allure imposante prit la parole le premier :

— Vous auriez tout aussi bien pu choisir l'Oak Bar du Plaza. Cela aurait été incontestablement plus pratique. Colonel Hudson, je présume ?... Je suis Monserrat.

L'homme parlait anglais avec un accent. Il était peut-être français ?... Ou suisse ?... *Monserrat.*

Hudson le gratifia d'un sourire sans joie, découvrant des dents légèrement écartées. Chacun de ses sens se réveillait, à présent.

— La prochaine fois que nous nous verrons, vous pourrez choisir un point de rendez-vous à votre convenance. Sous la pendule du Biltmore Hotel ? La terrasse panoramique de l'Empire State Building ? À l'endroit qui vous plaira.

— Je saurai m'en souvenir. Vous avez une proposition à me soumettre, colonel ? Le reliquat des titres de Green Band ? Cela représente un montant considérable, j'imagine ?

Hudson plissa légèrement les yeux. Aucune émotion ne transparaissait dans son regard, qui ne trahissait pas davantage la rage qui bouillonnait en lui.

— Considérable, en effet. Plus de quatre milliards de dollars. Largement de quoi déclencher un incident sans précédent sur le plan international. C'est à vous de voir.

— Si je peux me permettre, qu'attendez-vous de nous ? Quelle compensation requérez-vous pour vous-même, colonel ?

— Beaucoup moins que vous ne le pensez. Le dépôt de cent cinquante millions sur un compte numéroté et protégé. La garantie que le GRU ne traquera pas mes hommes après cela. La fin de Green Band, en ce qui vous concerne.

— C'est tout ? Je crois être en mesure d'accepter...

— Ce n'est pas tout. J'avais autre chose en tête... Voyez-vous, je souhaiterais que vous détruisiez le lamentable mode de vie américain. Vous et moi haïssons le système américain – ou, tout du moins, ce qu'il est devenu. Nous désirons tous deux le réduire en cendres, pour purifier le monde. Nous avons été formés pour accomplir cette mission.

Le terroriste plongea son regard dans celui du colonel Hudson. Les paroles apocalyptiques de ce dernier restèrent en suspens dans l'air glacial. Puis Monserrat sourit. Il comprenait parfaitement Hudson, à présent.

— Je suppose que vous envisagez de conclure cette transaction rapidement ? L'échange ?...

Hudson jeta un coup d'œil à sa montre, faisant mine de vérifier l'heure. Il la connaissait avec précision.

— Il est dix heures et demie. Dans six heures, messieurs.

Monserrat hésita, en proie à un moment d'indécision et de doute, inhabituel de sa part mais éphémère.

— Très bien. Nous serons prêts. Est-ce tout ?

Debout à côté des deux hommes, Hudson parut avoir une intuition soudaine. Il inclina lentement la tête à un angle bizarre. Un sourire finit par se dessiner sur ses lèvres, plein de charme, réminiscence de son charisme de l'époque de West Point.

— Une dernière chose. Un problème primordial dont il nous faut discuter maintenant.

— Et de quoi s'agit-il donc, colonel Hudson ?

— J'ai conscience que personne n'est censé connaître votre identité. C'est la principale raison pour laquelle je voulais avoir affaire à vous personnellement. C'est pour cela que j'ai insisté sur ce point, au cas où vous seriez celui qui recouvrerait la majeure partie des actions. Là, vous me voyez, et moi je vous vois... À un détail près...

— Lequel ?

— La prochaine fois, je veux voir le *vrai* François Monserrat. S'il ne se déplace pas en personne, l'échange ne se fera pas.

Sur ces mots, David Hudson tourna les talons. Il regagna l'hôpital à grandes enjambées et disparut à l'intérieur du bâtiment principal.

Sa vengeance, une odyssée de quinze ans, était presque achevée. L'heure de vérité ultime approchait.

La tromperie ! Telle que personne ne l'avait jamais pratiquée dans le passé. Pas depuis la guerre, en tout cas...

Ils lui avaient si bien appris à détruire, si remarquablement bien...

83

Ce matin-là, le vice-président Elliot se trouvait seul dans un quartier chic de New York City. L'air soucieux, il marchait d'un pas de plus en plus rapide au bord de l'East River, juste derrière le bâtiment des Nations unies.

Il y croisa l'habituel défilé : quelques joggeurs emmitouflés courant laborieusement le long de la berge en béton, une femme à l'allure de vieille fille donnant l'impression d'être sur le point de se suicider, une jeune femme mannequin élancée promenant son chien.

Le vice-président des États-Unis n'était entouré d'aucun garde du corps ; il n'y avait pas le moindre agent des services secrets coiffé en brosse en vue. Il n'y avait rien ni personne, pour préserver l'anonymat de Thomas Elliot ou, éventuellement, pour le protéger.

Le vice-président se promenait rarement seul mais, dans l'immédiat, il en éprouvait le besoin. C'était un besoin humain fondamental : être seul, tout simplement. Thomas Elliot avait besoin de réfléchir, de prendre du recul.

Il s'immobilisa, fixant les eaux grises et stagnantes du fleuve. De la fumée s'élevait mollement sur la berge opposée. Il se mit à songer à son enfance. Le nuage de fumée nonchalant lui rappelait ces feux de joie, à l'automne, dans le jardin de la maison de ses parents, dans le Connecticut. Comment ce petit garçon, dont il revoyait le visage, avait-il parcouru tout ce chemin ? Ce chemin qui l'avait mené sans coup férir jusqu'à cet instant capital dans l'histoire des États-Unis ?

Le vice-président Elliot plongea ses mains gantées dans les poches de son pardessus. L'opération Green Band arrivait à son terme. Quelque part dans cette immense ville, le terroriste François Monserrat, la police de New York et le colonel David Hudson et ses hommes se précipitaient à leur rendez-vous avec le destin. Pendant ce temps, s'emboîtant les unes dans les autres, d'autres puissantes forces se mettaient tranquillement en place.

Il se renfrogna. Une péniche glissait sur la surface huileuse du fleuve. Du linge sale était accroché sur une corde et de la fumée s'envolait d'une cheminée cagneuse. Thomas Elliot crut voir une silhouette informe bouger sur le chaland.

Le colonel Hudson s'apprêtait à embrasser sa destinée.

Tout comme lui-même, le vice-président de ce pays.

Dans un avenir très proche, quand se serait dissipé le scandale mettant fin au règne de Justin Kearney – cet homme désenchanté qui n'avait pas réussi à accepter les limites de son pouvoir, cet homme qui allait être contraint de démissionner de ses fonctions, qui serait exilé dans une obscure propriété où il passerait le restant de ses jours à rédiger des mémoires aussitôt censurés –, quand le scandale se serait dissipé, donc, Thomas More Elliot – à l'instar de Lyndon Baines

Johnson, vingt ans avant lui, et de Gerald Ford, à peine plus d'une décennie plus tôt – accéderait à la présidence des États-Unis.

Tout dépendait du dernier acte de Green Band.

84

Les taxis Vétérans émergèrent en file indienne d'un entrepôt à l'abandon du centre de Manhattan.

Les véhicules se fondirent dans la circulation, puis bifurquèrent sur Division Street avant d'emprunter Catherine Street en direction de l'East River et du FDR Drive.

Un émetteur radio portable, connu au Viêtnam sous le nom de « monstre », avait été installé dans chaque taxi. Ces postes brouillaient et désembrouillaient à volonté toutes les transmissions. La police de New York n'avait pas la moindre chance d'intercepter les messages échangés entre les voitures.

Il y avait là six taxis, transportant à leur bord quatorze anciens combattants armés jusqu'aux dents : une section d'assaut comprenant des fusiliers, des mitrailleurs équipés de M 60, un artilleur et son lance-grenades, un opérateur de liaison.

Plus incroyable encore : cette force d'assaut terrestre bénéficiait d'un renfort aérien. Deux hélicoptères Cobra appuieraient les vétérans en cas de nécessité.

David Hudson, qui reconnaissait le terrain dans le taxi de tête, commençait à éprouver un sentiment, pour le moins inattendu, de soulagement. C'était presque terminé.

Il retrouvait certaines des sensations qu'il avait connues au combat au Viêtnam, avec une différence, néanmoins.

Notable. Capitale.

Cette fois-ci, ils auraient la possibilité de vaincre.

Ernie « Cow-boy » Tubbs, un inspecteur de police arraché brutalement à son lit pour se joindre à la chasse à l'homme, vit passer l'un des taxis sur Division Street.

Puis deux autres.

Il se tourna vers son coéquipier, l'inspecteur Maury Klein, petit bonhomme affublé d'un imperméable noir trop grand pour lui.

— Nom de Dieu ! Les voilà ! s'écria-t-il. Green Band ! Bingo, Maury !

L'inspecteur Klein, dont l'estomac était accro aux Rolaid *et* au Pepto-Bismol, regarda attentivement par le pare-brise, l'air affligé. Son estomac lui faisait déjà un mal de chien.

— Puuutain, Ernie ! La moitié de ces salopards est censée avoir fait partie des forces spéciales…

Tubbs haussa les épaules et déboîta, amenant leur Dodge banalisée derrière la file de taxis. Il n'y avait qu'une seule voiture entre eux et le véhicule des vétérans qui assurait l'arrière-garde.

— *Nous avons repéré Green Band !* beugla-t-il d'une voix rauque dans le micro de sa radio.

Maury Klein s'empara avec difficulté d'un pistolet-mitrailleur A-180 glissé sous son siège. L'arme semblait déplacée dans cette voiture familiale et plutôt bourgeoise. Capable de tirer trente cartouches à la seconde, elle n'était jamais utilisée pour les interventions en ville.

— Fait chier, mec! *Fait chier!* Un jour, dans un bar de la 125ᵉ, je me suis colleté à un gars des forces spéciales, un béret vert. Ça m'a suffi, tu peux me croire…

Maury Klein continua de se plaindre. La perspective d'affronter d'anciens membres des forces spéciales lui apparaissait comme l'une des pires épreuves de toute sa vie de policier. Lui aussi était un ancien combattant – classe 53, en Corée.

Sur Henry Street, seuls quelques feux de signalisation fonctionnaient encore. Il n'y avait pratiquement pas de circulation. Une étrange ambiance régnait dans ce quartier gris et embrumé du bas de Manhattan.

— Ils m'ont tout l'air d'aller vers le périph'… L'entrée est quelque part par là, un peu plus bas. Juste à l'angle de Houston Street.

— Nord ou sud? demanda en braillant Ernie Tubbs, qui jeta un rapide coup d'œil à son coéquipier.

— Je crois qu'il va dans les deux sens. Vers le sud, c'est sûr. On verra quand on y… *Là!* C'est là!

Au même moment, Tubbs avisa la bretelle d'accès délabrée aux voies sud du FDR Drive.

Les taxis des vétérans s'en approchaient à grande vitesse. Les véhicules de tête empruntaient déjà les vieilles rampes en pierre et en métal.

Tubbs ralluma sa radio.

— Contact! Appel à toutes les unités. Ils s'engagent sur le FDR! Ils prennent la direction du sud! Terminé!

Brusquement, le dernier taxi de la file vira vers la droite, cherchant à couper la route à la Dodge.

— Salopard!

Tubbs donna un coup de volant sur la gauche. La berline de police banalisée continua à grimper la rampe d'accès maintenant à moitié bloquée par le taxi.

— Putain de merde, Ernie ! Fais gaffe aux murs !

— Salopard d'enculé ! lâcha l'inspecteur, qui venait de réussir à se glisser entre le taxi et le mur, tout en se débattant avec le volant pour ne pas perdre le contrôle de son véhicule.

— Appel à toutes les unités, appel à toutes les unités ! hurla Maury dans la radio. Ils ont bloqué l'accès au FDR ! Terminé !

Dans un crissement de pneus, la Dodge se fraya alors un chemin en force dans le flot dense de la circulation. Les trois voies étroites et tortueuses du périphérique sud grouillaient de voitures. Un camion pila derrière elle. D'énergiques coups de klaxon se firent entendre.

Deux taxis Vétérans se placèrent de part et d'autre de la voiture de Tubbs et Klein. Des canons de M 16 apparurent aux vitres avant et arrière du véhicule qui roulait sur la gauche de la Dodge.

Ernie Tubbs n'arrivait plus à respirer. La circulation l'empêchait de dépasser les quatre-vingt-dix kilomètres à l'heure. Une salve – d'avertissement, lui sembla-t-il – fut tirée.

Les balles rasèrent le toit de la berline, dans un bruit assourdissant.

Un ancien combattant en treillis, le visage enduit de fard noir, cria quelque chose à Tubbs. Sa voix était étouffée par le grondement de la circulation mais l'inspecteur entendit distinctement chacun de ses mots :

— Dégagez à la prochaine sortie ! Foutez-moi le camp de cette route !... Les mains en l'air, sauf le conducteur ! J'ai dit les mains en l'air ! Les mains en l'air !

La prochaine sortie étant toute proche, Tubbs tourna vivement son volant à droite vers la glissière de sécurité. La Dodge fusa à un angle de soixante-dix degrés en direction de la rampe de sortie.

Elle roula sur des plaques d'égout en tressautant violemment et en faisant des étincelles. Elle se souleva sur deux roues, menaçant de se retourner. Après un moment de pure indécision, la voiture de patrouille retomba sur ses quatre roues, rebondit à plusieurs reprises. Elle descendit en brinquebalant jusqu'au bas de la rampe et s'arrêta dans la rue perpendiculaire.

— On les a perdus ! rugit Tubbs dans sa radio. On les a perdus sur le FDR !

— Dieu merci, bordel de merde ! lâcha l'inspecteur Maury Klein.

85

Dès qu'il fut informé que les hommes de Green Band avaient été localisés, Carroll dévala les escaliers du 13.

Il se rua dehors, espérant trouver un hélicoptère de la police.

C'était le branle-bas de combat, dans la rue.

Le martèlement des pas sur le bitume. Des moteurs de voitures de patrouille qui démarraient. Des pneus qui crissaient sur Wall Street, dans les deux sens, ainsi que sur Broad Street et Water Street.

Carroll emportait un fusil M 16, qui, battant contre son corps, ranimait en lui une sensation familière. Flash-back : il était redevenu un soldat de l'infanterie…

À un détail près : il se trouvait au cœur de Manhattan et non pas dans la jungle du Viêtnam.

Sa veste sport s'ouvrit pendant sa course, révélant le holster de son Browning ainsi qu'un gilet pare-balles.

Il dépassa une voiture de police, qui lui communiqua les dernières informations :

— Ils se déplacent à une vitesse moyenne de cinquante-cinq kilomètres/heure. Six véhicules. Des taxis ordinaires. Tous avec de l'artillerie lourde à bord. Ils se dirigent vers l'est.

C'est une ruse, se dit Carroll. Ils ont prévu autre chose.

Mais quoi ? Qu'est-ce que les vétérans s'apprêtaient à faire, maintenant ? Quel était le plan de Hudson ?

Un hélicoptère Bell noir et argent attendait sur un parking tout proche. Vrombissant comme un papillon de nuit géant. Prêt à décoller.

— Un M 16 et un hélico Bell… (Carroll grimaça en se faufilant dans le cockpit exigu et étouffant.) Bon sang, ça en fait remonter, des souvenirs. Bonjour, je m'appelle Carroll ! lança-t-il au pilote de la police new-yorkaise assis aux commandes.

— Luther Parrish, grommela celui-ci, un robuste homme noir portant un gilet pare-balles en cuir et des lunettes de protection jaune clair. Vous avez fait le Viêtnam ? Ça se voit. Ça se sent, même.

Tout en parlant, Parrish faisait claquer un gros chewing-gum.

— Classe 70, répondit Carroll en souriant.

Il feignait la décontraction avant la bataille, comme quand il embarquait dans un hélico au Viêtnam. En réalité, il détestait les hélicoptères. Il détestait même la simple mention de ces foutus engins. L'idée d'être suspendu en altitude, sans pouvoir compter sur autre chose que sur de fines pales fendant frénétiquement l'air.

— Ça alors ! Moi aussi, classe 70. Bon, les fous de sport, c'est reparti ! Je suppose que t'aimes pas trop les excursions aériennes ?

Ôtant à Carroll toute possibilité d'acquiescer, l'hélicoptère décolla brusquement du parking. Il en eut les boyaux retournés. L'appareil s'élança dans le ciel brumeux du matin, serrant de près les murs sombres des immeubles avoisinants. Le pilote évita savamment les vents forts qui soufflaient du fleuve.

Puis l'hélicoptère fit un grand virage en direction de l'East River. Un deuxième engin, Bell également, se joignit à lui en provenance du sud.

— En effet, je ne suis pas fana des hélicos. Sans vouloir t'offenser, Luther.

Carroll sentait l'adrénaline monter furieusement en lui, démontée comme une rivière en crue et se propageant dans tout son corps. Sous ses pieds, il distinguait la circulation sur le FDR Drive.

Le pilote finit par reprendre la parole, forçant sa voix pour se faire entendre par-dessus le bruit des rotors :

— Belle matinée, mec. On voit Long Island, le Connecticut, et presque Paris en France.

— Belle matinée pour se faire descendre d'une putain de balle en plein cœur, oui.

— Toi, t'as fait le Viêtnam, c'est sûr, répondit Luther Parrish en s'étranglant de rire. Voyons voir... Là, on a deux, trois hélicoptères de patrouille armés sur eux. On demandera des renforts quand on saura dans quel coin ils vont exactement. Je crois que ça va bien se passer.

— J'espère que t'as raison, Luther.

— Tu les vois, en bas ? Les petits taxis, là ; on dirait des jouets. Tu les vois ? Là-bas ?

— Ouais ! Avec leurs petits fusils M 16 en plastique et leurs lance-roquettes miniatures, répliqua Carroll.

— Tu parles comme un ancien de l'infanterie. Cette façon de déconner, cette ironie... J'en ai la larme à l'œil.

— Si on se fie aux apparences, je suis *toujours* dans l'infanterie. Sauf que j'ai bien peur qu'aujourd'hui nous nous battions contre les bérets verts…

Le pilote tourna la tête vers Carroll et lui lança un regard entendu.

— C'est vraiment des sales types, pas de doute là-dessus. Tout à fait le genre des forces spéciales.

Quatre-vingt-dix mètres plus bas, le FDR Drive déroulait son ruban argenté et noir chatoyant. Les véhicules des vétérans ressortaient, d'un jaune vif, presque criard. Lorsque la procession de taxis traversa le Brooklyn Bridge, les deux hélicoptères Bell s'élevèrent et se tinrent à distance pour éviter de se faire remarquer. Ils s'éclipsèrent brièvement dans des nuages bas.

La chemise de Carroll était déjà trempée. Il avait l'impression de tout voir de loin. Le monde était légèrement flou et irréel. Tout compte fait, ils allaient résoudre l'affaire Green Band.

Il vit que, de l'autre côté du pont, dans Brooklyn, la circulation était dense mais mouvante. Le grondement régulier des voitures et de rares coups de klaxon s'élevaient jusqu'à la cabine de pilotage.

— Ils empruntent la sortie Navy Yard ! Carroll à la tour ! hurla-t-il dans le micro. Le convoi des taxis Vétérans sort à Navy Yard ! Ils s'enfoncent dans Brooklyn, en direction du nord-est !

86

À cet instant précis, une explosion assourdissante ébranla le bas-ventre de l'hélicoptère. La secousse fut telle que Carroll eut l'impression que ses os s'entre-choquaient.

Son crâne heurta violemment le toit métallique du cockpit et des éclairs de douleur lui labourèrent les orbites.

Une deuxième détonation retentit, agitant à nouveau l'habitacle en tous sens.

Le pare-brise était constellé de fissures en forme d'étoiles. Le fracas des impacts de balles sur le métal résonnait dans tout le poste de pilotage. Des fulgurations rouges incandescentes sillonnaient rageusement le ciel.

— Je suis touché ! lâcha Luther Parrish dans un râle, avant de s'écrouler en avant.

Une mitrailleuse pétaradait tumultueusement, sur la gauche de Carroll. Celui-ci entrevit alors brièvement des lampes clignotantes rouges en suspension sur la droite de leur appareil, et les formes massives de deux hélicos apparurent, comme surgies du néant.

Nom de Dieu !

Deux hélicoptères Cobra les attaquaient !

Le ciel s'emplit d'orbes de lumière jaune trépidante, de feu rugissant et de tourbillons de fumée noire.

L'autre hélicoptère de la police se désintégra d'un coup, sous les yeux incrédules de Carroll.

À l'endroit où l'engin volait, à peine quelques secondes plus tôt, il n'y avait plus qu'une boule de flammes dorées et orange. Puis plus rien, sinon cette image rémanente sinistre qui s'évanouissait déjà dans le ciel.

Carroll réalisa que Luther Parrish était gravement touché. Du sang s'écoulait à profusion d'une blessure, quelque part sur la partie gauche de son crâne. Par ailleurs, les circuits électriques de la cabine de pilotage avaient l'air hors d'usage.

L'engin avait commencé à dégringoler et tournait inexorablement sur lui-même.

Carroll déchargea son M 16 sur l'un des deux Cobra. La lumière rouge clignota comme un clin d'œil ironique puis l'appareil disparut tranquillement de son champ de vision.

Carroll se figea. Il se sentait plaqué avec force sur son siège. Son sang bouillonnait dans sa tête. L'hélicoptère de la police venait de se retourner.

L'engin en chute libre partit alors en tournoyant vers le bas, vers le néant gris vaporeux des chantiers de constructions navales de Brooklyn, loin en dessous.

Carroll vit le dessus d'un toit plat et noir surmonté d'un réservoir d'eau s'approcher à toute vitesse. L'hélicoptère tourbillonnant rasa une étendue de bâtiments industriels sur au moins la longueur d'un pâté de maisons. Il manqua de peu de percuter une cheminée d'usine fumante. La queue de l'appareil fut arrachée par un haut mur de soutènement en briques.

Un quadrillage de rues et d'avenues désertes apparut par le pare-brise tandis que l'hélico dépassait le dernier immeuble. Des voitures étaient garées des deux côtés, en longues rangées inégales.

Carroll empoigna instinctivement les commandes. Ayant volé de trop nombreuses fois à bord d'hélicoptères au Viêtnam, il savait à quoi chacune des manettes de pilotage correspondait, mais il ignorait globalement la façon de s'en servir. Il tremblait de tout son corps. Sa colonne vertébrale était parcourue de spasmes frénétiques.

Il était en proie à une terreur extrême, qui surpassait tout sentiment de peur qu'il eût jamais connu dans sa vie. Une peur plus intense que toutes celles qu'il avait pu éprouver au combat ou dans l'exercice de ses fonctions de policier.

Le ventre de l'hélicoptère arracha les toits d'une demi-douzaine de voitures en stationnement. Carroll se couvrit le visage et s'affala sur Luther Parrish, dans l'idée pathétique de lui faire un ultime rempart de son corps.

L'appareil s'écrasa sur le flanc dans la rue. Il dérapa sur la chaussée, agité de violents soubresauts. Le grincement strident de la tôle froissée déchira les oreilles de Carroll. Il sentit son sang se glacer.

Des étincelles et des flammes rouge vif fusaient dans toutes les directions. Des ailes entières, des phares, des pare-chocs de voitures se trouvant sur le chemin de l'engin étaient emportés sans effort. De l'eau jaillissait d'une bouche d'incendie décapitée.

Glissant toujours sur le côté, l'hélico ralentit, aplatissant deux voitures supplémentaires avant de s'immobiliser laborieusement, dans un boucan d'enfer.

Un homme vêtu d'un uniforme de vigile courait comme un fou, descendant la rue déserte en zigzaguant pour rejoindre le lieu de cet invraisemblable accident.

— Hé !... Hé ! Ma voiture ! *C'est ma voiture !*

Carroll, hébété, tenait délicatement le pilote blessé dans ses bras.

— Tiens bon. Accroche-toi, chuchota-t-il, espérant que Parrish n'était pas déjà mort. Accroche-toi, Luther, mon pote.

Puis il s'ébroua, entreprit de s'extirper de l'épave en flammes de l'appareil. Il traînait le robuste pilote de la police autant qu'il le portait.

Il s'assit contre un mur, à l'abri des flammes, fouilla nerveusement le ciel des yeux à la recherche des Cobra des vétérans, mais ne vit rien à l'horizon.

Les deux engins auraient tout aussi bien pu sortir d'un improbable cauchemar. Carroll avait l'impression de se retrouver en pleine guerre. Tout ça ressemblait en tout point au service commandé.

Si ce n'est que l'hélicoptère s'était écrasé dans les rues de Brooklyn.

87

Les taxis des vétérans traversaient Brooklyn, cap au nord-est avant de virer pratiquement plein est.

Ils avançaient inéluctablement vers Monserrat. Ils approchaient de la conclusion de l'opération Green Band.

Droit et alerte au volant, David Hudson vivait un réel moment d'anxiété.

Les hommes de Monserrat étaient tout à fait susceptibles de surveiller le quartier, postés sur des toits ou tapis à l'intérieur d'appartements sombres. S'ils repéraient la section d'assaut, l'échange n'aurait pas lieu. L'opération Green Band serait alors un échec.

Hudson observait attentivement les immeubles de brique trapus et tristes qu'ils croisaient sur le chemin de leur rendez-vous. Il notait tout. Un petit groupe de jeunes sortant sagement du Turner's Grill. Leurs voix portaient – des sons graves et gutturaux, au rythme syncopé du langage de la rue.

Hudson ralentit l'allure. Il trouva une place de stationnement sur le bas-côté d'une petite rue en pente du quartier de Bedford-Stuyvesant.

Il se gara et sortit de son véhicule sans cesser de fouiller du regard les alentours. Il finit par ouvrir le coffre cabossé de son taxi. Des valises en vinyle gris s'y trouvaient, recelant les valeurs volées.

Hudson extirpa les bagages du coffre et se dirigea péniblement mais aussi vite que possible vers une usine en briques rouges qui faisait l'angle de la rue suivante.

Il avait la quasi-certitude d'être observé. Monserrat était dans les parages. Tous ses sens en alerte corroboraient ce simple message.

L'heure du jugement avait sonné. Tout ce que Hudson avait appris dans les forces spéciales, contre l'expérience de Monserrat, sa duplicité.

Hudson ouvrit d'un coup d'épaule la porte en bois d'un immeuble abritant des appartements minables et une petite fabrique de chaussures italo-américaine, la Gino Company of Milan, à en croire une enseigne abandonnée sur le sol.

Il s'enfonça dans un couloir mal éclairé, où il fut immédiatement assailli par des relents de cuisine confinés. L'odeur de moisi de vieux vêtements d'hiver flottait dans l'air. Le lieu choisi pour la rencontre semblait désert.

— Ne vous retournez pas, colonel.

Trois hommes armés, Beretta et Magnum, surgirent dans le passage sombre.

— Plaquez-vous dos au mur. Comme ça. Là. Parfait, colonel Hudson.

Le chef parlait avec un accent espagnol, vraisemblablement cubain. Monserrat régnait sur les Caraïbes et sur la majeure partie des activités terroristes d'Amérique latine. Au train où il allait, il serait un jour à la tête des réseaux de l'ensemble des pays en voie de développement.

— Je ne suis pas armé, fit Hudson.

— Je dois quand même vous fouiller.

L'un des hommes se campa à moins d'un mètre de lui. Il braqua son arme sur un point imaginaire entre ses deux yeux. C'était un truc très en vogue chez les terroristes – Hudson lui-même l'avait appris à Fort Bragg. *À bout portant, vise les yeux.*

Le deuxième homme promena les mains de haut en bas sur son corps.

Le troisième individu inspectait les valises grises, qu'il entailla avec un couteau pour s'assurer qu'elles n'étaient pas munies d'un double fond.

— Montez ! lui ordonna alors le terroriste qui le tenait en respect.

Ils empruntèrent un escalier raide aux marches grinçantes sur trois étages. Le conduisaient-ils à Monserrat ? Ou s'agissait-il d'une imposture de plus ?

— Vous voilà rendu à votre étage, colonel. C'est la porte juste en face. Vous n'avez qu'à entrer. Vous êtes attendu.

— Une seconde. J'ai une question à vous poser, à vous trois. Simple curiosité de ma part.

Hudson s'adressa aux trois hommes sans se retourner pour leur faire face.

Il perçut un grognement impatient dans son dos.

Le Lézard. Les interrogatoires passés. La formation spécifique qu'on lui avait dispensée à l'armée. Le cerveau de David Hudson travaillait à plein régime.

Tout cela pour ce moment précis ?

— Est-ce qu'il arrive qu'on vous explique ce qui se passe réellement ? Est-ce que quelqu'un a pris la peine de vous dire la vérité sur cette opération ? Savez-vous ce qu'est véritablement ce rendez-vous ? En connaissez-vous les raisons ?

— Inutile de frapper, colonel, lui dit calmement le chef pour toute réponse. Contentez-vous de rentrer. Vous êtes attendu. Tout ce que vous tenterez de faire a également été anticipé, colonel.

Un faisceau de lumière jaune et blême émanait de l'intérieur de la pièce du troisième étage. Hudson s'immobilisa avant de franchir le pas de la porte.

Il était sur le point d'affronter le mystérieux François Monserrat. Il s'apprêtait à conclure l'opération Green Band, à mettre un point final à sa mission.

Le Lézard, là-bas, au Viêtnam, lui avait enseigné une chose fondamentale : il lui avait appris comment on joue à un jeu dont on ne connaît pas les règles. C'était la clé du succès de toute guérilla urbaine.

Le colonel David Hudson contre Monserrat.

La partie pouvait commencer.

88

« Appel à toutes les unités ! Nous les avons retrouvés... Nous avons repéré nos petits camarades de Green Band ! »

Les radios des voitures de patrouilles claironnaient et se faisaient écho au-dessus des sirènes des véhicules de police et des ambulances mugissant sur les lieux du crash de l'hélicoptère, à proximité du chantier de constructions navales de Brooklyn.

« Ils circulent dans une zone d'habitation. Bedford-Stuyvesant. C'est au beau milieu du putain de ghetto. Ils se trouvent actuellement sur Halsey Street, à Bed-Stuy. Terminé. »

Carroll s'affala contre la portière ouverte de l'une des voitures de police qui avaient débarqué après l'accident d'hélico. Des techniciens de scène de crime s'agitaient déjà en tous sens dans la rue incendiée.

Il n'était pas certain d'avoir bien compris le compte rendu radio... On avait perdu la trace de Green Band. On l'avait retrouvée. Qu'en était-il vraiment ?

Il essaya de dissiper le brouillard qui lui obscurcissait les idées tout en écoutant le suivi radio de la chasse à l'homme minute par minute.

Il ne parvenait pas à identifier les émotions qu'il ressentait. Son système de réponse habituel aux stimulus était au point mort. Il souffrait comme il n'avait jamais souffert par le passé.

Le pilote de l'hélicoptère avait été transporté sur une civière dans une ambulance qui attendait non loin de là. Carroll était persuadé que Luther Parrish était mort. Tué au combat.

— Carroll ? Vous êtes bien Arch Carroll, n'est-ce pas ? Vous voulez m'accompagner ? Je vais à Halsey Street. C'est à une dizaine de minutes d'ici.

Un capitaine de police, un homme rondouillard aux cheveux blancs que Carroll avait déjà croisé dans de meilleures circonstances, avait fait irruption à ses côtés.

Carroll savait qu'il avait l'air hébété et désorienté. À vrai dire, il se sentait plus mal que cela encore, mais il acquiesça d'un signe de tête. Oui, il avait indéniablement envie d'assister à la fin de la bataille. Il se devait d'être présent. Le colonel Hudson/Monserrat/Carroll. Il fallait qu'ils fussent tous trois en présence, non ? Pourquoi cela devait-il finir ainsi ? Pourquoi est-ce que tout avait toujours tendu vers ça – comme des veines de verre convergeant vers le point d'impact sur une vitre brisée ?

Quelques instants plus tard, il était à bord d'une voiture de patrouille. Il avait la nausée. La douleur lui martelait l'intérieur du crâne.

La voiture de police démarra en faisant une embardée. Le gyrophare commença à tourner, rouge cerise. Les mugissements de la sirène s'élevèrent en trilles au-dessus des toits de Brooklyn.

89

C'était donc lui le caïd. Monserrat.

Hudson n'arrivait pas à admettre la véracité de ce qu'il voyait.

Monserrat ?... Ou était-ce encore une manipulation ? Une autre ruse ? La tromperie portée à son paroxysme ?

De la fumée s'insinua dans son cerveau, obscurcissant sa vision, brouillant son jugement. Sa tension se raviva également ; il ressentait des picotements électriques au bout de ses doigts, dans son bras, dans ses jambes.

Il regarda l'homme en costume sombre s'avancer vers lui. Il nota la présence d'hommes armés, dans l'ombre, contre le mur du fond.

— Colonel Hudson. (La poignée de main fut rapide et franche.) Je suis François Monserrat. Le vrai, cette fois.

Un sourire apparut au coin des lèvres du terroriste. David Hudson n'avait jamais rencontré quiconque dégageant une telle assurance.

Le léger sourire de Monserrat disparut.

— Passons aux affaires. Je crois que nous pouvons conclure cette transaction rondement. Vérifie le contenu des valises, Marcel. *Rapidement*[1] !

---

1. En français dans le texte.

Répondant à l'injonction de Monserrat, un autre individu en costume pénétra dans la pièce. C'était un homme d'une soixantaine d'années, qui avait le teint pâle et la vue basse de ceux qui passent la plus grande partie de leur vie à regarder dans des microscopes ou à travers des loupes. Il se pencha pour examiner les actions que Hudson avait apportées.

Hudson l'observa attentivement, tandis qu'il frottait délicatement les titres un par un entre son pouce et son index, contrôlant leur texture avec minutie.

Puis il huma quelques documents choisis, cherchant à y déceler une éventuelle odeur d'encre fraîche ou des senteurs anormalement fortes – quoi que ce soit qui eût révélé une impression récente.

Chaque minute s'écoulait avec une lenteur insoutenable.

— La majeure partie des titres est authentique, déclara-t-il enfin à Monserrat en relevant la tête.

— Un problème particulier ?

— J'ai un léger doute concernant ceux de la Morgan Guaranty, voire le petit lot de Lehman Brothers. Il est possible que certains soient faux. Mais, ajouta-t-il, comme vous le savez, il y a *toujours* des contrefaçons. Le reste est en règle.

François Monserrat lui décocha un bref signe de tête. Il semblait moins à l'aise, tout à coup. Il prit un téléphone noir posé sur la table, composa un numéro, donna un code à quatre chiffres puis s'adressa à quelqu'un, manifestement une opératrice à l'étranger. Quelques secondes plus tard, le terroriste s'entretenait directement avec une personne qu'il semblait connaître dans une banque suisse de Genève.

— Mon numéro de compte est 411FA. Veuillez procéder au transfert convenu sur le compte…

Moins de quatre minutes plus tard, Monserrat raccrocha.

Peu après, le téléphone sonna et Hudson reçut la confirmation que le virement avait effectivement été effectué en Europe. Plus de deux cents millions de dollars avaient été virés des comptes des Soviétiques sur ceux ouverts pour les vétérans à Londres, Paris, Amsterdam et Madrid. Vétéran 28, Thomas O'Neil, le chef de la douane à l'aéroport de Shannon, avait cette fois encore mené à bien sa mission. Le plan de Green Band était incontestablement parfait.

— Colonel, je crois que notre affaire est réglée. Vous avez visiblement gagné chaque round de ce match. Je vous félicite.

Monserrat exécuta une courbette révérencieuse.

Hudson se leva de la table et réalisa qu'un poids terrible avait enfin été ôté de sa poitrine. Il se sentait libéré d'une obsession qui l'avait tenaillé pendant près de quinze ans.

À ce moment précis, il effectuait mentalement un décompte qui se rapprochait rapidement du zéro.

L'œuvre de Green Band était presque achevée.

Presque, mais pas tout à fait.

Plus qu'un dernier petit coup de théâtre, une ultime surprise.

La tromperie. Dans toute sa splendeur.

90

Moins de quarante secondes…

Concentre-toi.

Hudson recouvra d'un coup son sang-froid.

Parle-leur. Continue de parler à Monserrat.

— J'aimerais vous poser une question, avant de partir. M'y autorisez-vous ?

Monserrat hocha la tête.

— Ça ne coûte rien de demander. Vous pouvez demander tout ce qu'il vous plaira. Peut-être aurai-je moi-même une question, ensuite.

Le colonel Hudson regarda droit dans les yeux de Monserrat pendant que celui-ci parlait. Il ne vit rien – ni affect, ni émotion. Ils se ressemblaient, à maints égards.

— Cela fait combien de temps que vous travaillez pour les Russes ? Que vous jouez les taupes pour eux ?

— J'ai *toujours* été du côté des Russes, colonel. Je *suis* russe. Mes parents étaient en poste aux États-Unis. Ils faisaient partie des centaines d'agents qui sont venus s'établir ici à la fin des années 1940. On m'a appris à être un Américain. Il y en a d'autres comme moi. Partout dans le pays. Ils attendent, colonel. Nous voulons détruire les États-Unis, sur le plan économique et dans tous les autres domaines.

Quatorze secondes… Douze secondes… Dix secondes.

Le décompte se poursuivait dans la tête de Hudson, qui continuait à discuter d'une voix monocorde avec François Monserrat :

— Harry Stemkowsky… Vous vous souvenez d'un homme du nom de Stemkowsky ? Un pauvre sergent infirme ? L'un de mes hommes ?

— Une des victimes de la guerre. Votre guerre, colonel, pas la nôtre. Il ne vous a pas trahi.

Hudson hocha la tête, fit deux pas rapides sur sa gauche. Deux hommes levèrent leurs armes. Trop tard.

Son menton collé à sa poitrine, Hudson se jeta à travers la vitre. Il atterrit au rez-de-chaussée de la fabrique de chaussures.

Dans la seconde suivante, l'immeuble entier fut ébranlé par les premières salves des M 60, qui pulvérisèrent intégralement le troisième étage.

Des feus s'embrasèrent à trois emplacements distincts de l'usine. Des flammes orange vif et écarlates se mirent à danser, s'efforçant d'atteindre le plafond jaunâtre et sale. D'immenses vitres plièrent avant de se déloger de leur cadre et de se fracasser sur le sol cimenté. Les vieux étais et les structures de soutien du bâtiment commencèrent à s'affaisser partout, gauchis par la chaleur croissante, incapables de résister à l'assaut des flammes avides.

Des fusils M 16 crachaient et pétaradaient de toutes parts.

L'offensive des vétérans faisait rage.

Hudson attendait, ramassé en position de combat derrière de grosses machines industrielles.

Il entendit alors le son qu'il attendait. Le grondement des rotors de l'hélicoptère lui parvint distinctement.

Le Cobra s'était posé sur le toit. Exactement comme prévu. Tout se déroulait à la perfection, jusqu'à l'évasion finale.

Le colonel Hudson s'autorisa enfin l'ombre d'un sourire.

Juste une ombre.

91

— Barrez-vous de mon chemin, bordel ! Poussez-vous ! Poussez-vous ! *Allez, allez, allez !*

Un inimaginable échange de coups de feu avait éclaté. Tout en se frayant un chemin à coups de coudes dans la foule des badauds déjà attroupés dans Halsey Street pour profiter de l'action en direct, Carroll vit des flammes s'élever sur plusieurs toits plats.

La douleur le fit grimacer. Il ne sentait plus son bras gauche et il avait apparemment un problème du côté de la colonne vertébrale : quand il courait, comme c'était le cas dans l'immédiat, le contact de ses talons sur le bitume lui provoquait des élancements atroces qui lui remontaient tout au long de l'épine dorsale.

Aucun des gens du quartier – adolescents en blouson de cuir, jeunes femmes maussades, petits enfants grimaçants – ne semblait avoir conscience que le violent spectacle auquel ils assistaient était réel. Ils poussaient des hurlements stridents, presque des cris de joie.

— Rentrez chez vous ! Rentrez chez vous, nom de Dieu ! vociféra Carroll en fendant la foule. Ramenez vos gosses à l'intérieur ! Rentrez dans vos maisons !

Des visages aux yeux écarquillés et avides apparaissaient à toutes les fenêtres. Plus bas dans la rue, des centaines de curieux du voisinage piétinaient dans le froid et sous la pluie. Ils scrutaient l'endroit d'où provenaient les explosions, captivés par l'incendie, les lueurs des salves saccadées de fusils M 16 et des coups de pistolet.

Carroll poursuivait sa course en position de combat, se rapprochant du bâtiment où la fusillade et l'incendie faisaient rage.

Une voix portée par un mégaphone de la police tonna sur sa gauche, couvrant la cacophonie de détonations et de cris :

— *Vous, là-bas ! Vous qui courez ! Arrêtez-vous là où vous êtes !*

Carroll l'ignora, accéléra encore l'allure.

Ses pas étaient chancelants car il devait lutter contre des douleurs qui le crucifiaient.

Au moment où il atteignait l'immeuble embrasé, un son encore plus familier et terrifiant paralysa ses pensées.

Le Cobra de l'armée était en suspension au-dessus du toit de l'usine. L'hélicoptère qui avait abattu les deux appareils de la police était revenu.

Plié en deux, Carroll attaqua d'un bond l'escalier en pierre de l'immeuble. Il montait les marches trois à trois et, à chaque enjambée, il avait l'impression d'entendre son squelette s'entrechoquer, de sentir des os se détacher et flotter sous sa peau.

Un homme costaud surgit soudain par une porte ouverte en face de Carroll, un fusil anti-émeutes dans les mains.

L'arme de Carroll était en position de tir rapide répété. Il fit feu. Le visage désintégré par la rafale, le terroriste partit à la renverse dans l'embrasure de la porte.

La fumée, qui sortait par les fenêtres fracassées du rez-de-chaussée, se logea dans les poumons de Carroll. Il continua de courir.

Il passa par-dessus le corps du terroriste affalé sur le pas de la porte.

Instinctivement, Carroll se colla au mur du couloir. La joue plaquée contre la cloison froide à la peinture écaillée, il haletait.

Les pensées tournoyaient dans sa tête.

Un hélicoptère Cobra de l'armée ? Comment avaient-ils réussi à se procurer un Cobra ? C'était tout bonnement impossible… Green Band attendait à l'étage, et ça, ça paraissait tout aussi impossible.

92

Une grille en fer s'ouvrit lentement sur le toit du petit immeuble.

Des colonnes de fumée dispersées par le vent brouillèrent temporairement la vision de David Hudson. Il se trouvait à moins de quarante mètres du Cobra.

Le colonel Hudson commença par avancer prudemment puis, tel un athlète victorieux, il se mit à trotter vers l'hélicoptère. Il avait réussi. Ils avaient accompli leur mission, à la perfection. L'opération Green Band était enfin terminée.

L'ivresse soudaine de la victoire est toujours extraordinaire à savourer.

Hudson ne s'aperçut de la présence de l'homme posté sur le toit que lorsqu'il arriva à la hauteur de celui-ci. Son cœur lui remonta dans la gorge. Il s'était montré négligent.

Une fois, une seule fois auparavant, il avait omis de tout vérifier, de parer à toutes les éventualités.

— Vous pouvez vous arrêter ici, colonel.

Le visage et les épaules masqués par la fumée, une silhouette émergea de derrière le réservoir d'eau. Une main, qui brandissait un revolver, précéda le reste du corps. Puis un visage apparut dans la lumière.

François Monserrat se tenait, entièrement exposé, devant le colonel Hudson.

Monserrat sourit – un sourire de triomphe ultime.

— Félicitations, colonel. Vous avez *presque* réussi le crime parfait.

93

Carroll ne savait absolument pas quelle direction prendre, dans l'immeuble en feu.

Il inspira une épaisse bouffée de fumée, qui le fit suffoquer, et il crut qu'il allait vomir. Ses poumons le brûlaient comme s'ils avaient été frottés avec du papier de verre.

Les crépitements des fusils M 16 et l'explosion de bombes incendiaires lui agressaient les tympans. Il distinguait toujours le son dur et répété des rotors de l'hélicoptère Cobra, qui venait de se poser sur le toit. Monserrat et le colonel Hudson se trouvaient quelque part, dans l'enceinte du bâtiment...

Toussant et haletant, il grimpa les marches raides d'un escalier en colimaçon. Partout autour de lui, les flammes s'enroulaient autour des ombres, projetant une violente lumière vacillante et dégageant une chaleur intense. La douleur lancinante qu'il éprouvait dans les jambes était presque insoutenable.

En haut de l'escalier, une lourde porte métallique se dressa devant lui. Il la poussa, elle s'ouvrit dans un grincement strident.

Le toit s'offrit à ses yeux. Qui s'écarquillèrent.

Les feux arrière écarlates d'un hélicoptère de l'armée américaine luisaient dans la fumée.

Le Cobra s'apprêtait à décoller. Les rotors tournoyants lançaient des étincelles dans un bruit de tonnerre.

De quelque part dans la fumée qui noyait le toit, des mots lui parvinrent. Ils provenaient de sa gauche, de derrière un haut mur de soutènement en briques. Le cœur de Carroll vibra dans sa poitrine.

—… devez comprendre que les gouvernements du passé ne sont plus viables. Les gouvernements élus sont une illusion pure. Ce sont les fantômes d'une idée présentée de manière sentimentale. Vous devez au moins comprendre *ça*. Il n'existe pas de régime démocratique ! criait une voix tendue.

Dure, elle tonnait comme une salve de coups de feu.

Une autre voix lui répondit. Les mots furent emportés par le grondement de l'hélico et par le vent qui dispersait les nuages.

Carroll se colla plus près du mur de briques et avança lentement vers les voix.

Il entendait la conversation plus distinctement, à présent. Chaque mot transperçait le vacarme ambiant et les tourbillons de fumée.

— J'aime ce pays, hurlait l'un des deux interlocuteurs. Je déteste la façon dont il s'est comporté avec les vétérans après la guerre. Je déteste ce que certains politiciens ont fait. Mais *j'aime ce pays*, Monserrat !

À ce moment-là, Carroll les vit, tous les deux. Et, alors qu'il croyait commencer à comprendre, il réalisa qu'il ne comprenait rien.

Le colonel David Hudson. L'homme figurant sur toutes les photos des archives du FBI et du

Pentagone… Grand, d'une blondeur saisissante… « le chef militaire accompli », d'après les rapports classés secrets.

Et l'autre…

Mon Dieu, l'autre.

Carroll sentit quelque chose de vital s'écrouler brutalement en lui. Quelque chose s'était brisé. Une fois de plus. Il se remémora subitement la première fois qu'il s'était vu confronté à l'horreur de la mort – celle de son père, en Floride. Puis il se rappela son sentiment exact, le soir où Nora était morte.

Une triste et effroyable confusion régnait dans sa tête. Ses émotions étaient plus déchaînées que la bataille qui faisait rage partout autour de lui. Il était comme cloué sur place. La seule chose qu'il parvenait à faire, c'était continuer à regarder fixement devant lui.

Rien n'aurait pu le préparer à ce moment affreux. Même ces années passées dans la police ne l'y avaient pas préparé.

L'homme que le colonel David Hudson avait appelé François Monserrat était Walter Trentkamp… Sauf que ce visage à l'expression impénétrable et ténébreuse était presque étranger à Carroll. C'était un visage cruel, implacable.

Telle une toupie, le monde de Carroll tournoya violemment sur lui-même et se coucha sur le côté. Ce qu'il lui restait de lucidité vola en éclats. Il ferma les yeux. Il passa une main sur son visage noirci par la fumée.

Une lumière aveuglante sembla inonder son esprit.

Oncle Walter, mon cul.

Peut-être la pire blessure de sa vie, assurément la pire trahison.

Il songea à toutes les confidences qu'il avait faites à Trentkamp par le passé. Il repensa à sa propre enquête sur Green Band et à la façon dont, à chaque rebondissement enrageant, il avait tenu Walter informé jusque dans les moindres détails.

Était-ce Trentkamp qui l'avait initialement envoyé courir au diable sur des fausses pistes ? *Pourquoi ?* À vrai dire, Carroll connaissait la réponse à cette question. Afin de pouvoir le surveiller et le contrôler. Afin de pouvoir contrôler la division antiterroriste de la DIA. « Tiens-moi au courant sur cette affaire, Archer. Informe-moi de ce que tu découvres. Tu me le promets ? »

Tiens-moi au courant, Archer.

Promets-le-moi, Archer.

Walter Trentkamp avait assisté aux réunions les plus confidentielles de la Maison Blanche, observant, étudiant tout. Quelle assurance, quel culot incroyables ! Depuis combien d'années ce manège durait-il ? Depuis combien d'années ?... François Monserrat ! Le terroriste le plus impitoyable au monde n'était autre que Walter Trentkamp. C'était tellement inconcevable, pour Carroll. Et pourtant tellement vrai.

Il avait l'impression que la rage à laquelle il était en proie l'étranglait et lui lacérait la trachée. Il avait été manipulé. Il avait été utilisé, tout comme les anciens combattants. Il avait été bafoué, une fois de plus.

Carroll avança vers Trentkamp et Hudson. Il luttait contre l'envie irrésistible et irrationnelle de décharger son Browning. Il résistait à la tentation impérieuse d'appuyer sur la détente. Il mourait d'envie de descendre ces deux hommes.

Carroll sortit de derrière le mur de soutènement. Il parla à voix basse – un murmure porté par le vent :

— Salut, Walter. Je voulais tenir ma promesse. Je t'ai promis de t'informer de tout ce que je découvrirais.

La surprise se lut un instant sur le visage de Trentkamp, puis le terroriste haussa les épaules. Il était Monserrat, à présent.

— Il n'y a jamais rien eu de personnel dans tout cela, répondit-il. Tu étais ma *listok*. C'est du russe. Tu étais ma *solution* à un problème.

Carroll leva son Browning au niveau des yeux. Le colonel Hudson… François Monserrat… Lui-même. Aucun d'entre eux ne semblait pouvoir gagner. Carroll ne savait même plus très bien ce que « gagner » signifiait, à ce stade.

— Comment peux-tu vivre une vie bâtie uniquement sur des mensonges ? (Il se rapprocha de Hudson et Trentkamp.) Uniquement sur la tromperie et des faux-semblants…

— Je ne crois pas aux mêmes vérités que toi. Il en découle que je ne crois pas aux mêmes mensonges. Ne réalises-tu donc pas que, toi aussi, tu vis entouré de mensonges ? Les tiens n'ont cessé de t'abuser… Tout le monde t'a menti, Archer. Et de tous les mensonges, ton gouvernement est le plus grand.

94

Seul son instinct comptait, à partir de maintenant. Le colonel Hudson se cramponna résolument à cette pensée.

Seuls ses réflexes comptaient.

Une image fugace du camp de prisonniers au Viêtnam lui revint. Il songea aux leçons qu'il y avait apprises.

La tromperie. Parfois, il fallait même se tromper soi-même…

Monserrat ressemble au Lézard, pensa-t-il. Monserrat est exactement de la trempe du Lézard.

L'attention de Monserrat paraissait fixée sur Carroll. « Tout le monde t'a menti, Archer. Et de tous les mensonges, ton gouvernement est le plus grand. »

Un hurlement sortit de la gorge de Hudson. Au même moment, son bras se leva et décrivit un arc court et puissant.

L'avant-bras entaillé, Monserrat lâcha son Beretta. Un grognement barbare s'échappa de sa bouche – il montra les dents, comme un animal.

Un couteau à la lame aussi fine qu'une aiguille était apparu dans la main de Hudson, comme sorti de nulle part. Une poche de son pantalon se mit à battre au vent.

Monserrat s'était déjà écarté. Il était meilleur que le Lézard ne l'avait été.

Avec un mouvement digne d'une chorégraphie élaborée, le terroriste prit une position d'arts martiaux.

Hudson poussa un cri tout en feintant une attaque, puis une deuxième. Il dardait la lame du couteau devant lui avec précision et férocité.

Parades et ripostes s'enchaînaient.

Soudain la lame s'enfonça de plusieurs centimètres dans l'endroit visé. Dans la chair et les os de la cage thoracique de Monserrat. Celui-ci recula.

La lame ressortit de la plaie, plongea de nouveau vers l'avant. Disparut dans la gorge de Monserrat. Le sang gicla.

Les jambes du terroriste se mirent à flageoler. Il fut pris de convulsions. L'expression de son visage n'était plus suffisante – ni confiante, ni flegmatique. Lorsque Monserrat s'affaissa, c'était de la surprise qui s'affichait sur ses traits.

Carroll, qui n'avait pas su sur qui tirer, avait observé le combat entre les deux hommes, attendant de voir qui en sortirait victorieux. Il pointa alors son Browning sur le colonel Hudson.

Soudain, il entendit le déclic parfaitement distinct d'une autre arme automatique !

Ce son troublant venait de derrière lui, dans la fumée de plus en plus épaisse.

Carroll amorça un tour sur lui-même.

Il vit des hommes, crut les reconnaître. Quatre individus en treillis kaki fatigués l'encerclaient, sur le toit de cet immeuble de Brooklyn. Leurs fusils M 21 braqués sur lui.

Ils ressemblaient à ces soldats aux côtés desquels Carroll s'était battu, plusieurs années auparavant. Il réalisa que c'étaient des anciens combattants. Les membres de Green Band.

Il avait tout ce qu'il désirait savoir sous les yeux.

Walter Trentkamp gisait devant lui, la gorge transpercée. Son manteau s'était ouvert comme un parapluie dans le vent. Son torse était ensanglanté et l'hémorragie se propageait à son pantalon. Ses yeux déjà vitreux ne voyaient plus.

Carroll essaya de s'accrocher à quelque chose. Il se mit à hurler de toute sa voix :

— Qui es-tu, Hudson ? Qu'est-ce que tu veux, bordel ? Qui t'a envoyé à Wall Street ?

Quelque chose de dur s'écrasa avec une force inouïe sur le dessus de sa tête.

Il tituba, faillit tomber, resta sur ses jambes. Le gamin des rues bagarreur et enragé qui subsistait en lui refusait de choir.

Je les emmerde !

Carroll vit se mêler des filets de sang. Il eut la certitude qu'il devenait aveugle. La douleur, le chaos, les lumières qui explosaient sous son crâne. C'était insoutenable.

Qui es-tu, Hudson ? Une dernière question obsédante se forma sur ses lèvres. Il ignorait s'il la posa à voix haute ou non.

Il fit un autre pas vers Hudson et le corps avachi de Monserrat – de Walter Trentkamp.

La crosse en métal du revolver s'abattit de nouveau sur sa tête, frappant le même point sensible que la première fois, aussi fort.

Un épouvantable bruit de bouillie fit résonner son cerveau. Un feu s'alluma dans la partie gauche de sa poitrine.

Carroll sentit qu'il tombait ; il s'effondrait contre son gré. Il s'entendit gémir. Il lui vint à l'esprit qu'il était en train de s'étouffer dans son sang. C'était si triste, si injuste.

Il reçut un troisième coup de crosse de revolver.

Il se retourna et vit Hudson, debout devant lui. Carroll voulut parler. Merde, il n'y arrivait pas. Il avait tant de questions. Il lutta, avec tout ce qui lui restait de forces, pour ne pas perdre connaissance. Il lui en restait si peu. Pas assez, assurément.

95

Anton Birnbaum versa d'une main tremblante du porto Sandeman dans des verres, pour Caitlin et lui-même.

Il avait l'impression d'avoir au moins mille ans.

Il souffrait d'une violente migraine due à ses récentes insomnies et à son hyperactivité mentale. Dans la pâle lumière du jour qui filtrait dans son appartement, il se rendit jusqu'à la fenêtre et contempla les rues de sa chère ville de New York.

Caitlin Dillon, guère plus brillante après toutes ces heures sans dormir, prit une cigarette dans son sac. Elle s'apprêtait à l'allumer mais elle se ravisa. Elle avait la gorge irritée et éprouvait une forte tension derrière les yeux. Elle savait qu'il lui faudrait tout simplement une bonne nuit de sommeil. Birnbaum et elle attendaient de connaître les suites de l'affaire Green Band ; ils attendaient des nouvelles de Carroll. Caitlin comprenait désormais à quoi ressemblait la vie d'une femme de policier.

— Nous connaissons en partie ce que nous avons besoin de savoir, fit Birnbaum. Il y a deux ans, à Tripoli, Monserrat a rencontré des chefs d'État de pays en voie de développement. Il s'est notamment entretenu avec les dirigeants de pays producteurs de pétrole du Moyen-Orient. Les chefs des armées de ces nations ont également assisté à ces réunions. (Le vieil homme s'écarta de la fenêtre.) Je suis convaincu qu'ils ont ourdi un complot pour paralyser le système économique occidental. L'objectif de ce complot était que, tôt ou tard, le cartel prenne le contrôle de l'ensemble du marché boursier américain.

Caitlin avait très mal à la tête, maintenant. Un petit lutin sadique, armé d'un marteau-piqueur, lui perforait l'intérieur du crâne à la recherche de Dieu sait quoi. Elle pensa à Carroll, en train de traquer Green Band. Comment se faisait-il qu'ils n'aient pas encore eu de ses nouvelles ?

— Au printemps, notre nouveau président a eu vent du complot de Tripoli. Plus important encore, le Comité des Douze a dû en être informé aussi. Et ils ont été beaucoup plus rapides à réagir que Kearney ne le pouvait à Washington. (Les yeux du vieil homme devinrent aussi froids qu'un feu qui s'éteint subitement.) Caitlin, je pense qu'ils ont créé Green Band pour contrecarrer ce complot. En réalité, ce sont les Douze qui ont volé les milliards des Arabes. Maintenant, ils leur revendent leurs propres actions. Green Band est un trompe-l'œil brillant, la plus grande imposture qui soit. Il s'agit d'une guerre mondiale économique. La première dans son genre – à moins qu'on n'inclue l'embargo pétrolier des années 1970.

Si n'importe qui d'autre que Birnbaum avait lancé de telles accusations, émis des hypothèses de ce type…, songea Caitlin. Mais c'était Birnbaum. Et il pensait sérieusement tout ce qu'il avançait…

— Quelle est la place de Hudson dans tout cela ? demanda-t-elle.

— Ah ! l'énigmatique David Hudson. (Le financier laissa un sourire glisser sur son visage.) J'ai longuement réfléchi au cas du colonel Hudson. Soit il est à la solde du Comité des Douze… soit ceux-ci les utilisent sans vergogne, lui et son groupe de vétérans. Ce ne serait pas la première fois, n'est-ce pas ? Ça ne serait pas la première fois que ces hommes seraient utilisés par ceux qui détiennent le pouvoir dans ce pays. Quoi qu'il en soit, nous le découvrirons d'ici quelques heures. Nous connaîtrons bientôt la vérité, n'est-ce pas ?

96

Lorsqu'il arriva à l'adresse indiquée, Hudson se sentait exactement dans l'état dans lequel il avait toujours su qu'il serait… *s'ils avaient gagné au Viêtnam.*
L'ivresse de la victoire enflammait tout son corps, il
était électrisé par d'incessantes montées d'adrénaline.

En arrivant sur York Avenue, dans le quartier chic
de l'East Side, il se dit que ce serait certainement la
cachette la plus insolite où il se terrerait jamais. Il
passa une élégante porte en verre et fer forgé, juste
après l'angle de la 90ᵉ Rue.

L'appartement de Billie Bogan était situé du côté de
l'immeuble qui donnait sur le fleuve. Un immeuble
moderne dont les murs et les plafonds étaient apparemment très fins, car Hudson, dans le couloir du
quatorzième étage, entendit quelqu'un jouer du piano.

Cela l'étonna. Il ignorait que Billie était musicienne.

Il hésita avant d'appuyer sur la sonnette. Ses
alarmes internes, ses habituels signaux d'alerte se déclenchaient de nouveau. C'était parfaitement normal.
Il était impossible de quitter la peau d'un terroriste
militaire et d'un saboteur du jour au lendemain.

Billie vint ouvrir la porte quelques secondes après
le premier coup de sonnette. Elle portait un T-shirt

rose avec l'inscription *Winter* sur la poitrine et un jean moulant noir ; elle n'avait ni chaussures ni chaussettes aux pieds.

— David.

Ses yeux bleus brillants passèrent d'une infime perplexité à un plaisir non dissimulé.

Elle tendit le bras et, attirant Hudson à elle dans l'embrasure de la porte, elle l'enlaça.

— C'est toi qui jouais du piano ? s'enquit-il.

Billie lui planta un baiser sur la joue et le serra encore plus fort dans ses bras.

— Bien sûr que c'est moi... Tu sais, je crois que c'est à cause du piano que j'ai fini par fuir Birmingham. Quand j'ai découvert Mozart, Brahms, Beethoven, j'ai acquis la conviction qu'il devait exister autre chose que l'ennui et la monotonie que j'avais connus jusque-là. Entre. Je suis si heureuse que tu sois là. C'est tellement bon de te voir.

Elle l'embrassa encore.

Hudson sourit avec plus de cœur que cela ne lui était arrivé depuis bien longtemps.

— Moi aussi, je suis heureux de te voir. J'ai l'impression d'être enfin chez moi, lui confia-t-il.

Une fois dans l'appartement, ils se tinrent dans les bras l'un de l'autre. Ils se regardèrent longuement dans les yeux. Hudson parla de son passé à Billie, s'exprimant à la vitesse d'un homme qui aurait observé un vœu de silence pendant de trop nombreuses années. Les mots se bousculaient dans sa bouche – West Point, les horreurs du Viêtnam, les débuts de sa carrière dans l'armée...

Il lui raconta tout, à l'exception des événements de l'année qui venait de s'écouler, bien qu'il fût tenté de lui en faire part également. Sa revanche

était devenue une douce victoire. Une victoire maté-
rielle – des millions de dollars, pour lui et pour les
autres vétérans. Il aurait aimé pouvoir partager cette
joie avec Billie ; il aurait tellement aimé pouvoir tout
partager avec elle.

Ils firent l'amour sous une couverture en laine rayée
aux couleurs vives, avec les fenêtres à moitié ouvertes. Hudson apprenait à laisser libre cours à ses
sensations, et faire l'amour l'y aidait considérablement.
Billie le mena à deux doigts de l'orgasme… juste au
bord. Mais il ne parvint pas à sauter le pas. Après
quoi, il se sentit épuisé.

Puis il glissa dans un état de rêve paisible. Ses
alarmes intérieures ne s'étaient pas encore complètement tues. Elles semblaient presque faire partie de lui.

Il caressait doucement les cheveux blonds de Billie
et les élégantes courbes de son visage ovale quand
il sombra subitement dans le sommeil.

Allongée sur le grand lit, Billie fixait l'extrémité in-
candescente d'une cigarette. Elle soupira doucement,
expirant de la fumée à travers ses dents, qui se touchaient à peine.

Il lui arrivait d'être elle-même surprise par sa ca-
pacité à s'inventer une vie parfaitement adaptée au
contexte du moment, et compatible avec tout un tas
d'autres mensonges…

La tromperie.

Réussir à intégrer tout naturellement son aptitude
à jouer du Chopin à son histoire de jeune Anglaise
de Birmingham en était la parfaite démonstration.
Mais, bon, n'était-ce pas précisément la raison pour
laquelle elle se trouvait là avec Hudson ?

Repoussant les draps, elle se leva du lit et quitta la chambre. Elle était certaine que même un coup de canon n'aurait pas réveillé Hudson.

Elle n'avait pas l'intention de le réveiller, apparemment : elle réapparut, un pistolet muni d'un silencieux à la main.

Elle savait qu'elle ne devait pas s'autoriser l'ombre d'une hésitation. Tendant les deux bras devant elle, elle s'approcha de Hudson et se positionna de manière à lui tirer dans la tempe, juste sous la naissance des cheveux.

Elle hésita.

Le corps endormi de David Hudson se raidit soudain. Il ouvrit les paupières, fit feu sous les draps. Il tira sans pouvoir s'arrêter.

Les signaux d'alarme hurlaient dans sa tête. Des sirènes de souffrance intense mugissaient en lui.

La tromperie – la tromperie éternelle.

Où qu'il se tournât, il se heurtait à elle. Même ici.

Il était hors de question pour le Comité des Douze de le laisser vivre après la fin de l'opération Green Band. Les Sages américains l'avaient recruté, à la suite de ses désillusions au Viêtnam. Ils l'avaient formé. Ils l'avaient soutenu, tout le long de ce dur chemin. Ils lui avaient aussi envoyé cette fille, son escort-girl. Ils l'avaient si bien *utilisé*.

Hudson lui-même comprit enfin Green Band.

Carroll rouvrit lentement les yeux et s'assit. Il était entouré de bruits assourdissants, de lumières aveuglantes, de silhouettes fugaces qui couraient partout. Sur le toit, il régnait un désordre effarant.

Des visages penchés sur lui l'observaient. Des flics new-yorkais, un médecin ? D'autres aussi, qu'il ne parvenait pas à resituer dans l'immédiat. Les images s'imprimaient dans son cerveau de façon sporadique.

— Que s'est-il passé ? demanda-t-il. Depuis combien de temps suis-je… *Où est passé le corps qui était là ?* Il y avait un cadavre, là-bas !

Le corps de Walter Trentkamp avait disparu…

Un policier en uniforme de la ville de New York s'agenouilla à côté de Carroll. Ce dernier ne l'avait jamais vu.

— De quel corps parlez-vous ?

Carroll tourna la tête de manière à pouvoir promener son regard sur toute l'étendue du toit.

— Il y avait un corps là-bas, près du Cobra. Walter Trentkamp, du FBI, a été abattu, exactement là-bas.

Le policier secoua la tête.

— Je fais partie des premières personnes qui sont arrivées sur le toit. Il n'y avait pas d'autre corps. Vous savez que vous avez une énorme bosse sur le dessus du crâne ? Vous êtes *sûr* que ça va ?

Carroll se leva et manqua retomber par terre.

— Oh oui ! Je vais bien. Super bien, même.

Ses yeux larmoyaient. Il était dans le corps d'un autre. S'agrippant aux briques du mur, il entreprit de descendre les marches métalliques de l'escalier en colimaçon qui partait du toit.

On avait emmené le corps de Walter Trentkamp.

Le flic l'appela :

— Hé, vous devriez vous faire examiner par un médecin ! Demandez à quelqu'un de jeter un coup d'œil à votre tête. Il n'y avait pas de corps, ici.

Carroll entendit à peine les derniers mots du policier.

Une autre priorité s'imposait brusquement à lui : il voulait rentrer chez lui. Il avait besoin de rentrer chez lui sur-le-champ.

Carroll songea à ses enfants et à Caitlin.

Il pensa au rendez-vous que celle-ci avait eu avec Birnbaum et il s'interrogea sur ce qui avait bien pu en sortir. Il s'inquiétait pour ceux qu'il aimait.

Il ne sut pas comment il réussit à conduire jusqu'à Riverdale. L'habitude, sûrement – toutes ces nuits où il était rentré à moitié soûl, ces derniers mois. Peut-être que Dieu protégeait bel et bien les bébés et les ivrognes. Mais il viendrait sans doute un jour où Dieu se démettrait de ses responsabilités, où il cesserait de se montrer attentif…

Et donc ?

98

Les lumières familières de la vieille maison de Riverdale brillaient de tous leurs feux.

En remontant la rue au volant de sa voiture, Carroll se rappela une époque où son père et sa mère étaient encore là, une époque où tout semblait tellement plus sensé... Une époque où Trentkamp était Oncle Walter.

Walter Trentkamp et son père avaient été amis, pendant toutes ces années. Son père avait-il commencé à se douter de quelque chose ? Les gens étaient si ignorants à l'époque, songea-t-il. Et, de toute évidence, si naïfs au sujet de leur propre gouvernement. Les Américains tenaient la démocratie pour l'unique système politique viable.

Trentkamp et le KGB avaient superbement dupé tout le monde. Walter avait fait preuve d'un tel aplomb ; il n'avait pas hésité à utiliser Carroll. Quelle meilleure source de renseignements aurait-il pu trouver ? L'outrecuidance de Trentkamp était saisissante mais, au moins, sa façon d'opérer était cohérente. En y réfléchissant, avec le recul, Carroll se souvint que Walter avait passé beaucoup de temps en Europe, après la Seconde Guerre mondiale. Il repensa aux voyages que celui-ci avait faits en Amérique du Sud, au Mexique, en Asie du Sud-Est, officiellement pour des missions d'information. Il n'était pas surprenant qu'ils n'eussent jamais identifié Monserrat. *Ils ne cherchaient jamais au bon endroit.*

Personne n'avait pensé à le chercher ici même, à New York, ou à Washington. Personne n'avait jamais entretenu le moindre doute au sujet de Trentkamp. Et ce dernier savait qu'il en serait toujours ainsi. Son assurance mettait Carroll hors de lui, rétrospectivement. Walter ne craignait ni ne respectait les services secrets américains. Et il avait eu raison. Son sens du stratagème, de la diversion, s'était révélé remarquable – l'œuvre de toute une vie d'un virtuose de l'espionnage.

Les enfants bondirent et coururent vers lui lorsque Carroll entra en titubant dans la maison. Il y eut alors des tonnes de câlins, des brassées de bisous. Les petits serraient leur père dans leurs bras de toutes leurs forces.

— Il faut qu'on parte d'ici, chuchota-t-il à Mary Katherine dès qu'ils eurent une minute de répit. Nous devons quitter la maison immédiatement… Aide-moi à les habiller. Reste la plus évasive possible, s'ils te posent des questions. Je dois appeler Caitlin.

Sa sœur hocha la tête. Elle ne manifesta pas une surprise excessive à cette nouvelle.

— Vas-y. Je me charge d'habiller les troupes.

Deux heures plus tard, les six membres de la famille Carroll, plus Caitlin Dillon, se présentaient discrètement au Durham Hotel, sur la 87e Rue, à Manhattan.

Carroll projetait d'y passer la nuit, voire les suivantes, si besoin était, le temps pour eux de décider de la conduite à tenir avec l'aide d'Anton Birnbaum, de la police de New York, de tous ceux en qui ils pouvaient avoir confiance. La vie se révélait subitement pleine de faux-semblants et de traîtrise. Carroll tenait à assurer ses arrières.

Lorsqu'ils furent tous réunis dans l'hôtel du West Side, Caitlin et Carroll tombèrent dans les bras l'un de l'autre. Ils échangèrent un long baiser, auquel ni l'un ni l'autre n'avait envie de mettre un terme. Caitlin se pressa contre Carroll avec un désir animal. Elle n'avait plus aucune raison de cacher quoi que ce soit, de retenir ses sentiments.

— Je t'aime, lui déclara-t-elle, plongeant son regard dans les yeux de Carroll.

— Je t'aime aussi, Caitlin. J'ai eu tellement peur, aujourd'hui. J'ai cru... que je ne te reverrais jamais.

Ils firent l'amour dans leur chambre d'hôtel, passionnément – et sans ces longs préliminaires qui étaient une des spécialités de Lima, Ohio.

Ensuite, ils s'assirent sur le bord du lit, se tenant les mains comme s'ils pensaient qu'ils n'auraient plus jamais l'occasion de partager un aussi merveilleux moment.

— J'ai détesté te savoir à leurs trousses, murmura Caitlin. (Son souffle lui caressait la joue avec la douceur d'une plume.) Je n'avais jamais ressenti une telle solitude et une telle peur. Je ne veux plus jamais revivre ça.

Carroll repoussa quelques mèches de cheveux du visage de la jeune femme. Il tenait tant à elle.

— J'avais dit à Walter Trentkamp que je démissionnerais quand cette affaire serait réglée. Je n'ai pas changé d'avis.

Caitlin le regarda droit dans les yeux.

— Mais il y a un hic.

— Oui, il y a un hic. L'affaire Green Band n'est pas réglée.

Il y avait tant de témoignages à étudier et à approfondir. Tant de dossiers classés secret, au FBI et au Pentagone.

Et surtout, il leur fallait trouver les bonnes personnes, les contacter et leur révéler ce qu'ils savaient, leur révéler la vérité.

Et qui donc étaient les bonnes personnes ? En qui pouvaient-ils avoir confiance, à présent ?

La police de New York ?

La CIA ?

Le *New York Times* ?

Le *Washington Post* ?

L'émission *Sixty Minutes* ?

Le Comité des Douze était présent partout. Forcément. Comment les Sages n'auraient-ils pas au moins un pied dans la police, dans la CIA ? Contrôlaient-ils la presse et la télévision ?

À qui confier la vérité ?

Pendant les premières heures qu'ils passèrent à l'hôtel, Carroll et Caitlin dévorèrent tous les comptes rendus de l'affaire dans les journaux. À deux reprises dans le courant de l'après-midi, Carroll prit un taxi jusqu'au grand marchand de journaux de Times Square. Caitlin et lui lurent et relurent tout ce qui avait été écrit sur Green Band.

Ils cherchèrent une trace, même infime, de vérité.

Ils n'en trouvèrent aucune. Rien concernant des groupes secrets au sein du gouvernement. Rien concernant la disparition de Walter Trentkamp. Son corps avait-il été escamoté par les Douze ?... Rien non plus sur la formation que le colonel David Hudson avait suivie dans les forces spéciales à Fort Bragg. Dans les articles, Hudson était dépeint comme un « vil agent provocateur », le cerveau de l'organisation terroriste. Il était décrit comme un homme en proie à une quête obsessionnelle de justice qui avait mal tourné, et qui, des années après la fin de la guerre du Viêtnam, cherchait encore un sens à sa vie…

Toutes choses qui, lorsqu'on ne connaissait pas les tenants et les aboutissants de l'histoire, sonnaient comme l'expression de la plus parfaite vérité.

99

Le 21 décembre au matin, Caitlin et Carroll reçurent de la visite à leur hôtel.

Leurs deux visiteurs étaient Anton Birnbaum et Samantha Hawes, l'enquêtrice du FBI qui avait aidé Carroll à Washington. La rencontre eut lieu dans une autre chambre, à l'étage de la suite des Carroll.

Un portrait cohérent de Green Band commençait à émerger. L'histoire qui se dessinait était bien différente de celle relayée par les médias.

— Les Douze, les Sages américains, sont les héritiers de l'OSS, nos services secrets pendant la Seconde Guerre mondiale, attaqua Birnbaum d'une voix qui semblait plus fluette de jour en jour. L'histoire est nébuleuse, mais on peut la reconstituer dans les grandes lignes… L'existence des Douze remonte aux années 1940, plus précisément à Dulles[1] et à sa répugnance à céder au gouvernement d'alors les pouvoirs dont disposait son réseau de renseignements

---

1. Homme politique américain (1888-1959), John Foster Dulles fut secrétaire d'État aux Affaires étrangères entre 1953 et 1959, et à ce titre l'architecte de la politique étrangère américaine à l'époque de la guerre froide.

pendant la guerre. Lorsque la CIA succéda à l'OSS, les Douze se mirent à se réunir *en dehors* des cercles officiels. Ils restèrent les hommes les plus puissants de la capitale fédérale. Au départ, ils donnèrent des conseils, puis ils s'attribuèrent progressivement un pouvoir décisionnel... L'OSS d'origine était la meilleure unité de renseignements que nous ayons jamais eue. Les Douze croient toujours constituer l'élite de notre pays. Ils sont convaincus d'avoir rendu un fier service à la nation en provoquant la crise de Cuba, la série des assassinats politiques, le Watergate et, aujourd'hui, Green Band. Ils deviennent plus puissants d'année en année, de décennie en décennie.

Samantha Hawes prit la parole après Birnbaum. Elle avait mené sa petite enquête et disposait d'informations complémentaires sur Hudson.

— David Hudson a été contacté par au moins un des membres du Comité quand il faisait encore partie de l'armée, après le Viêtnam, à l'époque où il était à Fort Bragg, révéla-t-elle. C'est le général Lucas Thompson, son ancien commandant, qui est entré le premier en contact avec lui. Thompson connaissait tout de son expérience de prisonnier de guerre. Il était également au courant de la formation que Hudson avait reçue avec les forces spéciales. Les renseignements de l'armée l'avaient entraîné pour qu'il devienne leur équivalent du terroriste Carlos. Ils l'ont laissé tomber quand il a perdu son bras. Le Comité, lui, a su parfaitement exploiter Hudson et ses compétences. Autre détail intéressant : c'est Philip Berger, directeur de la CIA, qui dirigeait la formation commando initiale de Hudson, à Fort Bragg. Plusieurs membres des Douze se sont exprimés lors de manifestations d'anciens combattants, ces dernières années. Les liens existent et la manipulation est parfaitement plausible… Hudson a bénéficié d'une aide considérable pour Green Band. Sous la forme de renseignements sur Wall Street et de tuyaux sur les progrès de notre enquête au 13. C'est grâce à cela qu'il a pu si facilement jouer au chat et à la souris avec nous. Il disposait également de dossiers provenant du Pentagone sur tous les anciens combattants qui étaient des candidats potentiels pour Green Band. Hudson a sélectionné des hommes qui avaient servi à ses côtés au Viêtnam. Le Comité lui a promis des millions comme récompense…

— Oui, sauf que la moitié des vétérans membres de Green Band sont morts maintenant, fit remarquer Birnbaum. Les autres sont introuvables. David Hudson est introuvable. Je me demande bien où il est, en ce moment.

Caitlin s'était tue pendant presque toute la séance. Elle avait recueilli les informations financières nécessaires. Elle était en colère. Elle aussi avait été manipulée par ce Comité qui se croyait au-dessus du gouvernement, au-dessus des lois.

— Nous commençons à progresser, dit-elle finalement d'une voix calme. Mais nous sommes toujours confrontés à un problème majeur. À qui pouvons-nous nous fier, en dehors des personnes qui se trouvent ici dans cette pièce ? Est-ce que nous devons communiquer ce que nous savons à la presse ? Pouvons-nous nous adresser au FBI ? À qui allons-nous raconter notre histoire ?

Le silence régna dans la chambre. Ils commençaient tous à comprendre le pouvoir que quelques rares élus avaient entre les mains. Ils commençaient à comprendre le fonctionnement réel du système politique.

C'était ça, la vraie question, si simple et pourtant si extraordinairement épineuse. À qui confier la vérité ?

100

Les Carroll passèrent la journée du 22 décembre, confinés, dans leur hôtel du West Side. À qui faire confiance ? La question n'avait toujours pas trouvé de réponse.

Tard ce soir-là, Carroll et Caitlin se reposaient dans la plus petite des deux chambres. Allongés, dans les bras l'un de l'autre, ils laissaient s'écouler ces longues heures sinistres. Ils savaient que rien n'était encore acquis – et qu'ils n'auraient peut-être plus jamais la chance d'être à nouveau ensemble.

— Hudson a dit un truc sur le toit, là-bas à Brooklyn, chuchota Carroll en caressant les cheveux de Caitlin. Il a dit qu'il aimait son pays. Tu sais, j'éprouve la même chose, en dépit de tout ça. Je me sens bien plus proche de Hudson que des autres.

Caitlin hocha la tête.

Ses yeux la piquaient quand elle lui répondit à voix basse :

— Je suis tellement en colère contre tous ceux qui nous ont trompés, qui nous mentent et nous abusent depuis tant d'années.

Ils firent l'amour, et ce fut plus tendre que cela ne l'avait jamais été. Ils s'endormirent lovés l'un contre l'autre, tels des enfants autorisés à dormir dans le même lit pendant un orage.

Caitlin se réveilla à sept heures, ne parvint pas à se rendormir. Elle s'assit dans le lit.

Elle alluma un minuscule poste de radio et entendit la dernière chose au monde qu'elle avait envie d'entendre. Une nouvelle qui lui brisa le cœur.

« … conseiller de plusieurs présidents américains, Anton Birnbaum est mort hier, en fin d'après-midi, renversé par une voiture sur Riverside Drive, non loin de chez lui. Le chauffard a pris la fuite et n'a pu être identifié… M. Birnbaum était âgé de quatre-vingt-trois ans. »

Caitlin secoua Carroll. Elle entreprit alors de lui raconter, d'une voix entrecoupée de sanglots, ce qui était arrivé :

— Oh, Arch, ils l'ont tué. Ils ont tué Anton cette nuit. Qu'est-ce qui nous attend, maintenant ? Qu'est-ce qui va se passer ?

Carroll se leva en frissonnant. Il s'habilla et se précipita sur Broadway pour acheter les journaux du matin.

Tous les articles sur Anton Birnbaum contenaient des éloges respectueux. Et des mensonges. Beaucoup de mensonges.

Debout devant le kiosque à journaux, Carroll finissait sa revue de presse. Ses mains tremblaient. Tout portait à croire que ce qu'il savait ne serait jamais divulgué. Il n'était nulle part fait mention d'un traître au FBI. Ni de Monserrat, ni de l'endroit où se trouvait le colonel Hudson.

Alors qu'il retournait à l'hôtel d'un pas traînant, il constata qu'il était filé.

Le dénouement approchait, pour tous ceux qui en savaient trop.

101

S'enfuir. Il ne leur restait plus que cette possibilité.

Le soir du 23 décembre, Carroll, Caitlin, les quatre enfants et Mary Katherine descendirent Columbus Avenue en se tenant fermement par la main. Il devait bien exister un moyen pour que trois adultes et quatre petits enfants puissent échapper à une équipe de surveillance. Carroll ne l'avait toutefois pas encore trouvé. La foule new-yorkaise les protégerait temporairement.

L'ambiance était encore animée et festive, sur Columbus Avenue. Les gens s'écartaient de bonne grâce pour laisser passer la famille.

Carroll avait l'impression que, entre les lumières vives et les sapins, des ténèbres insondables les guettaient. Caitlin, Mary K., les enfants – comment les garder en vie, alors qu'il lui semblait que des tueurs inconnus étaient tapis dans chaque entrée d'immeuble ?

— Est-ce qu'on peut arrêter de courir, Papa ? S'il te plaît ?

Une toute petite voix contre son oreille, à peine audible au milieu de la symphonie des bruits de la rue. L'étrange cacophonie des sons de Noël refusait de s'éteindre, de leur laisser un moment de répit.

Agrippée au torse de Carroll, Lizzie hoquetait, maintenant.

— S'te plaît, papa. Juste une minute ? S'il te plaît ?

Devant eux, Caitlin et Mary Katherine remorquaient les trois autres petits, fendant la foule sans jamais ralentir.

D'une voix apaisante, sans cesser d'avancer à grandes enjambées, Carroll chuchota à l'oreille froide et rouge de Lizzie :

— S'il te plaît, mon bébé. Sois gentille, je t'en prie. Juste encore un petit peu, mon ange.

C'était tellement triste. C'était tellement injuste. Un sentiment d'abattement terrible lui enveloppait le cœur.

Il s'arrêta, cria aux deux femmes d'en faire autant, considéra la rue devant lui puis promena son regard sur Columbus Avenue illuminée. Ses yeux fatigués effleuraient des enseignes colorées : Sedutto's, Dianne's, Pershings, La Cantina.

Columbus Avenue avait considérablement changé depuis la dernière fois qu'il était monté plus haut que la 72e Rue. Par le passé, ce quartier pullulait de magasins d'alimentation hispaniques, d'hôtels pour voyageurs en transit et de marchands de tapis orientaux. C'était à présent une version branchée et empruntée de Greenwich Village.

Carroll jeta un nouveau coup d'œil par-dessus son épaule. Les hommes qui les suivaient depuis leur sortie de l'hôtel étaient encore derrière lui, à moins d'un demi-pâté de maisons.

En dépit du froid, Carroll avait la nuque trempée. Le col de sa chemise collait à sa peau et à ses cheveux bruns.

Il se sentait épuisé. Il lui semblait qu'il aurait pu s'allonger là, sur le capot d'une voiture en stationnement, et s'endormir ainsi, au beau milieu de Columbus Avenue.

Parmi tous ces passants, s'en trouverait-il ne serait-ce qu'un pour leur venir en aide ?

Carroll hurlait dans sa tête, implorant un secours, quel qu'il soit.

Son cerveau était proche de l'implosion. Il n'éprouvait plus rien d'autre que de la rage et l'élancement continuel de la peur. Il lisait ces mêmes émotions sur les visages de Caitlin et Mary K., qui avaient rebroussé chemin et se tenaient près de lui avec les enfants.

Carroll tendit soudain les bras vers Caitlin et l'agrippa aux épaules.

— Écoute-moi. Écoute-moi attentivement. (Il lui chuchota des mots d'espoir, des mots si innocents qu'elle en eut les larmes aux yeux :) Je t'aime tant, Caitlin. Tout va forcément bien se passer.

Puis il la repoussa. Loin, le plus loin possible de lui.

— Partez, vite ! Je vais descendre Columbus ! Emmenez les enfants ! Emmenez-les loin d'ici, s'il vous plaît ! Caitlin ! Emmène-les ! Maintenant !

— Paaa-pa !... Paaa-pa !

Carroll s'éloignait déjà à toutes jambes, la tête remplie des cris de ses enfants.

Il baissa la tête, le menton enfoncé dans la poitrine, et se mit à courir aussi vite qu'il le pouvait sur le trottoir encombré de monde.

Brusquement, des bras puissants le saisirent et le firent pivoter, l'obligeant à s'arrêter net. Une main s'abattit violemment sur son visage. Une douleur fulgurante lui sillonna les yeux.

Ses pensées s'enchaînaient à toute vitesse. Ils l'agressaient en plein New York, dans l'un des quartiers les plus résidentiels et les plus fréquentés de la ville, ils l'affrontaient au vu et au su de centaines de gens…

Les témoins ne leur importaient même plus.

— Lâchez-moi, bon Dieu ! Lâchez-moi, bande de connards ! (Les hurlements de Carroll s'envolaient comme des cerfs-volants au-dessus des coups de klaxon et du bourdonnement assourdissant de la rue.) À l'aide ! Au secours !

Une piqûre ! Il sentit une longue aiguille traverser son pantalon et lui darder la jambe.

Ils lui faisaient une piqûre en pleine rue !

Au beau milieu de la 70e Rue Ouest. En plein New York.

— À l'aide ! À l'aide, putain !

Carroll hurla et se débattit. Il les griffa, de toutes les forces qui lui restaient. Il brisa une mâchoire d'un uppercut désespéré. Son coude percuta un front. Un os craqua, bruyamment. Le sien ?

Tout était irréel, incompréhensible. Il n'avait pas la moindre prise sur les événements.

Ils l'entraînaient vers une berline bleu foncé.

Il regarda derrière lui au moment où ils l'arrachaient à la foule de Columbus Avenue.

Et alors il vit la seconde voiture arriver !

Il vit Caitlin, sa sœur et les petits se faire enlever à leur tour.

— Pas les enfants ! Bande d'enfoirés ! Pas mes enfants, pas mes enfants !… Non, je vous en supplie, pas mes enfants !…

102

Thomas More Elliot avait les paumes sèches et froides. Il réprima un tic nerveux qui commençait à palpiter dans sa gorge.

Il se décida enfin à sortir de la longue limousine bleu foncé. L'air était glacé. Des arbres morts se détachaient sur l'horizon gris et on entendait au loin tirer des chasseurs.

Il se retourna et emprunta un escalier en pierre qui aboutissait à la grande porte d'entrée à deux battants d'une imposante maison de campagne de trente pièces. Il s'immobilisa en haut des marches, prit une profonde inspiration.

Une fois entré, il constata que le gigantesque hall était surchauffé. Il sentit un filet de sueur couler le long de son col, aussi subrepticement qu'un insecte.

Ses pas résonnèrent sur le marbre quand il traversa le vestibule pour se diriger vers un grand escalier en courbe qui menait aux étages supérieurs. Elliot n'aimait pas cette maison. Sa taille mais surtout son histoire : tout ici le mettait mal à l'aise.

Lorsqu'il atteignit le palier, il se trouva face à une porte en noyer richement sculptée. Des années d'un entretien minutieux l'avaient rendue brillante au point qu'il voyait son reflet flou dans le bois.

Il ouvrit la porte et entra.

Un groupe d'hommes autour d'une longue table en chêne verni.

La plupart d'entre eux portaient des costumes sombres. Certains, dont le général Lucas Thompson, étaient des commandants de l'armée ou de la marine en retraite. D'autres étaient à la tête de grandes sociétés multinationales. D'autres encore étaient d'influents banquiers, des propriétaires de chaînes de télévision ou de journaux.

L'homme qui siégeait au bout de la table, un amiral en retraite dont le crâne chauve luisait, fit un signe de la main au vice-président.

— Prenez place, Thomas. Asseyez-vous, je vous en prie.

Le vice-président s'exécuta.

L'amiral sourit. Ce n'était pas une expression d'allégresse. Le silence se fit aussitôt dans la pièce.

— Il y a un an, commença l'amiral, nous étions assemblés ici même. Nous étions ce jour-là dans des dispositions d'esprit plutôt fébriles...

Quelques rires discrets et suffisants s'élevèrent poliment et se propagèrent autour de la table.

— Nous avions discuté, ainsi que nous nous en souvenons indubitablement tous, du problème posé par le projet connu sous le nom de « Mardi rouge », le complot ourdi à Tripoli par les pays producteurs de pétrole... Le débat avait été relativement passionné, ce jour-là...

L'amiral sourit. Elliot se dit qu'il ressemblait à un proviseur arrogant d'école privée le jour de la remise des prix.

— Nous étions alors parvenus – à l'unanimité – à la décision de mettre sur pied ce que nous avons appelé l'opération Green Band. Il me semble d'ailleurs me rappeler que c'est moi-même qui avais suggéré ce nom...

Un oiseau apparut dans l'encadrement d'une des fenêtres ; un petit moineau triste, qui jeta un bref coup d'œil à l'intérieur de la pièce en sautillant avant de s'envoler dans la lumière de fin d'après-midi.

L'amiral poursuivit, des accents moralisateurs dans la voix :

— Nous voilà aujourd'hui réunis pour prendre acte du succès de l'opération paramilitaire intitulée Green Band. Nous avons créé une panique *temporaire* du système économique. Une panique que nous avons été en mesure de contrôler. Nous avons contrecarré le complot terroriste « Mardi rouge ». On retrouvera le cadavre de Jimmy Hoffa[1] bien avant celui de François Monserrat... Et avec la destruction de Green Band et la mort de notre éphémère associé, le colonel Hudson, le dossier va se refermer sur cet épisode fâcheux de notre histoire... Tout est donc pour le mieux.

Elliot s'agita sur sa chaise. L'atmosphère dans la grande salle changeait imperceptiblement, les hommes commençaient à se détendre – avec retenue, calme et infiniment de classe, bien évidemment.

— Dans environ deux semaines, reprit l'amiral, Justin Kearney démissionnera tragiquement de la présidence... On se rappellera principalement de lui

---

1. Célèbre syndicaliste (1913-1975), il passa quatre ans en prison pour tentative de corruption de magistrats. Sa disparition, en 1975. porte à croire qu'il a été assassiné.

comme le dindon de la farce de cette quasi-catastrophe économique… Le plus important restant cependant que… (tous les yeux se posèrent alors sur le vice-président)… notre ami ici présent, le vice-président Thomas Elliot, accède à la charge ainsi libérée…

Des applaudissements retentirent. Elliot promena son regard sur les onze hommes attablés dans la pièce. En le comptant lui, ils étaient au nombre de douze.

— Tout à l'heure, fit l'amiral, on nous servira du champagne et des cigares. Pour le moment, Thomas, toutes mes félicitations… Ainsi, du reste, qu'à vous tous ici présents… (L'espace d'un instant, l'amiral afficha une expression songeuse, avant de poursuivre :) Dans quelques semaines, et, ce, pour la première fois, *l'un de nous* occupera la fonction suprême de ce pays. Ce qui signifie que nous jouirons d'une autorité plus forte et plus assise que jamais dans le passé… (Il contempla les poils blancs sur ses mains.) Ce qui implique que nous n'aurons plus à en découdre avec un président dont les opinions différeraient des nôtres… Avec quelqu'un qui s'imaginerait que son pouvoir ne dépend pas exclusivement de nous.

Thomas More Elliot fixait distraitement la lumière grise, de l'autre côté de la fenêtre. Ses yeux pâles clignèrent deux fois.

Il se passa la langue sur les lèvres, qui étaient devenues sèches. Quand il ouvrit la bouche, il avait la gorge irritée.

Il avait conscience que ce qu'il s'apprêtait à dire allait singulièrement saper l'ambiance. Mais il ne pouvait en être autrement. Même si cette perspective lui déplaisait, il fallait bien que quelqu'un annonçât la nouvelle.

— J'ai eu nos contacts de New York au téléphone...

Onze têtes pivotèrent vers lui.

— Un dénommé Archer Carroll est en garde à vue là-bas.

Le silence se fit dans la pièce.

— D'après les informations qui m'ont été communiquées, il parle... Il raconte son histoire à qui veut l'entendre... Et les représentants des médias se montrent extrêmement attentifs...

Long silence funeste.

Thomas More Elliot but une gorgée d'eau tiède.

— Que sait-il ? finit par demander l'amiral.

— Tout, répondit le vice-président.

103

Le sergent Joe Macchio et l'agent Jeanne McGuiness, de la police de New York, émergeaient du tronçon boisé de la 72e Rue qui traverse Central Park lorsqu'ils remarquèrent une scène qu'ils auraient préféré ne pas voir, surtout si près de la fin de leur service commencé huit heures plus tôt, sur les coups de seize heures.

— Ici voiture 183. Envoyez-moi immédiatement des renforts à l'angle de la 72e Rue et de Central Park Ouest ! réclama aussitôt l'agent McGuiness, une grande femme maigre au visage impassible.

La lumière rouge du gyrophare sur le toit du véhicule de patrouille tournoyait déjà.

Un peu plus haut sur la 72e, les deux policiers venaient de repérer une Lincoln bleu foncé qui roulait à une vitesse oscillant entre quatre-vingts et quatre-vingt-dix kilomètres à l'heure. Là n'était pas le problème.

Le problème était que, à l'arrière de la voiture, un fou dangereux ou suicidaire tentait de sortir, en se tortillant, par une vitre fracassée.

La moitié de son torse dépassait déjà de la fenêtre. La seule chose qui le retenait à l'intérieur, c'était les deux hommes accrochés à lui. Ils donnaient l'impression de s'escrimer pour attirer un énorme poisson frétillant dans la Lincoln.

— Regarde ! Juste derrière ! La deuxième voiture ! s'écria McGuiness en tendant l'index.

À l'intérieur du second véhicule, des enfants, une flopée d'enfants hurlants, semblaient eux aussi se débattre pour essayer de sortir...

— Putain de bordel de merde ! jura Joe Macchio.

Lui qui s'était préparé pour un Noël paisible voyait ce doux et innocent vœu voler en éclats.

Le sergent Macchio et l'agent McGuiness quittèrent leur voiture, armes dégainées. Ils s'approchèrent prudemment des deux berlines à présent arrêtées à l'angle sud-ouest de la 72e Rue. D'autres voitures de patrouille arrivaient déjà à vive allure, toutes sirènes dehors, en provenance de Broadway.

— Nous sommes des agents fédéraux, leur dit un homme en costume sombre, qui bondit littéralement de la Lincoln en brandissant un portefeuille et un badge qui avait l'air authentique.

— Vous pourriez être le commandant en chef de l'armée américaine que cela ne changerait rien ! lança le sergent Macchio d'une voix rauque et déterminée. Qu'est-ce qui se passe là-dedans, bon sang ? Qui est ce type ? Pourquoi est-ce que tous ces gosses braillent comme si quelqu'un était en train de se faire zigouiller ?

Un autre homme en costume sombre émergea de la deuxième voiture.

— Je m'appelle Victor Kenyon. Je travaille pour la CIA, monsieur l'agent, dit-il sur un ton calme mais autoritaire. Je crois être en mesure de tout vous expliquer...

Le haut du corps de Carroll dépassait toujours de la fenêtre du premier véhicule. Il était groggy et à deux doigts de perdre connaissance. Il interpella les deux policiers en braillant d'une voix pâteuse :

— Hé ! S'il vous plaît ! Mes enfants... Ils sont en danger... Je suis officier de la police fédérale...

Malgré son réveillon bousillé, le sergent Macchio ne put s'empêcher de sourire.

— Cette histoire promet d'être passionnante. Où est-ce qu'on s'installe ?

Dix minutes plus tard, la situation était loin d'être clarifiée. Plusieurs autres véhicules de patrouille étaient arrivés. Ainsi que des voitures de la branche new-yorkaise du FBI, et d'autres, de la CIA. La 72ᵉ Rue grouillait littéralement de flics.

Deux ambulances avaient également été appelées, mais Caitlin et Mary Katherine refusaient que Carroll fût transporté au Roosevelt Hospital ou en quelque autre endroit sans elles.

Caitlin hurlait sur les policiers, s'évertuant à leur faire entendre que Carroll et elle faisaient partie de l'équipe d'investigation chargée de l'enquête sur Green Band et qu'elle en avait la preuve dans son sac à main.

Les agents de la CIA disposaient quant à eux de preuves impressionnantes de la véracité de leur identité. Le litige menaçait de s'éterniser et les esprits s'échauffaient de minute en minute. Les badauds s'attroupaient peu à peu à l'angle de la rue.

Mickey Kevin Carroll se faufila aux côtés du sergent Macchio, qui s'était posté à l'écart pour réfléchir.

— Est-ce que je peux voir votre casquette ? s'enquit le petit garçon. Mon papa aussi est policier, mais il ne porte pas de casquette.

Joe Macchio baissa les yeux sur Mickey Kevin et le gratifia d'un sourire las.

— Et c'est qui, ton papa ? lui demanda-t-il. Il est dans le coin ?

— C'est *lui*, mon papa.

Mickey Kevin désigna l'homme avachi et manifestement endormi sur une civière du SAMU – Carroll avait, pour une ultime fois, la dégaine de Tchatcheur.

— Il est policier, mon petit ?

— Oui, monsieur.

L'affaire fut aussitôt réglée, pour le sergent Macchio : les soi-disant agents du FBI lui avaient affirmé que cet homme ne faisait absolument pas partie de la police.

— C'est ce que j'avais besoin de savoir, mon gars. C'est tout ce que j'avais besoin de savoir, en fait.

Le sergent Macchio se baissa et tendit sa casquette à Mickey Kevin. Puis il se dirigea vers la mini-émeute qui avait interrompu la circulation sur la 72e Rue, sans parler des allées de Central Park et de la voie transversale du parc.

— J'vais vous dire ce qu'on va faire, hein ! (Macchio tapa dans ses mains afin d'attirer l'attention et de mettre un peu d'ordre dans la mêlée.) On va aller régler ça tous ensemble au poste !

À cette nouvelle, les quatre petits Carroll se mirent à acclamer les policiers et à les applaudir.

Les officiers et les agents de la police de New York n'étaient pas habitués à cela. Deux ou trois agents, parmi les plus âgés, piquèrent un fard. Ils n'avaient jamais été traités ainsi, comme s'ils appartenaient à la cavalerie, comme des sauveurs.

— C'est bon, *c'est bon*, maintenant ! Tout le monde dans les fourgons ! On s'active. On va savoir qui sont les gentils et qui sont les méchants !

Des photos de la scène furent prises par un reporter du *New York Times*, mais aussi par un journaliste free-lance qui habitait de l'autre côté de la rue, sur Dakota Street. Ce dernier immortalisa Mickey Kevin arborant fièrement la casquette du sergent Macchio. Le cliché fit la couverture de *Newsweek*.

Plus tard, cette fameuse photo de Mickey Kevin trôna dans un cadre, sur la cheminée de la maison des Carroll à Riverdale... Lizzie, Mary III et Clancy s'insurgèrent bruyamment contre ce qu'ils qualifièrent de favoritisme. Arch leur demanda de bien vouloir cesser leurs jérémiades. Il leur était arrivé tant de choses en une période relativement courte. L'une des plus importantes étant que Carroll était tombé amoureux de Caitlin, imité lentement mais sûrement par ses enfants. Ils formaient une famille, à présent. Tous ensemble.

Une vraie famille.

ÉPILOGUE

HUDSON

104

Le 7 mars dans la matinée, la plupart des membres du Conseil de sécurité nationale étaient réunis dans le bureau ovale. Une ligne directe clignota, devant le président des États-Unis.

Un message préenregistré défila sur la ligne :

« Une bombe est programmée pour exploser ce matin à la Maison Blanche. Dans quelques minutes à peine… Cette décision est irrévocable. Cette décision n'est pas négociable. Vous devez immédiatement faire évacuer la Maison Blanche. »

À l'intérieur d'une cabine téléphonique, à moins d'un kilomètre et demi de la Maison Blanche, David Hudson appuya sur la touche « stop » d'un dictaphone. Il fourra ensuite le petit engin dans la poche de sa veste de treillis.

Hudson souriait. Puis, pendant un bref instant, il rit à gorge déployée.

Tout Washington attendit, mais aucune bombe n'explosa à la Maison Blanche ce matin-là.

En revanche, la maison du général Lucas Thompson sauta. Ainsi que celle du vice-président Elliot. Et celles de l'amiral Thomas Penny, de Philip Berger, de Lawrence Guthrie… Douze maisons, en tout.

David Hudson monta alors dans une camionnette vert clair et démarra, laissant derrière lui la capitale fédérale, qu'il quitta par l'ouest. Pendant un moment, il n'entendit plus de voix de cauchemar hurler dans sa tête. Son bras avait cessé de lui faire mal – le bras qu'il avait perdu.

Il pensait avoir fait ce qui s'imposait, surtout pour ses hommes, les autres vétérans. Ceux-ci s'étaient éparpillés comme des feuilles mortes pendant une violente tempête. Il espérait qu'ils prospéreraient ou qu'au moins ils trouveraient la paix. Justice leur était enfin rendue.

Il avait mis un terme à la tromperie.

DU MÊME AUTEUR
CHEZ LE MÊME ÉDITEUR

CELUI QUI DANSAIT SUR LES TOMBES

Alexandre Saint-Germain pourrait-il être, sous les dehors d'un homme d'affaires respectable, ce tueur sanguinaire qu'on surnomme Le Maître à danser ?

John Stefanovitch, lieutenant de la police de New York, et Isiah Parker, inspecteur de la brigade des stups, en sont persuadés. Et tous deux ont des motivations toutes personnelles pour stopper cet homme, l'empêcher de continuer à danser sur les tombes de ses victimes…

« Patterson explore avec brio le cerveau d'un psychopathe
dans ce thriller qui va à la vitesse d'un wagon lancé
sur les rails de montagnes russes… »
Ann Rule

« Du sang, du sexe, des rebondissements…
Les pages se tournent toutes seules jusqu'à l'ultime surprise ! »
Publishers Weekly

ISBN 978-2-35287-856-8 / H 72-1365-3 / 432 pages / 7,80 €

Cet ouvrage a été composé
par Facompo, Lisieux (Calvados)

Impression réalisée par
CPI France
en janvier 2017
pour le compte des Éditions Archipoche

Imprimé en France
N° d'édition : 440
N° d'impression : 3020397
Dépôt légal : janvier 2017